ЗВЕЗДЫ МИРОВОГО ДЕТЕКТИВА

КНИГИ МАЙКЛА КОННЕЛЛИ

В СЕРИИ «ЗВЕЗДЫ МИРОВОГО ДЕТЕКТИВА»

МАЙКЛ КОННЕЛЛИ

Другая сторона прощания

АЗБУКА

Санкт-Петербург

УДК 821.111(73)
ББК 84(7Сое)-44
  К 64

Michael Connelly
THE WRONG SIDE OF GOODBYE

Перевод с английского Андрея Полошака

Серийное оформление Вадима Пожидаева

Оформление обложки Ильи Кучмы

ISBN 978-5-389-17317-0

Вину Скалли с глубокой благодарностью

Выскочив из зарослей слоновой травы, все пятеро бросились к вертолету. Они мчались, держась подальше друг от друга, и один подстегивал остальных: «Бегом, бегом, бегом!» — без нужды напоминая, что нет в жизни ничего опаснее таких мгновений.

Воздушный поток прибил траву к земле, рассеяв дым от сигнальных шашек. Пилот готовился взлетать с тяжелым грузом: грел турбину, и та оглушительно ревела. Пулеметчики затащили парней на борт, хватая их за ранцевые ремни, и вертушка взмыла в воздух. Она пробыла на земле не дольше, чем стрекоза на водной глади озера.

Набрав высоту, пилот развернул машину левым бортом к лесополосе. В баньяновой чаще сверкнули вспышки выстрелов. Кто-то заорал: «Снайперы!» — но бортстрелок и без того видел, как обстоят дела.

Засада. Три четкие вспышки, трое снайперов. Позволили вертолету набрать высоту и открыли огонь с шестисот футов, когда мишень была как на ладони.

Пулеметчик ответил длинной очередью из М60. Свинцовая волна срезала верхушки деревьев, но снайперы не угомонились. Брони у вертолета не было: командование решило, что для выполнения боевых задач не нужна тяжеловесная защита. Нужна скорость и маневренность.

Вот только решение это было принято в девяти тысячах миль от вьетнамских джунглей.

Пуля пробила обтекатель турбины. Тук! «С таким звуком падает на капот автомобиля вылетевший с поля бейсбольный мяч», — подумал один из парней в вертолете. Брызнуло стекло: следующая пуля угодила в кабину. Выстрел из разряда «один на миллион»: прошив первого пилота, пуля зацепила второго. Первый погиб на месте, а второй схватился за шею, зажимая рану, чтобы остановить кровь. Порыв инстинктивный, но бессмысленный. Вертолет, потеряв управление, развернулся вправо — прочь от чащи, к рисовым полям. Машину закрутило по часовой стрелке. Люди на борту принялись вопить от ужаса. Они не могли ничего сделать. Тот, кому вспомнился бейсбольный мяч, попробовал сориентироваться в пространстве, но тщетно: мир за бортом вертолета вращался с головокружительной скоростью. Парень уперся взглядом в металлический разделитель между кабиной и грузовым отсеком. На нем было написано одно-единственное слово: «Адванс» — с буквой «А» в виде направленной вверх стрелы.

Он не сводил глаз с этого слова, даже когда почувствовал, что машина теряет высоту. От криков закладывало уши. Семь месяцев в разведке, осталось всего ничего... Он знал, что не вернется. Всё, конец.

Наконец он услышал вопль: «Держись, держись, держись!» — как будто у людей на борту был шанс выжить при падении, не говоря уже о последующем обстреле и вьетконговцах, которые прибегут на место крушения со своими мачете.

Все заголосили в панике, он же едва слышно прошептал:
— Вибиана...
Он знал, что уже никогда ее не увидит.
— Вибиана...

Вертолет рухнул в ров на рисовом поле и разлетелся на миллион металлических осколков. Мгновением позже вспыхнуло, расплескавшись по воде, горючее. К небу поднялся черный столб дыма — такой же, как от сигнальных шашек в зоне приземления.

Перезарядив оружие, снайперы дожидались спасательных вертолетов.

ГЛАВА 1

Вид открывался шикарный, и Босх был не прочь подождать. Вместо того чтобы сесть на диван в приемной, он стоял в футе от стекла и с удовольствием разглядывал крыши Даунтауна, за которыми виднелся Тихий океан. Дело было на пятьдесят девятом этаже башни Банка США. Крейтон, по обыкновению, не спешил. Так повелось с тех пор, когда он работал в Управлении полиции Лос-Анджелеса: тогда его офис располагался на одном из нижних этажей Паркер-центра, а окно приемной выходило на задний фасад ратуши. Если смотреть по горизонтали, новый офис был в каких-то пяти кварталах от старого. Но в вертикальной перспективе Крейтон определенно воспарил до уровня финансовых богов города.

Вид, конечно, был замечательный, но Босх все равно не понимал, зачем снимать офис в башне. Это здание, самое высокое к западу от Миссисипи, уже дважды становилось мишенью террористов. Да, в обоих случаях теракты удалось предотвратить, но спокойствия это не добавляло. Босх представил, каково людям, ежедневно входящим в стеклянные двери башни. Нервная работа, постоянное предчувствие беды... В нескольких кварталах отсюда возводили еще один небоскреб со стеклянным шпилем до самого неба — Уилшир-гранд-сентер.

Когда строительство завершится, новое здание станет еще выше. Пожалуй, террористы переключатся на него, и обитатели башни Банка США вздохнут с облегчением.

Босх любил взглянуть на город с высоты. В молодости он, бывало, вызывался на дополнительные смены в вертолетном подразделении — лишь для того, чтобы снова и снова взлетать над Лос-Анджелесом и восхищаться его размерами.

Взглянув на шоссе 110, Босх увидел, что весь Южный Централ стоит в пробке. Еще он отметил, что на крышах прибавилось вертолетных площадок. Сливки общества предпочитали этот вид транспорта остальным. Говорили, что даже некоторые звездные баскетболисты «Лейкерс» и «Клипперс» летают тренироваться в Стэйплс-центр на вертушках.

Толстое стекло было звуконепроницаемым. Город молчал. Босх слышал лишь голос секретарши — та, отвечая на звонки, повторяла заученное приветствие:

— Служба безопасности «Трезубец». Чем могу помочь?

Босх зацепился взглядом за патрульную машину: та неслась по Фигероа на юг, к развлекательному комплексу «Эл-Эй лайв». На крыше автомобиля читались громадные цифры «01» — стало быть, первое отделение, центральная зона покрытия. Следом за машиной в поле зрения появился полицейский вертолет. Он пролетел чуть ниже пятьдесят девятого этажа. Босх провожал его взглядом, когда за спиной раздался голос:

— Мистер Босх?

Он обернулся. В приемной стояла женщина, но не секретарша.

— Меня зовут Глория. Мы говорили по телефону.

— Да, точно, — кивнул Босх. — Вы помощница мистера Крейтона.

— Рада знакомству. Вы можете войти.

— Славно. Еще чуть-чуть, и я бы прыгнул вниз.

Она, не улыбнувшись, проводила Босха в коридор с акварелями на стенах. Расстояние между рамками было выверено до миллиметра.

— Стекло противоударное, — заметила она. — Способно пережить ураган пятой категории.

— Приятно слышать, — сказал Босх. — Кстати, это была шутка. Когда-то ваш шеф работал заместителем начальника Управления полиции. И уже в те времена любил подолгу держать посетителей в приемной.

— Неужели? У нас я такого не заметила.

Босх слегка запутался: ведь его пригласили войти на пятнадцать минут позже назначенного времени.

— Должно быть, прочел об этом приеме в учебнике по карьерному росту, — сказал он. — Ну, вы понимаете: даже если человек пришел вовремя, пусть подождет. Поймет, как сильно вы заняты. Когда войдет в кабинет, у вас уже будет моральное преимущество.

— Это разновидность деловой философии? Я с такой незнакома.

— Деловой? Скорее, полицейской.

Они вошли в кабинет, разделенный надвое. В первой секции, весьма просторной, стояли два рабочих стола. За одним сидел парень в костюме — лет двадцать пять, плюс-минус. Второй стол, по всей видимости, принадлежал Глории. Они подошли к двери в перегородке. Открыв ее, Глория отступила в сторону.

— Входите, — сказала она. — Принести вам бутылку воды?

— Нет, спасибо, — ответил Босх. — Мне и так хорошо.

Он вошел во вторую секцию, еще более просторную. Слева от двери был рабочий стол, справа — пространство для задушевных бесед: два дивана, а между ними журнальный столик со стеклянным верхом. Крейтон сидел за столом, показывая, что встреча с Босхом носит официальный характер.

В последний раз Босх видел Крейтона вживую лет десять назад. Когда именно, он не помнил. Скорее всего, на собрании отдела, когда Крейтон зашел сообщить новости о начислении сверхурочных или компенсации транспортных расходов. Тогда он, помимо прочих управленческих дел, занимался полицейской бухгалтерией. Именно Крейтон был автором драконовских правил по сверхурочным: теперь каждую «зеленку» — карточку для выплаты — требовалось заполнить самым подробнейшим образом, а потом еще и заверить у начальства. Поскольку карточки заверяли — или не заверяли — задним числом, считалось, что новые правила призваны умерить пыл копов во всем, что касается сверхурочной работы. Или, что еще хуже, разжечь этот пыл, а потом не заплатить или компенсировать отгулами. После этой реформы к Крейтону прилипло прозвище Кретин, весьма популярное среди личного состава.

Вскоре он ушел из полиции в частный сектор, но «зеленки» до сих пор были в ходу. В Управлении Крейтона вспоминали не из-за перестрелки, спасения заложников или ареста опасного преступника. Нет, в память о себе он оставил лишь зеленый листок для учета сверхурочных.

— Гарри, входите, — пригласил Крейтон. — Присаживайтесь.

Босх подошел к столу. Крейтон был на несколько лет старше его, но держал себя в хорошей форме. Он встал из-за стола, выставив руку для рукопожатия. На Крейтоне была серая «тройка», искусно подогнанная по стройной фигуре. От него веяло ароматом денег. Босх пожал ему руку и сел напротив стола. Он пришел на встречу в повседневной одежде: синие джинсы, голубая джинсовая рубашка и черная вельветовая куртка, которую он не снимал уже лет двенадцать, а то и больше. Костюмы, что остались со службы в Управлении, Босх убрал в портпледы. И не собирался доставать один из них ради встречи с Кретином.

— Как поживаете, шеф? — спросил он.

— Я уже не шеф, — хохотнул Крейтон. — Было да прошло. Зовите меня Джон.

— Как поживаете, Джон?

— Простите, что заставил вас ждать. Беседовал по телефону с клиентом. Сами понимаете, клиенты всегда в приоритете. Верно?

— Конечно. Я не в обиде. Вид из окна мне очень понравился.

Окно за спиной у Крейтона выходило на противоположную часть города: на северо-восток, Сивик-Сентер и заснеженные вершины Сан-Бернардино. Но Босх решил, что Крейтон выбрал этот офис не из-за вида на горы. Скорее, ему нравилось разглядывать Сивик-Сентер. Повернувшись к окну, Крейтон сверху вниз смотрел на шпиль ратуши, на здание полицейской администрации, на редакцию «Лос-Анджелес таймс» и, наверное, думал: «Я, Крейтон, поднялся выше всех».

— Видеть мир под таким углом... Просто дух захватывает, — прокомментировал Крейтон.

Кивнув, Босх перешел к делу:

— Итак, чем могу помочь... Джон?

— Ну, во-первых, позвольте поблагодарить, что пришли, даже не спросив, зачем вас позвали. Глория сказала, достучаться до вас было непросто.

— Ну да, уж извините. Я говорил ей, и вам повторю: если хотите предложить работу, меня это не интересует. У меня есть работа.

— Да, знаю. Сан-Фернандо. Но это скорее хобби — верно?

Крейтон произнес эти слова с легкой насмешкой в голосе, и Босху вспомнилась фраза из какого-то фильма: «Ты или коп, или мелкая сошка». Выходит, если работаешь в маленьком управлении, остаешься мелкой сошкой.

— Дел ровно столько, сколько мне нужно, — ответил Босх. — И еще у меня есть лицензия частного детектива. Бывает, беру клиентов.

— Наверное, по рекомендации? — спросил Крейтон.

Босх какое-то время смотрел на него.

— Полагаете, я должен прыгать от радости, что вы меня пригласили? — наконец осведомился он. — Работать в вашей компании я не собираюсь. Не важно, сколько денег вы предложите и какие дела поручите вести.

— Позвольте задать вам один вопрос, Гарри, — произнес Крейтон. — Вам известно, чем мы занимаемся?

Прежде чем ответить, Босх взглянул ему за спину, на заснеженные горные вершины.

— Мне известно, что у вас служба безопасности высокого уровня. Для тех, кто может позволить себе такую роскошь, — ответил он.

— Вот именно, — подтвердил Крейтон, поднял правую руку и оттопырил три пальца — видимо, в попытке изобразить трезубец. — Служба безопасности «Трезубец». Наша специализация — финансовая, технологическая и личная безопасность. Десять лет назад я возглавил подразделение в Калифорнии. У нас несколько офисов: здесь, в Нью-Йорке, Бостоне, Чикаго, Майами, Лондоне и Франкфурте. Скоро откроемся в Стамбуле. Серьезный бизнес, тысячи клиентов и очень крупные связи во всем, что касается нашей сферы деятельности.

— Молодцы, — кивнул Босх.

Прежде чем прийти сюда, он минут десять просидел за ноутбуком и собрал кое-какую информацию о «Трезубце», высококлассной охранной фирме, появившейся в девяносто шестом году в Нью-Йорке. Ее основал корабельный магнат по имени Деннис Лоутон; в прошлом, когда он был на Филиппинах, его похитили ради выкупа. Для начала Лоутон поставил во главе фирмы бывшего комиссара полиции Нью-Йорка, а потом действовал по шаблону: открывая представительство в том или ином городе, приглашал на руководящий пост местного шефа или высокопоставленного копа, чтобы привлечь интерес СМИ и заручиться столь необходимой поддержкой местной полиции. Поговаривали, что десять лет назад Лоутон хотел переманить к себе начальника полиции Лос-Анджелеса, но тот отказался, и Лоутон сделал предложение Крейтону.

— Я говорил вашей помощнице, что работа в «Трезубце» меня не интересует, — произнес Босх. — Она же ответила, что речь не о работе. Так расскажите вы, в чем дело, и мы разойдемся.

— Смею заверить, что я не собираюсь предлагать вам место в «Трезубце», — сказал Крейтон. — Честно говоря, для работы нам необходимо безусловное уважение и сотрудничество со стороны Управления полиции Лос-Анджелеса, ибо дела наших клиентов порой бывают весьма деликатны. Поступи вы на службу в «Трезубец», у нас могли бы возникнуть проблемы.

— Имеете в виду мой судебный процесс?

— Именно.

Бо́льшую часть прошлого года Босх был истцом в судебном разбирательстве. Ответчиком выступало Управление, в котором он проработал больше тридцати лет. Босх подал в суд, ибо считал, что его незаконно вынудили уйти на пенсию. Из-за этого в полиции к Босху относились с некоторой неприязнью. Казалось, все забыли о том, что за время службы он поймал более сотни убийц. Суд закончился, но некоторые полицейские — в основном птицы высокого полета — по-прежнему считали Босха своим врагом.

— Значит, если вы позовете меня работать в «Трезубец», это не пойдет на пользу вашим отношениям с Управлением полиции Лос-Анджелеса, — сказал Босх. — Понимаю. Но вы пригласили меня не просто так. Что случилось?

Крейтон кивнул. Пора было говорить по существу.

— Вам знакомо имя Уитни Вэнса? — спросил он.

— Разумеется, — кивнул Босх.

— Короче говоря, он наш клиент, — сказал Крейтон. — Он и его компания «Адванс инжиниринг».

— Уитни Вэнс? Ему же лет восемьдесят.

— Вообще-то, восемьдесят пять. И...

Открыв средний ящик, Крейтон выложил на стол некий документ. Присмотревшись, Босх увидел, что это распечатанный чек с прикрепленным корешком. Очков на нем не было, и он не разобрал ни суммы, ни других подробностей.

— Он хочет поговорить с вами, — закончил фразу Крейтон.

— О чем? — спросил Босх.

— Не знаю. Уитни Вэнс сказал, что дело приватное, и просил прислать именно вас. Назвал ваше имя. И заявил, что ни с кем другим разговаривать не станет. Вот заверенный чек на десять тысяч долларов — он ваш, если согласитесь на встречу. Независимо от ее исхода.

Босх не знал, что ответить. В суде он выиграл приличную сумму, но перевел почти все деньги в долгосрочные инвестиции, чтобы ни в чем не нуждаться в старости и оставить ощутимое наследство дочери. Но ей оставалось учиться больше двух лет, а потом еще и магистратура... Стипендию платили неплохую, но в ближайшем будущем соскочить с крючка не получится. Босх не сомневался, что найдет, как потратить эти десять тысяч.

— Где и когда запланирована встреча? — наконец спросил он.

— Завтра утром в Пасадене, дома у мистера Вэнса, — ответил Крейтон. — Адрес указан на квитанции, приложенной к чеку. Возможно, вы захотите одеться поприличнее...

Босх не обратил внимания на шпильку в адрес своего наряда. Сунув руку во внутренний карман куртки, достал очки, нацепил их на нос и взял со стола чек. Тот был выписан на его полное имя: Иероним Босх.

Внизу была отрывная линия, а под ней — адрес, время встречи и предостережение: «Приходите без оружия». Босх свернул чек по перфорации и, глядя на Крейтона, убрал его в карман куртки.

— Сейчас я поеду в банк, — сказал он. — Переведу эти деньги на депозитный счет. Если проблем не возникнет, завтра буду на месте.

— Проблем не возникнет, — притворно улыбнулся Крейтон.

Босх кивнул.

— Значит, у нас всё? — спросил он, поднимаясь на ноги.

— Еще один момент, Босх, — сказал Крейтон.

Босх заметил, что Крейтон назвал его не по имени, а по фамилии. Должно быть, за эти десять минут Босх упал в его глазах.

— Что такое? — спросил он.

— Понятия не имею, о чем вас попросит старик, но я всецело на его стороне, — ответил Крейтон. — Он для меня больше чем просто клиент, и я не хочу, чтобы в таком возрасте его обвели вокруг пальца. Что бы он вам ни поручил, я должен быть в курсе дела.

— Вокруг пальца? Если не ошибаюсь, Крейтон, вы сами меня вызвали. Если кого и хотят обвести вокруг пальца, то лишь меня. И не важно, сколько Вэнс мне платит.

— Уверяю, об этом не стоит волноваться. Никто вас не обманет. Разве что обсчитают на заправке по пути в Пасадену. На встречу, за которую вы только что получили десять тысяч долларов.

— Хорошо, — еще раз кивнул Босх. — Поверю вам на слово. Завтра съезжу к старику и узнаю, зачем я ему понадобился. Но если я возьмусь за дело — каким бы оно ни было, — вся информация останется между мною и моим клиентом. Вы ничего не узнаете, если только Вэнс не велит мне что-то вам рассказать. Я работаю только так, невзирая на статус клиента.

Он направился к выходу. У двери обернулся и взглянул на Крейтона:

— Спасибо за вид.

И вышел, закрыв за собой дверь.

В фойе Босх остановился у стойки администратора, чтобы отметить парковочный талон. Хотел убедиться, что Крейтон выложит двадцать баксов за стоянку и мойку, на которую Босх согласился, когда сдавал машину парковщику.

ГЛАВА 2

Поместье Вэнса располагалось на Сан-Рафаэль-авеню, неподалеку от гольф-клуба «Аннандейл». Здесь жили потомственные богачи. Дома и участки за каменными стенами и черными металлическими оградами переходили от одного поколения к другому. Этот район был совсем не похож на Голливуд-Хиллз, где нувориши ежедневно выставляли мешки с мусором на тротуар. Тут не было табличек «Дом продается». Купить здесь недвижимость мог лишь друг или родственник кого-то из местных.

Босх оставил машину у обочины в сотне ярдов от ворот поместья, увенчанных витиеватыми шипами в виде цветов. Какое-то время он рассматривал изгибы подъездной дорожки — та вилась между двумя покатыми, поросшими травой холмами, а потом скрывалась из виду. Босх не увидел никаких строений. Даже гаража и того не было. Наверное, все здания стояли подальше от улицы, под надежной защитой металла, охранников и складок местности. Но Босх знал, что где-то там, за холмами цвета долларовой бумажки, его ждет старик по имени Уитни Вэнс. Он что-то задумал, и, чтобы осуществить этот замысел, ему нужен человек по другую сторону шипастой ограды.

Босх приехал с запасом в двадцать минут и решил потратить это время на чтение статей, которые нашел утром в Интернете и скачал на ноутбук.

Как и всякий житель Калифорнии, он был знаком с биографией Уитни Вэнса, но лишь в общих чертах. Некоторые ее подробности были достойны восхищения: Вэнс, в отличие от большинства богатых наследников, сумел приумножить свой капитал. Его семья разбогатела во времена калифорнийской золотой лихорадки. Четыре поколения назад его прадед перебрался в Пасадену разведывать новые месторождения, но родовое богатство Вэнсов стояло на ином фундаменте. Устав от погони за золотом, прадед Уитни Вэнса основал первую в стране компанию по открытым горным работам и стал добывать железную руду на землях округа Сан-Бернардино — тонну за тонной. Дед Вэнса пошел по стопам своего отца: у семьи появился второй карьер чуть дальше к югу, в округе Империал. Его сын — отец Уитни Вэнса — добавил к активам семейства металлургический завод с полным производственным циклом. На заре авиастроения тот пришелся очень кстати. Говард Хьюз — первое лицо тогдашней авиации — активно сотрудничал с Нельсоном Вэнсом: поначалу Вэнс поставлял Хьюзу детали для самолетов, а позже стал его партнером во многих авиационных начинаниях. Помимо прочего, Хьюз был крестным отцом единственного сына Вэнса.

Уитни Вэнс появился на свет в 1931 году и уже в юности выбрал для себя особый путь. Сперва он поступил в Университет Южной Калифорнии на факультет фильмопроизводства, но вскоре бросил учебу. Решив вернуться в лоно семейного бизнеса, он перевелся в Калифорнийский технологический институт в Пасадене — тот самый, где учился «дядя Говард». Именно Хьюз уговорил молодого Уитни посвятить себя изучению авиационной инженерии в Калтехе.

Когда пришел его черед, Вэнс, подобно своим предкам, стал развивать фамильное дело в направлениях новых и все более успешных. Все они были связаны с источником семейного богатства: сталью. Выиграв множество государственных тендеров на производство запчастей для авиационной промышленности, Вэнс основал компанию «Адванс инжиниринг» и запатентовал почти всю свою продукцию. Соединительными муфтами для заправки самолетов, усовершенствованными на фамильном заводе Вэнсов, до сих пор пользовались в аэропортах всего мира. Из железной руды, добываемой в карьерах Вэнса, извлекали феррит: этот материал применялся на ранних стадиях разработки летательных аппаратов, способных обмануть радары. Вэнс аккуратно запатентовал все этапы этого процесса и держал их в строжайшем секрете, тем самым на многие десятилетия застолбив себе место в сфере стелс-технологий. Вэнс и его фирма стали неотъемлемой частью так называемого военно-промышленного комплекса, а с началом кампании во Вьетнаме капитализация «Адванс инжиниринг» выросла в геометрической прогрессии. Во время войны любой самолет или вертолет, вылетающий в зону боевых действий или за ее пределы, был собран из деталей «Адванс инжиниринг». Логотип компании — букву «А» в виде направленной вверх стрелы — Босх видел на металлических корпусах всех вертушек, на которых ему доводилось летать во Вьетнаме.

В стекло требовательно постучали. Вздрогнув, Босх поднял глаза. Рядом с водительской дверцей стоял патрульный в форме полиции Пасадены. Глянув в зеркало заднего вида, Босх увидел черно-белую полицейскую машину. Он так увлекся чтением, что не заметил, как к нему подъехал коп.

Чтобы опустить стекло, пришлось завести двигатель «чероки». Босх знал, в чем дело. У поместья одной из богатейших семей Калифорнии стоит двадцатидвухлетний автомобиль, который не мешало бы подкрасить. Не важно, что машина чисто вымыта. Не важно, что ради такого случая Босх достал из пластикового портпледа отличный костюм и даже повязал галстук. Зрелище весьма подозрительное: в районе появился чужак. Не прошло и пятнадцати минут, как патрульный прибыл по тревожному сигналу.

— Понимаю, как все выглядит со стороны, — начал Босх, — но через пять минут у меня встреча. Вон в том поместье, через дорогу. Я просто...

— Замечательно, — сказал коп. — Вы не могли бы выйти из машины?

Босх пристально посмотрел на него. На рубашке копа, чуть выше нагрудного кармана, была нашивка с именем «Купер».

— Вы что, шутите?

— Нет, сэр, я не шучу, — ответил Купер. — Выйдите, пожалуйста, из машины.

Глубоко вздохнув, Босх открыл дверцу и подчинился приказу. Поднял руки к плечам и сообщил:

— Я полицейский.

Купер тут же насторожился. Босх знал, что так оно и будет.

— Я не вооружен, — быстро добавил Босх. — Пистолет в бардачке.

И мысленно поблагодарил того, кто сделал пометку «Приходите без оружия» на чеке.

— Покажите удостоверение личности, — потребовал Купер.

Босх медленно сунул руку во внутренний карман пиджака и достал чехол с жетоном. Рассмотрев жетон, Купер принялся изучать удостоверение.

— Здесь говорится, что вы резервист, — заметил он.

— Да, — подтвердил Босх. — Работаю на общественных началах.

— Но выехали за границы своей резервации. На целых пятнадцать миль. Что вы здесь делаете, детектив Босх?

Купер вернул чехол с жетоном, и Босх спрятал его в карман.

— Об этом я и пытался рассказать, — сказал он. — У меня встреча с мистером Вэнсом. Думаю, вам известно, чье это поместье. — Босх показал пальцем на черные ворота. — Кстати, из-за вас я опаздываю.

— Что за встреча? Полицейское дело? — спросил Купер.

— Вообще-то, вас это не касается, — ответил Босх.

Какое-то время они холодно, не мигая, смотрели друг на друга.

— Мистер Вэнс ждет меня, — продолжил наконец Босх. — Он такой человек, что обязательно спросит, почему я опоздал. И пожалуй, примет меры. Вашу фамилию, Купер, я уже прочел на рубашке. Могу я узнать ваше имя?

Купер моргнул.

— Да, — пробормотал он. — Меня зовут «Катись куда подальше». Хорошего дня. — И, развернувшись, пошел к патрульной машине.

— Спасибо, — бросил Босх ему в спину, сел за руль и тут же отъехал от обочины.

Если бы старичок-«чероки» способен был оставить на асфальте черный резиновый след, Босх не преминул бы этим воспользоваться. Но сумел лишь обдать машину Купера струей сизого дыма из ржавой выхлопной трубы.

Босх остановился у въезда в поместье — рядом с камерой наблюдения и переговорным устройством. Почти сразу из динамика донеслось:

— Да?

Голос был мужской, молодой, усталый и надменный. Хоть Босх и допускал, что повышать тон нет необходимости, он, высунувшись в окно, громко произнес:

— Гарри Босх к мистеру Вэнсу. У меня назначено.

Мгновением позже створки ворот начали разъезжаться в стороны.

— Следуйте по подъездной дорожке до парковочного кармана за будкой охранника, — сообщил голос. — Возле металлодетектора вас встретит мистер Слоун. Оружие и все записывающие устройства оставьте в бардачке машины.

— Понял, — сказал Босх.

— Проезжайте, — разрешил голос.

Теперь ворота были полностью открыты. Оказавшись на территории поместья, Босх поехал вперед по выложенной булыжником дорожке, разглядывая аккуратно подстриженные изумрудные холмы. Наконец он остановился возле второй ограды, за которой была сторожевая будка. Подобную систему защиты — с двойным забором — Босх видел во всех тюрьмах, где ему довелось побывать. Но в отличие от тюремных здешние ограды предназначались для того, чтобы не впускать непрошеных гостей.

Открылись вторые ворота. Охранник в темно-синей форме вышел из будки и указал на парковочный карман. Проезжая мимо, Босх помахал охраннику рукой и заметил у него на плече нашивку с трезубцем.

Когда Босх вышел из машины, ему было велено положить ключи, телефон, часы и ремень в пластиковый лоток, после чего пройти через металлодетектор — из тех, что ставят в аэропортах. За детектором наблюдали еще двое парней из «Трезубца». Они вернули Босху все, за исключением телефона, объяснив, что положат его в бардачок машины.

— Кто-нибудь, кроме меня, заметил парадокс? — спросил Босх, продевая ремень в петли брюк. — Эта семья сколотила состояние на металле, а теперь, чтобы попасть в дом, нужно пройти через металлодетектор.

Охранники промолчали.

— Ну ладно. Значит, никто, — кивнул Босх.

Застегнув ремень, он проследовал к очередному охраннику: в костюме, с непременным наушником в ухе, микрофоном на запястье и безжизненным взглядом сотрудника секретной службы. Словно в довершение образа крутого парня, голова мужчины была обрита наголо. Он не представился, но Босх предположил, что перед ним тот самый Слоун, о котором ему сообщили по интеркому. Не проронив ни слова, мужчина провел Босха к служебному входу в огромный особняк из серого камня — пожалуй, не хуже, чем у Дюпонов и Вандербильтов. Если верить Википедии, Босх пришел в гости к шести миллиардам долларов. Входя в дом, он подумал, что никогда еще не подбирался столь близко к хозяевам Америки. И вряд ли такому суждено случиться вновь.

Его проводили в мрачную, отделанную деревом комнату. На одной из стен в четыре ряда висели рамки с фотографиями формата А4 — штук сорок или около того. В углу стояли два дивана, рядом с ними был бар. Мужчина в костюме указал Босху на диван:

— Присядьте, сэр. Когда мистер Вэнс будет готов к встрече, за вами зайдет секретарша.

Босх выбрал диван напротив стены с фотографиями.

— Не желаете стакан воды? — спросил «костюм».

— Нет, мне и так хорошо, — ответил Босх.

«Костюм» занял место у двери, через которую они только что вошли. Обхватив правой ладонью левое запястье, он застыл в позе, означавшей: «Я все вижу и готов к чему угодно».

Чтобы скоротать время, Босх принялся рассматривать фотографии с зарисовками из жизни Уитни Вэнса и изображением людей, с которыми он встречался. На первом фото был Говард Хьюз в обществе какого-то подростка — должно быть, Вэнса. Оба стояли, прислонившись к некрашеному металлическому фюзеляжу самолета. Похоже, чтобы соблюсти хронологию, снимки нужно было рассматривать слева направо. На каждой фотографии был Вэнс, а рядом с ним — известные промышленники, политики и медийные персоны. Босх не сумел бы назвать по именам всех, с кем позировал Вэнс, но большинство лиц — от Линдона Джонсона до Ларри Кинга — были ему знакомы. На всех фотографиях Вэнс одинаково улыбался левым уголком рта, словно давая понять, что это не он предложил сделать снимок. От одного фото к другому лицо его становилось все старше, веки все тяжелее, но улыбка оставалась прежней.

Фотографий с Ларри Кингом, знаменитым ведущим ток-шоу с известными людьми на канале Си-эн-эн, было две. На первой Вэнс и Кинг сидели друг напротив друга в студии, где более двадцати лет снималась передача «Ларри Кинг в прямом эфире». На столе между ними обложкой к камере стояла книга. На второй фотографии Вэнс ставил в книге автограф для Кинга — похоже, золотой ручкой. Босх встал и подошел к стене, чтобы рассмотреть снимки как следует. Надел очки, всмотрелся в первое фото и прочел название книги, которую Вэнс рекламировал по телевидению: «Уитни П. Вэнс. СТЕЛС: История создания самолета-невидимки».

Название было знакомым. Босх вспомнил, как Уитни Вэнс написал историю своей семьи, а критики разгромили ее, и вовсе не из-за содержания. Из-за того, что слишком многое осталось недосказанным. Отец его, Нельсон Вэнс, в свое время был акулой бизнеса и неоднозначной политической фигурой. Ходили бездоказательные слухи, что он был членом тайного общества промышленников, богатых сторонников евгеники. Предметом этой так называемой науки было улучшение человечества через контроль за деторождением и ликвидацию потомства с нежелательными характеристиками. После того как во время Второй мировой войны нацисты устроили под этим сомнительным знаменем настоящий геноцид, люди вроде Нельсона Вэнса сочли, что лучше помалкивать о своих убеждениях.

Книга Уитни Вэнса являла собою апофеоз тщеславия. В ней всячески восхвалялись достоинства его отца, но не было ни слова о недостатках. С возрастом Уитни Вэнс превратился в форменного затворника. На публике он появился, лишь чтобы разрекламировать свою книгу. Тогда-то на него и набросились с вопросами о тайных подробностях отцовской биографии.

— Мистер Босх?

Он обернулся. В другом конце комнаты, у двери, ведущей в коридор, стояла женщина. На вид ей было лет семьдесят. Седые волосы ее были собраны в деловитый пучок на макушке.

— Меня зовут Ида. Я секретарь мистера Вэнса, — сказала она. — Он готов с вами встретиться.

Босх проследовал за ней в коридор длиною в городской квартал. В конце его был короткий лестничный пролет, а за ним — еще один коридор, ведущий в крыло здания, выстроенное чуть выше по склону холма.

— Простите, что заставили вас ждать, — произнесла Ида.

— Ничего страшного, — отозвался Босх. — Я с удовольствием посмотрел фотографии.

— От них так и веет историей.

— Согласен.

— Мистер Вэнс с нетерпением ждет встречи с вами.

— Славно. Никогда не общался с миллиардером.

После этой фразы разговор был окончен. Похоже, заводить речь о деньгах в этом особняке, являвшем собою памятник богатству, было грубо и бестактно.

Наконец они подошли к двустворчатым дверям. Ида ввела Босха в домашний кабинет Уитни Вэнса.

Человек, к которому пришел Босх, сидел за столом спиной к камину — такому здоровенному, что в нем можно было бы укрыться во время торнадо. Он дал знак подойти ближе, подняв худосочную руку — столь бледную, словно на ней была латексная перчатка.

Босх приблизился к столу. Вэнс указал на одинокое кожаное кресло напротив. Он не протянул руки гостю. Заняв свое место, Босх заметил, что Вэнс сидит в кресле-каталке с пультом управления на левом подлокотнике. На темном полированном столе лежал один-единственный лист бумаги — то ли чистый, то ли перевернутый лицевой стороной вниз.

— Как поживаете, мистер Вэнс? — вежливо спросил Босх.

— Как поживаю? По-стариковски, вот как я поживаю, — ответил Вэнс. — Как я ни старался победить время, оно мне не по зубам. Да и никому другому. Человеку с моим положением непросто говорить такие слова, мистер Босх, но я смирился с неизбежным.

Подняв все ту же костлявую бледную руку, он обвел всю комнату одним широким жестом и добавил:

— Вскоре все это потеряет всякий смысл.

На всякий случай Босх оглянулся — мало ли, может, Вэнс хотел что-то ему показать. Справа стоял длинный белый диван и кресла того же цвета. Рядом была ширма, за которой при необходимости мог скрыться хозяин кабинета. На двух стенах висели картины — холсты с яркими цветовыми пятнами.

Босх снова посмотрел на Вэнса. Старик удостоил его кривой улыбкой — той самой, что Босх видел на фотографиях в приемной, левым уголком рта. Похоже, он не умел улыбаться полностью — ни в прошлом, ни теперь.

Босх не вполне понял, как реагировать на слова старика о смерти и тщетности всего сущего. Вместо этого он произнес фразу, которую не раз повторял про себя с тех пор, как побывал у Крейтона:

— Итак, мистер Вэнс, мне сказали, что вы желаете меня видеть. И вы заплатили изрядную сумму, чтобы я сюда приехал. Возможно, для вас это пустяки, но для меня нет. Чем могу помочь, сэр?

Вэнс перестал улыбаться и кивнул.

— Сразу видно, что вы человек дела, — сказал он. — Мне это нравится.

Коснувшись пульта управления, он подъехал к столу.

— Я прочел о вас в газете, — продолжил он. — По-моему, в прошлом году. Тот случай с врачом и перестрелкой... Вы произвели на меня впечатление человека, умеющего стоять на своем, мистер Босх. На вас крепко давили, но вы не прогнулись. Это похвально. В наши дни таких людей немного, а мне нужен именно такой человек.

— Что вы хотите мне поручить? — снова спросил Босх.

— Хочу, чтобы вы кое-кого нашли, — сказал Вэнс. — Не исключено, что этого человека никогда не было на свете.

ГЛАВА 3

Заинтриговав Босха своей просьбой, Вэнс левой рукой перевернул лист бумаги и сказал, что продолжит после того, как Босх поставит на нем свою подпись.

— Это документ о неразглашении, — пояснил он. — По словам моего юриста, безупречный. Подписав его, вы гарантируете, что не раскроете содержания нашей беседы или подробностей расследования никому, кроме меня. Никому из моих служащих. Никому из тех, кто придет к вам от моего имени. Лишь мне, мистер Босх. Подписав этот документ, вы будете держать ответ только передо мной. И не станете сообщать о результатах расследования никому, кроме меня. Понятно?

— Да, понятно, — ответил Босх. — Это меня не смущает.

— Что ж, прекрасно. Вот вам ручка.

Подвинув лист бумаги на край стола, Вэнс взял с вычурной золотой подставки ручку и протянул ее Босху. Она оказалась чернильная, тяжелая и толстая — судя по всему, из чистого золота. Такая же, как на фотографии, где Вэнс давал автограф Ларри Кингу.

Просмотрев документ, Босх оставил на нем свой росчерк. Положил ручку на листок и подвинул его обратно Вэнсу. Старик убрал документ в ящик стола, закрыл его на ключ, взял ручку и поднял так, чтобы Босх хорошенько ее рассмотрел.

— Эта вещица сделана из золота, добытого моим прадедом в тысяча восемьсот пятьдесят втором году на приисках Сьерра-Невады, — сказал Вэнс. — А потом конкуренты вынудили его двинуться на юг. И он понял, что на железе можно заработать больше, чем на золоте. — Он повертел ручку в пальцах и продолжил: — Ее передавали из поколения в поколение. Я получил ее, когда уезжал учиться.

Вэнс смотрел на ручку так, словно видел ее впервые в жизни. Босх молчал. Он думал, не страдает ли Вэнс от слабоумия, признаком коего можно считать его просьбу: найти человека, которого, возможно, никогда не существовало.

— Мистер Вэнс... — произнес он.

Вернув ручку на подставку, Вэнс взглянул на Босха.

— Мне некому ее оставить, — сказал он. — И все остальное оставить некому.

Он говорил правду. Босх уже ознакомился с его биографией. Вэнс ни разу не был женат и не имел детей. Кое-где встречались косвенные намеки, что он гомосексуалист, но эта информация оставалась неподтвержденной. Еще кое-где говорилось, что Вэнс целиком посвятил себя работе, не оставив в жизни места для долгосрочных отношений, не говоря уже о создании семьи. У него было несколько кратких романов — по большей части с голливудскими старлетками. Не исключено, что фиктивных, чтобы развеять слухи о его гомосексуальности. Но за последние сорок лет в прессу не просочилось ни капли информации о личной жизни Вэнса.

— У вас есть дети, мистер Босх? — спросил Вэнс.

— Дочь, — ответил Босх.

— Где она?

— В округе Ориндж. Учится в Университете Чепмена.

— Неплохо. Что изучает? Фильмопроизводство?

— Психологию.

Откинувшись на спинку кресла, Вэнс устремил взгляд в прошлое.

— Я, когда был юн, хотел изучать фильмопроизводство. Мечты молодости... — не закончив мысль, проговорил он.

Босх понял, что деньги придется вернуть. Старик определенно был не в себе. Ни о какой работе не могло быть и речи. Для Вэнса десять тысяч — это капля в море, но Босх никогда не брал денег у больных людей. И не важно, насколько эти люди богаты.

Вынырнув из пучины воспоминаний, Вэнс взглянул на Босха. Казалось, старик прочел его мысли. Вцепившись левой рукой в подлокотник кресла, он подался вперед и сказал:

— Пожалуй, нужно ввести вас в курс дела.

— Да, было бы неплохо, — кивнул Босх.

Вэнс кивнул в ответ и все так же криво улыбнулся. На мгновение опустив взгляд, он вновь посмотрел на Босха. Глубоко посаженные глаза его блеснули за стеклами очков без оправы.

— Давным-давно я сделал ошибку, — начал он. — И не исправил ее. Ни разу не оглянулся. Теперь же я хочу узнать, есть ли у меня наследник. Чтобы было кому передать золотую ручку.

Какое-то время Босх удивленно смотрел на него, надеясь, что старик станет развивать свою мысль. Но тот, похоже, переключился с одного воспоминания на другое.

— В восемнадцать лет я не желал связываться с отцовским бизнесом, — сказал Вэнс. — Мечтал стать новым Орсоном Уэллсом. Хотел делать фильмы, а не запчасти для самолетов. Я был самонадеян, что неудивительно для юноши.

Босх вспомнил себя в возрасте восемнадцати лет. Желание выбрать свой собственный путь завело его в подземные ходы вьетконговцев.

— Я настаивал на изучении фильмопроизводства, — продолжил Вэнс. — В тысяча девятьсот сорок девятом году поступил в Университет Южной Калифорнии.

Босх покивал. Ему уже было известно, что через год учебы Вэнс перевелся в Калтех и пошел по стопам отца. Почему? В Интернете об этом не было ни слова. Босх понял, что вот-вот узнает ответ на этот вопрос.

— Я встретил девушку, — произнес Вэнс. — Мексиканку. Вскоре она забеременела. Это было самое кошмарное событие в моей жизни. Хотя нет, рассказывать обо всем отцу было еще хуже. — Умолкнув, он опустил глаза на столешницу.

Додумать остальное было нетрудно, но Босх хотел услышать все из уст самого Вэнса. А если не все, то как можно больше.

— Что случилось? — спросил он.

— Отец послал к ней своих людей, — ответил Вэнс. — Чтобы те убедили ее избавиться от ребенка. Эти люди должны были увезти ее в Мексику и решить все раз и навсегда.

— Она уехала?

— Если и уехала, то не с людьми моего отца. Она исчезла из моей жизни, и больше я ее не видел. А пуститься на поиски мне не хватило смелости. У отца тогда появились все необходимые рычаги давления. Он грозил мне позором, бесславием, даже уголовным преследованием из-за возраста девушки. Я сделал, что было велено. Перевелся в Калтех, и моей самонадеянности пришел конец. — Вэнс кивнул, словно ставил точку в своем рассказе. — Времена были другие... И для нее, и для меня.

Подняв взгляд, Вэнс какое-то время смотрел Босху в глаза, после чего продолжил:

— Но теперь я хочу все узнать. Когда дошел до самого конца, появляется желание вернуться к началу...

Помолчав несколько секунд, он заговорил снова:

— Вы способны мне помочь, мистер Босх?

Боль в глазах Вэнса была неподдельной. Босх кивнул:

— Прошло много времени, но попробовать можно. Разрешите задать несколько вопросов и сделать кое-какие пометки?

— Делайте свои пометки, — сказал Вэнс. — Но повторяю: все, что касается нашего с вами дела, должно оставаться в строгом секрете. Под угрозой могут оказаться человеческие жизни. Вы обязаны будете оглядываться на каждом шагу. Не сомневаюсь, что кое-кто захочет выяснить, зачем я искал встречи с вами. И какую работу вам предложил. У меня уже есть легенда, но ее мы обсудим позже. Теперь же задавайте свои вопросы.

«Под угрозой могут оказаться человеческие жизни» — эти слова эхом отозвались в груди Босха. Он вынул из внутреннего кармана пиджака миниатюрную записную книжку. Достал ручку — не золотую, а пластмассовую. Он купил эту ручку в драгсторе.

— Вы только что сказали, что под угрозой могут оказаться человеческие жизни. Чьи? Почему?

— Не прикидывайтесь простачком, мистер Босх. Уверен, что перед нашей встречей вы провели мало-мальские исследования. У меня нет наследников, по крайней мере известных миру. Когда я умру, у руля «Адванс инжиниринг» встанет совет директоров. Эти люди продолжат набивать карманы, наживая миллионы на государственных заказах. Но если у меня найдется наследник, все изменится. На карту поставлены миллиарды долларов. Думаете, на свете нет организаций или частных лиц, способных пойти на убийство ради такой суммы?

— Могу сказать по собственному опыту, что люди способны пойти на убийство по любой причине. И даже вовсе без нее, — сказал Босх. — Допустим, я выясню, что у вас есть наследник. Не исключено, что он окажется в опасности. Вы уверены, что этого хотите?

— Я предложу наследнику выбор, — ответил Вэнс. — Думаю, таков мой долг. И буду защищать этого человека всеми доступными мне средствами.

— Как ее звали? Ту девушку, что забеременела?

— Вибиана Дуарте.

Босх записал имя в блокнот:

— Вы, случаем, не знаете, когда она родилась?

— Этого я не помню.

— Она училась в Университете Южной Калифорнии?

— Нет. Мы познакомились в ОК. Она там работала.

— ОК?

— Студенческий кафетерий. Он назывался «Общая кухня». Сокращенно — ОК.

Босх тут же расстался с надеждой найти Вибиану Дуарте через реестр студентов. Обычно такие записи были весьма полезны, ибо руководство учебных заведений, как правило, следило за судьбой выпускников. Но Вибиана не училась в университете, а это значило, что разыскать ее будет трудно, а то и невозможно.

— Вы сказали, она мексиканка, — продолжил он. — То есть латиноамериканка? У нее было гражданство США?

— Не знаю. Вряд ли. Отец...

Он не договорил.

— Что отец? — спросил Босх.

— Не знаю, правда ли это, но отец сказал, что таков был ее замысел, — произнес Вэнс. — Она забеременела, чтобы выйти за меня замуж и получить гражданство. Но отец много чего говорил, и не все его слова были правдивы. К тому же убеждения его были... скажем так, неоднозначными. Так что не знаю.

Вспомнив Нельсона Вэнса и его увлечение евгеникой, Босх задал следующий вопрос:

— Скажите, нет ли у вас фотографии Вибианы?

— Нет, — ответил Вэнс. — Не представляете, как часто я мечтал, чтобы у меня была ее карточка. Чтобы я мог еще раз взглянуть на нее.

— Где она жила?

— Рядом с университетом. В нескольких кварталах, не дальше. На работу ходила пешком.

— Не помните адрес? Может, название улицы?

— Нет, не помню. Это было так давно, и я слишком долго старался все забыть. Но беда в том, что с тех пор я никого не любил по-настоящему.

Вэнс впервые заговорил о любви. О том, насколько серьезными были их с Вибианой отношения. Босх знал: оглядываясь, человек смотрит на свою жизнь сквозь увеличительное стекло. Все выглядит большим, даже огромным. Университетское свидание может показаться любовью всей жизни. Но прошло уже много десятилетий, а Вэнсу все еще было больно говорить на эту тему. Босх ему поверил.

— Как долго вы встречались, прежде чем все это случилось? — спросил он.

— Восемь месяцев, с первого до последнего свидания, — ответил Вэнс. — Восемь месяцев.

— Не помните, когда она сказала вам, что беременна? Хотя бы месяц или время года?

— Сразу после начала летнего курса. Я записался на него, чтобы видеться с Вибианой. Значит, в тысяча девятьсот пятидесятом году, в конце июня. Может, в начале июля.

— Говорите, до этого вы встречались восемь месяцев?

— Учиться я начал в сентябре сорок девятого. Зашел в ОК и тут же приметил Вибиану. Но заговорил с ней не сразу. Пару месяцев набирался храбрости.

Старик снова опустил глаза на столешницу.

— Что еще вы помните? Вы встречались с ее родственниками? — подсказал Босх. — Можете назвать какие-нибудь имена?

— Нет, не могу, — ответил Вэнс. — Вибиана была из католической семьи, и отец ее отличался строгостью. Я же не был католиком. Короче говоря, Ромео и Джульетта. Я не был знаком с ее родней, а она не встречалась с моей.

Услышав эти слова, Босх тут же ухватился за новую зацепку:

— Не знаете, в какую церковь она ходила?

Вэнс поднял глаза:

— Вибиана говорила, что ее назвали в честь церкви, в которой ее крестили. Это был собор Святой Вибианы.

Босх кивнул. Изначально собор Святой Вибианы располагался в центре города, в квартале от Главного управления полиции, где Босх когда-то работал. Зданию было больше сотни лет, и в девяносто четвертом году оно сильно пострадало при землетрясении. Рядом построили новый собор, а старый передали городу как памятник архитектуры. Теперь там был то ли концертный зал, то ли библиотека. Но зацепка была неплохой. В католических церквях обычно хранятся записи о рождении и крещении. Узнав, что Вибиана не была студенткой университета, Босх приуныл. Теперь же он снова приободрился. И еще один положительный момент: независимо от статуса родителей, Вибиана, скорее всего, была гражданкой США. А если так, записи о ней будет нетрудно отыскать в общественных архивах.

— Допустим, она выносила ребенка. Когда он должен был родиться?

Вопрос был щекотливый, но Босху хотелось сузить диапазон поисков.

— По-моему, она сказала мне о беременности, когда была на втором месяце, — припомнил Вэнс. — Так что ребенок должен был родиться в январе следующего года. Может, в феврале.

Босх все записал.

— Сколько ей было лет, когда вы встречались? — спросил он.

— Когда мы познакомились, ей было шестнадцать, — ответил Вэнс. — А мне восемнадцать.

Еще одна причина, по которой отец Вэнса воспринял все в штыки. Вибиана была несовершеннолетней. Беременная шестнадцатилетка в 1950 году... У младшего Вэнса были бы проблемы с законом. Мелкие, но весьма неприятные.

— Она ушла из школы после восьмого класса? Или училась до двенадцатого? — спросил Босх.

Он неплохо знал район Университета Южной Калифорнии. Если Вибиана училась, то в Школе ремесленного искусства. Там тоже могли сохраниться какие-то записи.

— Ушла, — сказал Вэнс. — Ей пришлось устроиться на работу. Семье нужны были деньги.

— Она не говорила, чем ее отец зарабатывал на жизнь?

— Не припоминаю.

— Ладно. Итак, вы не помните, когда она родилась. Скажите, за те восемь месяцев вы не отмечали ее день рождения?

Ненадолго задумавшись, Вэнс покачал головой:

— Нет. Не помню такого.

— Если я правильно понял, вы начали встречаться в конце октября, а расстались в конце июня. Или в начале июля. Значит, она родилась в промежуток между июлем и концом октября, плюс-минус. Верно?

Вэнс кивнул. Когда — и если — дело дойдет до работы с архивом, сократить временной промежуток до четырех месяцев будет весьма полезно. Прежде всего Босху нужно было выяснить дату рождения женщины по имени Вибиана Дуарте. Он записал названия месяцев и предполагаемый год рождения —1933, потом снова поднял взгляд на Вэнса и спросил:

— Как считаете, ваш отец откупился от нее? Или от ее семьи? Чтобы Вибиана сбежала и помалкивала?

— Если и так, об этом он мне не говорил, — покачал головой Вэнс. — Но это я сбежал, не она. Мне до сих пор стыдно за этот трусливый поступок.

— Вы когда-нибудь пробовали ее найти? Нанимали кого-нибудь для поисков?

— К сожалению, нет. Насчет других сказать не могу.

— То есть?

— То есть весьма вероятно, что ее искали другие. В качестве упреждающего шага на случай моей смерти.

Какое-то время Босх обдумывал его слова. После этого взглянул на свои скудные записи и решил, что для начала хватит.

— Вы говорили, что придумали для меня легенду.

— Да. Запишите имя: Джеймс Франклин Олдридж.

— Кто он?

— Мой первый сосед по комнате в университетском общежитии. После первого семестра его отчислили.

— За неуспеваемость?

— Нет, по другой причине. Вот ваша легенда: я попросил вас найти своего соседа, потому что хочу извиниться перед ним. Мы оба кое-что сделали, но он взял вину на себя. Таким образом, вы сможете поднять архивы тех лет, не вызывая подозрений.

— Неплохо придумано, — кивнул Босх. — История реальная?

— Да.

— Думаю, мне нужно знать, что за поступок вы с ним совершили.

— Для поисков Олдриджа в этом нет необходимости.

Босх секунду подождал, но Вэнс ничего не добавил к сказанному. Гарри записал имя Олдриджа, попросив Вэнса произнести его по буквам, и закрыл блокнот.

— Последний вопрос. Вполне вероятно, что Вибиана Дуарте уже мертва. Что мне делать, если она родила вам наследника и я его найду? Связаться с ним?

— Нет, ни в коем случае. Никаких контактов, пока не отчитаетесь передо мной. Нужно будет тщательно все проверить, а потом уже делать следующий шаг.

— Проверить? Хотите провести анализ ДНК?

Кивнув, Вэнс какое-то время внимательно смотрел на Босха, после чего вновь открыл ящик стола. Достал из него пухлый белый конверт без надписей, положил на стол и подтолкнул к Босху:

— Я доверяю вам, мистер Босх. Теперь у вас достаточно информации, чтобы обмануть старика. Но я уверен, что вы не станете так поступать.

Босх взял конверт. Тот не был запечатан. Заглянув внутрь, он увидел прозрачную стеклянную пробирку с тампончиком для сбора слюны из полости рта. Это был образец ДНК Вэнса.

— Мистер Вэнс, раз уж речь зашла о доверии... Это у вас есть возможность меня обмануть.

— Поясните.

— Я бы предпочел собственноручно взять мазок.

— Поверьте мне на слово.

— И вы мне.

Вэнс кивнул. Больше обсуждать было нечего.

— Думаю, у меня достаточно информации, чтобы приступить к делу.

— В таком случае разрешите задать вам последний вопрос, мистер Босх.

— Слушаю.

— Я читал о вас в газетах, но ответа так и не нашел. Однако возраст у вас подходящий. Чем вы занимались во время войны во Вьетнаме?

— Воевал, — помолчав, ответил Босх. — Был там дважды. Не исключено, что видел логотип вашей компании на вертолетах почаще, чем вы.

— Не исключено, — кивнул Вэнс.

Босх встал:

— Скажите, как связаться с вами, если возникнут новые вопросы или мне нужно будет отчитаться о проделанной работе?

— Ах да, минутку.

Вэнс выдвинул ящик стола, достал визитную карточку и дрожащей рукой протянул ее Босху. На карточке был один лишь телефонный номер.

— Позвоните по этому номеру, и я вам отвечу. Если трубку снимет кто-то другой, дело нечисто. Не доверяйте этому человеку.

Босх посмотрел на визитку и перевел взгляд на старика в инвалидном кресле. Кожа Вэнса была похожа на жеваную бумагу, а тонкие волосы казались хрупкими, словно сухие листья. Интересно, у него паранойя разыгралась или дело и впрямь такое рискованное?

— Вам грозит опасность, мистер Вэнс? — спросил Босх.

— Человеку в моем положении всегда грозит опасность, — ответил Вэнс.

Босх провел большим пальцем по твердому краю визитки.

— Вскоре я с вами свяжусь, — пообещал он.

— Мы не обсудили ваш гонорар, — заметил Вэнс.

— Мне хватит тех денег, что вы уже заплатили. Для начала. А дальше — как пойдет.

— Я заплатил лишь за эту встречу.

— Что ж, она состоялась. И этого более чем достаточно, мистер Вэнс. Ничего, если я выйду самостоятельно? Или сработает сигнализация?

— Как только вы покинете комнату, об этом станет известно. Вас тут же встретят.

Босх сделал удивленное лицо, и Вэнс пояснил:

— Это единственная комната без видеонаблюдения. Камеры стоят даже у меня в спальне. Но здесь я сумел отстоять право на уединение. Как только вы выйдете в коридор, вас встретят.

— Понимаю, — кивнул Босх. — Что ж, скоро я с вами свяжусь.

Он вышел в коридор. Почти сразу к нему подошел мужчина в костюме, молча вывел его из дома и проводил к машине.

ГЛАВА 4

Работая с нераскрытыми делами, Босх мастерски овладел искусством путешествия во времени. Он умел нырнуть в прошлое и найти в нем нужного человека. Возвращение в 1951 год обещало стать самым долгим и, пожалуй, труднейшим из его путешествий, но Босх верил, что у него все получится. Чем сложнее загадка, тем радостнее будет ее разгадать.

Для начала нужно было выяснить дату рождения Вибианы Дуарте, и Босх решил, что знает, как это сделать. После встречи с Вэнсом, вместо того чтобы отправиться домой, он свернул на шоссе 210, идущее по северной границе Вэлли, и направился в сторону Сан-Фернандо.

Занимавший чуть больше двух квадратных миль, Сан-Фернандо был отдельным городом на территории Большого Лос-Анджелеса. Сотню лет назад все населенные пункты долины Сан-Фернандо вошли в состав мегаполиса, и ровно по одной причине: чтобы недавно построенный лос-анджелесский акведук уберег богатые сельскохозяйственные угодья от засухи и вымирания. Границы города стали сдвигаться на север, и в итоге Лос-Анджелес занял всю территорию Вэлли — вернее, почти всю, за исключением тезки этой долины, города Сан-Фернандо. Этот городок не нуждался в лос-анджелесской воде, довольствуясь собственными подземными запасами. Оказавшись посреди огромного мегаполиса, Сан-Фернандо сохранил свою независимость.

Так было и сто лет спустя. Сельскохозяйственные угодья Вэлли давно сменились душной городской застройкой, но Сан-Фернандо сберег свою старомодную оригинальность. Разумеется, проблемы агломерации, включая рост преступности, не обошли его стороной, но управление полиции этого крошечного городка держало ситуацию под контролем.

А потом случился мировой кризис 2008 года. Экономика пошла на спад, и через несколько лет цунами финансового краха докатилось до Сан-Фернандо. Бюджет сократили, а потом вновь урезали. В 2010 году под началом шефа полиции Энтони Вальдеса было сорок полицейских, включая его самого. В 2016 году их оставалось тридцать. Детективов было пятеро, а стало двое: один занимался имущественными преступлениями, а другой — преступлениями против личности. Шеф полиции с горечью смотрел, как растет кипа нераскрытых дел. По некоторым из них даже не проводилось надлежащего расследования.

Вальдес родился и вырос в Сан-Фернандо, но полицейскую школу прошел в Управлении полиции Лос-Анджелеса. Отработав двадцать лет и дослужившись до капитана, он ушел на пенсию, после чего возглавил полицию родного городка. Сохранив тесные связи с управлением полиции мегаполиса, Вальдес решил бюджетный кризис за счет резервистов: полицейских, работавших неполный день на общественных началах.

Именно это нововведение свело шефа Вальдеса с Гарри Босхом. На заре карьеры Вальдес служил в Голливудском отделении, в отделе по борьбе с бандформированиями. Там он схлестнулся с лейтенантом по имени

Паундс: подав внутреннюю жалобу, тот хотел добиться, чтобы Вальдеса понизили в звании или даже уволили со службы.

Уклонившись от обеих этих неприятностей, Вальдес спустя несколько месяцев узнал о происшествии в Голливудском участке: некий детектив Босх повздорил с Паундсом и швырнул его в стену из зеркального стекла. Вальдес навсегда запомнил имя этого детектива. Много лет спустя, узнав из газет, что отставной полицейский Гарри Босх судится с Управлением полиции Лос-Анджелеса за незаконное увольнение, Вальдес решил сделать телефонный звонок.

Вместо денег он предложил Босху нечто большее: жетон детектива и доступ к нераскрытым делам крошечного городка. Взамен же Управление выдвигало всего лишь три требования к резервистам: курс подготовки блюстителя закона в соответствии с государственным стандартом, ежемесячная сдача норматива по стрельбе и как минимум две смены в месяц.

Босх, не задумываясь, принял это предложение. Лос-анджелесское управление избавилось от него за ненадобностью, но полиция крошечного Сан-Фернандо определенно нуждалась в его помощи. Здесь хватало работы и жертв, жаждущих правосудия, так что Босх сказал «да» во время первого же разговора с Вальдесом. Он увидел шанс продолжить дело своей жизни, и никакой зарплаты для этого не требовалось.

Нормативы он сдал без труда, а некоторые даже с запасом. Две смены в месяц? Как правило, он отрабатывал в сыскном отделе две смены в неделю. Приходил туда так часто, что ему выделили отдельную секцию, опустевшую после сокращения бюджета.

В основном Босх работал у себя за столом или же в старой городской тюрьме через дорогу от полицейского участка: ее камеры были переоборудованы в складские помещения. В бывшем вытрезвителе в три ряда стояли стеллажи, забитые папками с нераскрытыми делами за последние несколько десятилетий.

По закону о сроке давности преступлений — кроме убийств — абсолютное большинство этих дел никогда не будет раскрыто. Никто даже не посмотрит на старые папки. Убийств в городке было немного, но Босх педантично трудился над ними, изучая старые улики через призму новых технологий. Еще он взял себе все изнасилования, перестрелки без смертельного исхода и нападения с тяжкими телесными повреждениями, всё в пределах соответствующих сроков давности.

График был свободный. Босх сам решал, когда приходить в участок, и всегда мог отложить полицейские дела ради работы на стороне. Шеф Вальдес знал, что заполучить такого опытного детектива — настоящая удача, и никогда не попрекал Босха частными клиентами. Лишь подчеркивал, что служебные расследования не должны пересекаться с работой частного детектива. В рамках последней Гарри не имел права пользоваться полицейским жетоном и называть себя сотрудником полиции Сан-Фернандо. За такое полагалось немедленное увольнение.

ГЛАВА 5

Убийцы не знают никаких границ, в том числе и городских. Как правило, дела Сан-Фернандо приводили Босха на территорию Управления полиции Лос-Анджелеса — чего и следовало ожидать. Сан-Фернандо граничил с зонами покрытия двух крупных городских отделений: Мишн-Хиллз на западе и Футхилла на востоке. За четыре месяца Босх раскрыл два убийства, совершенные во время столкновений между бандами, сумев связать оружие преступников с убийствами в Лос-Анджелесе. Оба бандита уже сидели в тюрьме. Третье преступление он связал с парой подозреваемых, которых разыскивало Управление мегаполиса, и тоже за убийство.

Кроме того, по характерному почерку и образцам ДНК Босх выяснил, что в четырех изнасилованиях, совершенных в Сан-Фернандо за последние четыре года, виновен один и тот же человек. Теперь Гарри проверял, не было ли подобных преступлений в Лос-Анджелесе.

На шоссе 210 — особенно в разгар дня, когда машин немного, — легко проверить, нет ли за тобой «хвоста». Босх, то превышая скорость на пятнадцать миль в час, то сбрасывая ее на пять миль ниже ограничения, поглядывал в зеркало заднего вида: не повторяет ли кто такой же трюк. Он не знал, насколько серьезно следует отнестись к опасениям Уитни Вэнса насчет конфиденциальности, но никогда не помешает знать, что за тобой следят. Однако слежки Босх не заметил. Он, конечно, понимал, что в поместье на «чероки» могли поставить трекер джи-пи-эс. Или же это сделали днем раньше, пока Босх встречался с Крейтоном в башне Банка США. Нужно будет проверить машину на предмет «жучков».

Через пятнадцать минут он миновал верхнюю точку Вэлли и вновь оказался в Лос-Анджелесе. Доехав до конца Маклей-стрит, свернул на Первую улицу Сан-Фернандо. Управление полиции располагалось в одноэтажном здании с белыми оштукатуренными стенами и красной черепичной крышей. Городок на девять десятых населяли латиноамериканцы, и все муниципальные строения были оформлены в мексиканском стиле.

Оставив машину на служебной парковке, Босх достал электронный ключ и вошел в участок через боковую дверь. В приемной сидели двое копов. Кивнув им из-за стекла, Босх направился в дальний конец коридора, к сыскному отделу. Путь его лежал мимо кабинета Вальдеса.

— Гарри?

Остановившись, Босх заглянул к шефу. Вальдес, не вставая из-за стола, подал ему знак войти.

Кабинет был не такой просторный, как у начальника лос-анджелесского управления, но вполне уютный и с уголком для неформальных бесед. С потолка свисал черно-белый игрушечный вертолет с надписью на фюзеляже: «УПСФ» — Управление полиции Сан-Фернандо. Когда Босх оказался здесь впервые, Вальдес объяснил, что это единственный вертолет в управлении: шутливая отсылка к тому факту, что у полиции Сан-Фернандо нет собственной «птички». При необходимости Вальдес вынужден был обращаться за воздушной поддержкой к УПЛА — Управлению полиции Лос-Анджелеса.

— Как дела? — спросил Вальдес.

— Не жалуюсь, — сказал Босх.

— Сами знаете, мы высоко вас ценим. Есть подвижки по Москиту? — Вальдес говорил о насильнике, делом которого занимался Босх.

— Сейчас проверю, не ответил ли кто на электронные письма. А потом мы с Беллой подумаем, как быть дальше.

— Прежде чем одобрить бюджет, я ознакомился с отчетом профайлера[1]. Занятное чтиво. Нужно поймать гада.

— Над тем и работаю.

— Ну, в таком случае не буду задерживать.

— Спасибо, шеф.

Взглянув на вертолет, Босх вышел из кабинета, сделал еще несколько шагов по коридору и оказался в сыскном отделе. Помещение было тесным — по стандартам лос-анджелесского управления, да и любым другим. В свое время отдел занимал две комнаты, но позже одну отдали окружному коронеру под кабинет для двоих следователей. Теперь все три секции для детективов теснились в одной комнате, рядом с офисом начальника отдела — офис был размером с туалетную кабинку.

Секция Босха была скрыта от посторонних глаз тремя пятифутовыми перегородками, но четвертая сторона выходила на дверь начальника. Должность была лейтенантская, но, когда бюджет урезали, функции начальника сыскного отдела стал выполнять единственный капитан УПСФ. Его звали Тревино. Он до сих пор считал, что допускать Босха до дел Сан-Фернандо — не самая лучшая мысль, и следил за каждым его шагом. Похоже, что люди, готовые вкалывать бесплатно, не вызывали у него доверия. К счастью, как это обычно бывает в небольших полицейских управлениях, Тревино занимал

_____

[1] *Профайлер* — эксперт по выявлению лжи на основе мимики, жестов человека и его манеры говорить.

сразу несколько должностей: числился начальником сыскного отдела и присматривал за внутренними делами участка. В его ведении была диспетчерская, тир и тюрьма на шестнадцать коек, заменившая ту старинную, что стояла через дорогу. Посему он нередко отлучался, и Босх мог вздохнуть с облегчением.

Заглянув в отделение для писем, Босх обнаружил бумажку, в которой говорилось, что ему давно пора явиться на стрельбище. Забрал ее, подошел к своей секции и сел за стол.

По пути он заметил, что дверь Тревино закрыта, а за стеклом кабинета темно. Должно быть, капитан занимался своими делами в другой части здания. Гарри понимал, почему начальник относится к нему с холодным подозрением: любой успех Босха можно было рассматривать как неудачу Тревино. В конце концов, это он заведовал сыскным отделом. И прекрасно знал, что однажды, еще в Лос-Анджелесе, Гарри швырнул своего начальника в зеркальное стекло.

Однако Босх получил место в отделе по решению Вальдеса, и Тревино вынужден был мириться с этим.

Босх включил компьютер и дождался, пока загрузится операционка. Он пришел на работу впервые за четыре дня. Заметив на столе приглашение на вечеринку в боулинг-клубе, Босх скомкал его и бросил в мусорную корзину. Новые коллеги ему нравились, но к боулингу он был равнодушен.

Отомкнув ящик стола, разделенный на секции по алфавиту, он вытащил несколько папок с открытыми делами, над которыми работал, и разложил их на столе — так, чтобы со стороны казалось, будто он занят вопросами УПСФ. Потянувшись за папкой Москита, Босх обнаружил, что ее нет на месте. Раньше она стояла в секции «М», теперь же оказалась в другой — в соответствии с именем первой жертвы. Это был неприятный и тревожный знак. Босх знал, что не мог ошибиться с секцией. С первых дней службы он педантично расставлял все папки по своим местам. Папка — будь то всесторонний рапорт о жертве убийства или комплект иных документов — всегда является сердцем расследования. Ее необходимо держать в порядке и ставить на место.

Выложив папку, он подумал, что у кого-то есть второй ключ от стола. Этот кто-то копается в его документах и проверяет, чем он занят. Босх решил, что знает, чьих это рук дело. Сдержав вспышку раздражения, он убрал папки в ящик стола, задвинул его и закрыл на ключ. У него уже был план, как вывести безобразника на чистую воду.

Выпрямившись, он глянул поверх перегородок. Остальных детективов не было на месте — ни Беллы Лурдес из ППЛ, ни Дэнни Систо из имущественных преступлений. Должно быть, выехали в город собирать информацию по недавним происшествиям. Белла и Дэнни зачастую работали в паре.

Босх вошел в сеть управления, открыл базы данных, достал блокнот и приступил к поискам Вибианы Дуарте, прекрасно понимая, что тем самым нарушает единственное правило, установленное шефом полиции: злоупотребляет служебным положением ради интересов частного клиента. За это полагалось увольнение и даже уголовное преследование: в Калифорнии запрещено пользоваться полицейскими базами данных в личных целях. Если Тревино решит проверить, чем Босх занимается за служебным компьютером, проблем не оберешься. Но Босх надеялся, что до этого дело не дойдет. Тревино понимал: любые его нападки на Босха шеф примет на собственный счет. И все, конец капитанской карьере.

Поиски Вибианы Дуарте оказались недолгими. У нее не было ни калифорнийских водительских прав, ни отметок о совершенном преступлении, ни даже штрафа за парковку в неположенном месте. Разумеется, ранние записи в базе были весьма скудными, но по опыту Босх знал, что любой человек где-нибудь да засветится. Не исключено, что Дуарте и впрямь была нелегалкой и в 1950 году, забеременев, вернулась в Мексику. Пересекла границу, чтобы родить ребенка или избавиться от него в одной из подпольных клиник Тихуаны. В те времена аборты в Калифорнии были запрещены.

Босх знал об этом, потому что сам родился в 1950 году. Поступив на службу в полицию, он проверил тогдашний свод законов, чтобы лучше понимать, перед каким выбором оказалась его незамужняя мать.

Однако Босх не был знаком с калифорнийским Уголовным кодексом 1950 года. Открыв нужный файл, он просмотрел раздел половых преступлений и быстро нашел статью 261: половой акт с девушкой, не достигшей восемнадцати лет, считался изнасилованием и, следовательно, уголовным преступлением — независимо от согласия девушки, если только она не была супругой подозреваемого.

Отец Вэнса считал, что Дуарте забеременела нарочно: хотела выйти замуж, разбогатеть и получить американское гражданство. Если он был прав, Уголовный кодекс гарантировал девушке неплохой куш. Но поскольку в калифорнийской базе данных не было записей о Дуарте, вывод напрашивался лишь один: вместо того чтобы пробиться к семейной кормушке Вэнсов, девушка исчезла. Вероятно, вернулась в Мексику.

Переключившись на окно базы транспортных средств, Босх ввел имя, которое назвал ему Вэнс: «Джеймс Франклин Олдридж».

Прежде чем на экране появились результаты поиска, в отдел вошел капитан Тревино со стаканчиком кофе из

«Старбакса». Это кафе находилось в нескольких кварталах от участка, на Трумэн-стрит. Иной раз Босх и сам отрывался от компьютера и ходил туда, чтобы дать отдых глазам и побаловать себя чашкой латте со льдом. Он пристрастился к этому напитку совсем недавно, когда стал регулярно встречаться с дочерью в кофейнях возле студенческого городка.

— Гарри, каким ветром тебя занесло? — спросил Тревино.

Капитан всегда сердечно приветствовал Босха, обращаясь к нему по имени и на «ты».

— Был рядом, — ответил Босх. — Решил проверить электронную почту и разослать новые предупреждения по Москиту.

С этими словами он свернул окно базы транспортных средств и переключился на аккаунт электронной почты, закрепленный за ним в управлении. Тревино подошел к двери кабинета и щелкнул замком. Босх не оборачивался. Он слышал, как открылась дверь, но чувствовал, что Тревино по-прежнему стоит у него за спиной.

— Рядом? — спросил капитан. — В такой дали от дома? Да еще в костюме?

— Сегодня у меня была встреча в Пасадене. Назад поехал через Футхилл, — сказал Босх. — Заскочил отправить пару писем, а потом поеду себе дальше.

— Твоего имени нет на доске. Нужно записаться, чтобы я посчитал время.

— Да я так, на пару минут. Считать необязательно. На той неделе я уже отработал двадцать четыре часа.

У входа в сыскной отдел висела доска для учета рабочего времени. Босху было велено записывать на ней точное время прихода и ухода, чтобы Тревино мог заполнить табель и убедиться, что Гарри отработал необходимый минимум.

— Ну, все равно запишись. Когда пришел, когда ушел, — произнес Тревино.

— Будет сделано, кэп, — сказал Босх.

— Вот и славно.

— Кстати... — Нагнувшись, Босх постучал костяшками пальцев по ящику стола. — Ключ забыл. У вас нет запасного? Надо бы взглянуть на папки.

— Нет, запасного нет. Гарсия сдал единственный. Сказал, что и у Доквейлера запасного не было.

До Босха в этой секции работал детектив по фамилии Гарсия. Он в свою очередь унаследовал стол от Курта Доквейлера. Оба пали жертвами бюджетного дефицита. Из разговоров Босх узнал, что после сокращения и Гарсия, и Доквейлер бросили карьеру в силовых структурах. Гарсия устроился учителем в школу, а Доквейлер, чтобы сохранить зарплату и выслугу лет, перевелся в департамент общественных работ, на вакансию в отделе надзора за городским хозяйством.

— У кого бы еще спросить? — озадачился Босх.

— Чего не знаю, того не знаю, — ответил Тревино. — А ты доставай свои отмычки, Гарри. Говорят, ты мастер орудовать ими.

Это прозвучало так, словно Гарри водил дружбу с темными силами и те научили его взламывать замки.

— Угу, почему бы и нет, — сказал Босх. — Спасибо за подсказку.

Тревино скрылся у себя в кабинете. Услышав, как закрылась дверь, Босх поставил мысленную зарубку: насчет пропавшего ключа нужно поговорить с Доквейлером. Убедиться, что бывший детектив не оставил его себе, а потом уже доказывать, что Тревино тайком шарит у него в столе.

Босх вновь открыл базу транспортных средств и набрал в поисковой строке имя Олдриджа. Вскоре он узнал, что у человека с таким именем действительно были калифорнийские водительские права: выданы в 1948 году, а сданы в 2002-м, в связи с переездом во Флориду. Записав дату рождения Олдриджа, Босх запустил поиск по базе данных Флориды. Оказалось, Олдридж окончательно сдал права в возрасте восьмидесяти лет. В базе было указано место жительства: местечко под названием Виллиджес.

Записав эту информацию, Босх вбил адрес в поисковик. Виллиджес оказался огромным поселением для пенсионеров в округе Самтер. Походив по ссылкам, Босх нашел нынешний адрес Олдриджа, но не увидел ни сообщения о смерти, ни некролога. Похоже, Джеймс Франклин Олдридж был еще жив, а права сдал потому, что уже не мог — или не хотел — водить машину.

Босху было любопытно, по какой причине Олдриджа отчислили из Университета Южной Калифорнии. Он ввел это имя в базу преступлений, указав в качестве дополнительного критерия проступки, за которые полагалось увольнение со службы или исключение из учебного заведения. За Олдриджем числилась единственная запись, датированная 1986 годом: вождение в нетрезвом виде. О происшествии в университете не было ни слова.

Ну что ж, Босх хотя бы проверил имя, предоставленное Вэнсом для легенды. Пришло время проверить почту — вдруг кто ответил на письма по Москиту. Это расследование было самым долгим за все время работы Босха в Сан-Фернандо. В полиции Лос-Анджелеса он вел несколько дел о серийных убийцах. Почти в каждом из них — если не во всех без исключения — была сексуальная подоплека, так что у Босха имелся богатый опыт работы с подобными преступлениями. Однако дело Москита оказалось одним из самых запутанных в его карьере.

ГЛАВА 6

«Москит». Такое название дали делу о серийном насильнике, которое Босх раскопал в залежах УПСФ. Просматривая папки в старой городской тюрьме, он наткнулся на четыре нераскрытых изнасилования. Первое произошло в 2012 году. Во всех четырех случаях преступник действовал почти одинаково, но до Босха никто этого не заметил.

В поведении насильника прослеживались пять характерных черт. Взятые поодиночке, они были вполне заурядными, но в совокупности наводили на мысль, что все четыре преступления совершил один и тот же злоумышленник. В каждом случае насильник проникал в жилище жертвы через черный ход или окно, не снимая москитной сетки, но разрезая ее. Все четыре изнасилования были совершены в период с одиннадцати до тринадцати часов дня. Вместо того чтобы приказать жертвам раздеться, насильник разрезал их одежду ножом. В каждом случае на преступнике была маска: в первых двух — лыжная, в третьем — хеллоуинская маска Фредди Крюгера, а в последнем — традиционная маска рестлера из мексиканской борьбы луча либре. Вдобавок ко всему, насильник не пользовался презервативом и не прибегал ни к каким уловкам, чтобы не оставить на месте преступления своей ДНК.

Заметив схожие черты, Босх сосредоточился на этих эпизодах и вскоре узнал, что в трех случаях из четырех медики взяли образцы спермы насильника, но исследовали ее лишь однажды, в лаборатории шерифа округа Лос-Анджелес. Результаты исследования пробили по базам данных штата и США, но совпадений не обнаружили. В последних двух случаях анализ затянулся, ибо в лаборатории округа накопилось слишком много необработанных проб. В четвертом — строго говоря, первом из четырех — образец пытались взять, но безуспешно. Вагинальный мазок ничего не дал, ибо жертва, прежде чем вызвать полицию, подмылась и приняла душ.

Окружная лаборатория находилась в том же здании Университета штата Калифорния, что и лаборатория УПЛА. Со времен работы над нераскрытыми делами у Босха остались там связи, и он договорился, чтобы анализ провели как можно быстрее. В ожидании результатов, которые — хотелось бы надеяться — должны были показать, что все четыре изнасилования совершил один и тот же человек, Босх приступил к опросу жертв. Трем из них было от двадцати до тридцати лет, последней же недавно исполнилось восемнадцать. Все они дали согласие на повторную беседу с детективами. В двух случаях Босх вынужден был подключить к делу Беллу Лурдес, ибо жертвы предпочли говорить по-испански. Пожалуй, единственной сложностью для Босха в Сан-Фернандо был языковой барьер. В городке по большей части жили латиноамериканцы, и зачастую они неважно говорили по-английски. Босх сносно знал испанский, но для беседы с жертвой преступления, когда мельчайшие подробности могли оказаться наиболее важными, нужна была помощь Лурдес: у нее испанский был родным.

На каждую встречу Босх приходил с девятистраничным опросником. Такими же пользовались следователи УПЛА, работающие с насильственными преступлениями. У всех вопросов была единственная цель: выявить привычки жертвы, способные привлечь внимание преступника. Опросник был весьма полезен для работы с серийными преступлениями, особенно при составлении психологического портрета злоумышленника. Свой экземпляр Босх выпросил у приятеля — детектива Голливудского отделения, работавшего с изнасилованиями.

Формальной целью бесед было заполнение опросника, но Босх выслушал и рассказы жертв, жуткие и вместе с тем печальные. Все четыре женщины не были знакомы с насильником. Они до сих пор не могли оправиться от пережитого ужаса и физических последствий надругательства, хотя первое преступление было совершено целых четыре года назад. Все они потеряли уверенность в завтрашнем дне и жили в постоянном страхе, опасаясь, что насильник вернется. Одна из женщин в прошлом была замужем и пыталась зачать ребенка. После изнасилования брак дал трещину, и, когда Босх разговаривал с потерпевшей, они с мужем уже подали на развод.

После каждой встречи Босх долго не мог прийти в себя. Все думал о своей единственной дочери и представлял, какой шрам остался бы у нее в душе после подобного нападения. Не проходило и часа после встречи с жертвой Москита, как Босх звонил Мэдди и спрашивал, все ли в порядке, не озвучивая истинных причин своего звонка.

Однако повторные беседы не напрасно бередили старые раны жертв. В деле начали всплывать новые подробности. Стало ясно, что Москита необходимо найти и арестовать, причем как можно скорее.

Босх и Лурдес обычно начинали разговор с заверения, что дело до сих пор расследуют и в полиции оно по-прежнему имеет приоритетный статус.

Действовать решили в хронологическом порядке. Для начала поговорили с первой жертвой — той, с кого не сняли образцов ДНК. В первоначальном рапорте было указано, что женщина приняла душ и подмылась сразу после изнасилования, поскольку боялась забеременеть. В то время они с мужем пытались зачать ребенка, и преступник напал на нее в период максимальной фертильности, в середине месячного цикла.

С момента преступления прошло четыре года. Женщина еще не полностью оправилась от психологической травмы, но научилась жить с ней и общалась весьма открыто, хоть речь и шла о тяжелейшем моменте в ее жизни.

Она подробно описала нападение. Рассказала, как пыталась отговорить преступника от изнасилования, солгав, что у нее месячные. По ее словам, тот ответил: «Нет у тебя никаких месячных. Сегодня твой муж вернется пораньше и заделает тебе ребенка».

Эта информация была новой, и детективы попросили остановиться на ней подробнее. Женщина подтвердила: в тот день ее муж, который работал в банке, действительно должен был вернуться пораньше, чтобы устроить романтический вечер в надежде, что тот завершится зачатием. Но как Москит об этом узнал?

Отвечая на вопросы Лурдес, потерпевшая сказала, что у нее на смартфоне было приложение для отслеживания месячного цикла. В нем высвечивался день, наиболее подходящий для зачатия ребенка. Обычно женщина помечала эту дату в календаре на дверце холодильника — рисовала рядом с ней пурпурные сердечки и писала фразы вроде «Время деток!», чтобы муж не забыл, какой сегодня день.

В день нападения женщина выходила из дома лишь на пятнадцать минут, чтобы выгулять собаку. Телефон был при ней. Москит тем временем пробрался в дом и поджидал жертву, когда та вернулась. Угрожая ножом, заставил запереть собаку в ванной, после чего отвел женщину в спальню и изнасиловал.

Босх все думал, как Москиту хватило пятнадцати минут, чтобы забраться в дом, заметить календарь на холодильнике и сделать соответствующие выводы — столь верные, что преступник даже не ошибся насчет намерений мужа потерпевшей.

Он обсудил этот вопрос с Лурдес. Оба пришли к выводу, что насильник уже бывал в доме жертвы. Возможно, следил за ней. Не исключено, что был другом семьи или родственником. Или, к примеру, водопроводчиком, или же заходил по какому-то другому делу.

Рассказы остальных женщин подтвердили эту версию. В деле появилась еще одна жутковатая подробность, а к «модус операнди» Москита добавился очередной зловещий штрих. В каждом доме были визуальные указания на текущий период менструального цикла жертвы. Во всех четырех случаях женщин изнасиловали в день наивысшей фертильности.

Вторая и третья жертвы сообщили, что пользовались противозачаточными пилюлями в листах с цветовой кодировкой. Одна держала таблетки в аптечке, другая — в тумбочке у кровати. По цвету таблеток, корректирующих месячный цикл, можно было узнать, когда настанут те самые пять-семь дней максимальной фертильности.

Последнюю жертву Москит изнасиловал в феврале прошлого года. На тот момент ей было шестнадцать лет, в школе начались каникулы, и она была дома одна. Девушка сообщила, что в четырнадцать лет у нее диагностировали ювенильный диабет, а потребность организма в инсулине менялась в соответствии с месячным циклом. На дверь спальни девушка повесила специальный календарь, чтобы они с матерью не ошиблись с дозировкой препарата.

Здесь прослеживалась явная закономерность: каждую жертву изнасиловали в период овуляции. Четыре случая из четырех. Совпадение? Босх и Лурдес решили, что вряд ли. Скорее, штрих к психологическому портрету злодея. Очевидно, насильник всякий раз тщательно выбирал день для нападения. В доме каждой жертвы была информация о месячном цикле, но ее необходимо было узнать заранее. Значит, преступник следил за женщинами и, по всей видимости, уже бывал у них дома.

К тому же по описанию ясно было, что он не латиноамериканец. Две женщины, не говорившие по-английски, сообщили, что насильник отдавал им приказания по-испански, но этот язык был для него неродной.

Короче говоря, в четырех преступлениях было много общего. Возник серьезный вопрос: почему эти изнасилования до сих пор не объединили в одно дело и как вышло, что сходство между ними заметил только Босх — следователь, работающий на общественных началах. Ответ следовало искать в бюджетном кризисе УПСФ. Преступления были совершены, когда сыскной отдел переживал сокращение: работы у оставшихся детективов стало больше, а времени поубавилось. В итоге вышло так, что все четыре дела вели разные детективы. Когда преступник изнасиловал двух последних жертв, следователи, которые занимались первыми делами, уже не работали в управлении. Никто не заметил, что эти четыре случая нужно объединить. У сыскного отдела не было полноценного начальника. Должность лейтенанта заморозили, полномочия передали капитану Тревино, а у того хватало и других забот.

Наконец пришли результаты анализа ДНК по остальным двум случаям, когда медикам удалось взять образцы спермы. Связь между преступлениями подтвердилась. Сомнений больше не было: в крошечном Сан-Фернандо орудовал серийный насильник и за четыре года он напал на четырех жертв.

Босх, однако, считал, что этими преступлениями дело не ограничивается. В одном лишь Сан-Фернандо жило около пяти тысяч нелегальных иммигрантов — в том числе две с половиной тысячи женщин. Многие из них не рискнули бы обращаться в полицию из-за изнасилования. Кроме того, вряд ли этот хищник охотился лишь в пределах городка. У четырех выявленных жертв была схожая внешность: длинные каштановые волосы, черные глаза, изящное телосложение — все они весили не больше ста десяти фунтов — и латиноамериканские корни. В двух смежных зонах покрытия УПЛА жили преимущественно латиносы. Не исключено, что в этих районах найдутся и другие жертвы Москита.

С тех пор как Босх обнаружил связь между преступлениями, он тратил почти все рабочее время в УПСФ на разговоры со следователями из отделов краж и изнасилований в управлениях Вэлли и ближайших населенных пунктов: Бербанка, Глендейла и Пасадены. Пытался выяснить, нет ли открытых дел, в которых фигурирует маска или разрезанная москитная сетка. Пока что его усилия не увенчались успехом, но Босх знал: рано или поздно кто-то заинтересуется, поднимет бумаги, поспрашивает у коллег... Что-нибудь да всплывет.

Заручившись согласием шефа, Босх связался со своей старинной подругой. В прошлом она была старшим профайлером в отделе поведенческих исследований ФБР: составляла психологические портреты преступников. Когда Босх еще служил в УПЛА, а Меган Хилл трудилась в Бюро, несколько раз им довелось поработать вместе. Теперь Хилл ушла в отставку, перебралась в Нью-

Йорк и преподавала судебную психологию в Колледже криминалистической юриспруденции имени Джона Джея, параллельно занимаясь профайлингом в качестве независимого консультанта. Босх выпросил у нее скидку и отправил ей данные по Москиту. Ему необходимо было разобраться в психологии преступника и понять, зачем он насиловал этих женщин. Почему Москит, наблюдая за потенциальной жертвой, старался выяснить, когда у нее период овуляции? Если хотел, чтобы жертвы забеременели, зачем выбрал двух женщин, принимавших противозачаточные пилюли? В этой версии хватало пробелов, и Босх надеялся, что профайлер сумеет их заполнить.

Через две недели Хилл подготовила отчет. Она пришла к выводу, что преступник выбирал дни овуляции вовсе не потому, что хотел, чтобы жертвы забеременели. Совсем наоборот. Судя по особенностям подготовки к преступлениям и последующих нападений, злоумышленник питал глубокую ненависть к женщинам и сама мысль о ежемесячном кровотечении была ему отвратительна. Он выбирал такую дату, потому что считал, что на пике фертильности женщина наиболее чиста. С физиологической точки зрения для преступника этот день был самым безопасным. Составляя психологический портрет, Хилл назвала насильника самовлюбленным хищником с интеллектом выше среднего. Однако он, скорее всего, работал на должности, не требующей умственных усилий, и не привлекал лишнего внимания со стороны коллег и начальства.

К тому же нападавший был уверен, что его не смогут опознать и задержать. Его действия были тщательно спланированы и рассчитаны по времени, но он всегда оставлял на месте преступления свою сперму. Сбросив со счетов версию о желании оплодотворить женщину,

Хилл пришла к выводу, что это была не ошибка, а своего рода насмешка. Предлагая Босху достаточно улик для обвинения, преступник словно говорил: «Попробуй найди меня».

Хилл также указала на мнимый парадокс: оставляя на месте веские доказательства, свою сперму, насильник совершал преступления, спрятав лицо под маской. Должно быть, женщины были знакомы с преступником или видели его раньше. Не исключено, что он планировал общаться со своими жертвами после нападения. Возможно, последующий контакт был необходим ему, чтобы в полной мере испытать удовлетворение от содеянного.

Меган Хилл завершила психологический портрет зловещей фразой: «Если отбросить предположение, что целью изнасилований было стремление создать нечто живое — оплодотворить жертву, — и учесть, что за нападениями стоит чувство ненависти, вывод становится очевиден: данный субъект еще не в полной мере переродился в хищника. Вскоре на смену изнасилованиям придут убийства. Это лишь вопрос времени».

Получив такое предупреждение, Босх и Лурдес взялись за дело с удвоенной силой. Они начали рассылать электронные письма в местные и государственные силовые структуры, прилагая к ним отчет профайлера. На местном уровне они подкрепляли письма телефонными звонками, пытаясь развеять пелену апатии — ту, что нередко окутывает следователей, перегруженных нераскрытыми делами.

Результат был почти нулевым. Детектив из отдела краж отделения Северного Голливуда сообщил, что ведет дело с разрезанной москитной сеткой, но без изнасилования. Потерпевшим был латиноамериканец двадцати шести лет. Босх попросил узнать, нет ли у него жены или подружки: та, возможно, не стала сообщать об изнасиловании из-за стыда или страха. Через неделю детектив перезвонил и сказал, что женщины в той квартире не живут. Значит, действовал не Москит, а кто-то другой.

Началась игра на выжидание. В базах данных не было ДНК насильника. У него никогда не брали мазок. Москит не оставлял никаких улик, кроме спермы: ни отпечатков пальцев, ничего. Босх не нашёл похожих преступлений ни в Сан-Фернандо, ни где-либо ещё. Встал вопрос: не пора ли предать дело огласке и попросить помощи у граждан? Вальдес, однако, не спешил на него отвечать. То была извечная полицейская дилемма. Да, ты можешь ухватиться за ниточку, ведущую к раскрытию дела. А можешь спугнуть хищника, после чего тот сменит поведенческий шаблон или переедет в другое место, где станет терроризировать ничего не подозревающих людей.

Здесь взгляды Босха и Лурдес разошлись. Лурдес хотела обнародовать информацию — хотя бы для того, чтобы изгнать насильника из Сан-Фернандо. Босх же намеревался продолжать поиски без лишней шумихи. Даже если преступник уедет из города, число жертв продолжит расти. Хищник охотится, пока его не поймают. Подстраивается под обстоятельства и, подобно акуле, атакует следующую жертву. Босху не хотелось перекладывать это бремя на плечи других людей. Он считал, что обязан поймать зверя в его нынешнем ареале обитания.

Разумеется, однозначного ответа на этот вопрос не было. Шеф выжидал, надеясь, что Босх раскроет дело, прежде чем Москит нападёт на следующую жертву. Босх же был рад, что ему не приходится принимать неудобное решение. В конце концов, это была работа Вальдеса, и он — в отличие от Босха — получал за неё солидное жалованье.

Проверив почту, Босх не увидел новых писем со словом «Москит» в заголовке и, разочарованно вздохнув, выключил компьютер. Сунул записную книжку в карман и задумался, не заглянул ли в нее Тревино, когда стоял у Босха за спиной. Книжка была открыта на странице с надписью «Джеймс Франклин Олдридж».

Не потрудившись сказать «до свидания» капитану или записать время на доске, Босх вышел из сыскного отдела.

ГЛАВА 7

Отъехав от участка, Босх свернул на шоссе 5 и вновь задумался о деле Уитни Вэнса. Итак, в базе транспортных средств не нашлось никакой информации о Вибиане Дуарте. Это неприятно, но не смертельно. Теперь путь Босха лежал в Норуолк, к золотой жиле путешественников во времени: Департаменту общественного здравоохранения округа Лос-Анджелес. Работая над нераскрытыми делами, он провел столько времени в отделе записей актов гражданского состояния, что до сих пор помнил, какой кофе предпочитают тамошние дамочки. Босх не сомневался: в тамошних архивах что-нибудь да найдется.

Он зарядил в медиаплеер джипа компакт-диск с записью молодого трубача по имени Кристиан Скотт. Первый трек под названием «Litany Against Fear» был драйвовый, напористый, и Босх подумал: «Именно то, что мне сейчас нужно». Через час черепашьего хода по западной границе Даунтауна он оказался в Норуолке. Остановившись на парковке перед семиэтажным муниципальным зданием, Босх заглушил мотор, когда Скотт исполнял композицию «Naima», — она звучала даже лучше, чем классическая трактовка Джона Хэнди, записанная полвека назад.

Когда Босх выходил из машины, чирикнул смартфон. Взглянув на экран, Босх увидел надпись: «Номер не определен», но все равно ответил на звонок. И ни капли не удивился, когда услышал голос Джона Крейтона.

— Ну что, были у мистера Вэнса? — спросил Крейтон.

— Был, — ответил Босх.

— Как все прошло?

— Все прошло замечательно.

Босх не собирался ничего рассказывать. Пусть Крейтон сам разбирается, что к чему. Со стороны такое поведение могло показаться пассивно-агрессивным, но желание клиента — закон.

— Мы можем чем-нибудь помочь?

— Пожалуй, нет. Думаю, справлюсь сам. Мистер Вэнс хочет сохранить все в секрете. Пусть так и будет.

После долгой паузы Крейтон заговорил снова:

— Гарри, мы с вами давно знакомы. Еще со времен работы в УПЛА. Разумеется, мы с мистером Вэнсом тоже знаем друг друга не первый год. Вчера, прежде чем нанять вас, я сказал, что мистер Вэнс — важный клиент нашей фирмы, и если его что-то беспокоит, мне нужно об этом знать. Тем более, если ему что-то грозит. Я надеялся, что бывший брат по оружию поделится со мной своими соображениями. Мистер Вэнс стар, и мне не хотелось бы, чтобы кто-то использовал его в своих интересах.

— Использовал в своих интересах? Вы говорите обо мне? — спросил Босх.

— Ну конечно же нет, Гарри. Плохо подобрал слова. Я лишь хотел сказать, что если у старика деньги вымогают или у него появились любые другие проблемы, требующие вмешательства частного детектива, — мы всегда рядом, и у нас практически неограниченные возможности. Мы должны быть в курсе дела.

Босх кивнул. Еще в кабинете у Крейтона он понял, какую карту тот будет разыгрывать.

— Что ж, — произнес он, — вот что я вам скажу. Во-первых, вы меня не нанимали. Вы посредник. Вы передали мне деньги. Меня нанял мистер Вэнс, и я работаю только на него. Мистер Вэнс однозначно изложил свои требования и даже велел мне подписать юридический документ, в котором говорится, что я согласен следовать указаниям моего нанимателя. Я не стану никому рассказывать о том, чем я занимаюсь и с какой целью это делаю. Никому, и вам в том числе. Если хотите, чтобы я нарушил договоренность с клиентом, мне придется позвонить мистеру Вэнсу и спросить у него разре...

— В этом нет необходимости, — тут же перебил его Крейтон. — Раз мистеру Вэнсу так угодно, все в порядке. Просто знайте: мы всегда рядом. Если нужна будет помощь, обращайтесь.

— Непременно, — сказал Босх с фальшивым восторгом в голосе. — Если понадобитесь, я позвоню, Джон. Спасибо, что напомнили о себе.

Не дожидаясь ответной реплики Крейтона, он завершил звонок и направился к огромному прямоугольному зданию, в котором хранились записи обо всех, кто родился, умер, сочетался браком или развелся в округе Лос-Анджелес. Это здание всегда напоминало Босху гигантский сундук с сокровищами. Главное, знать, где искать, — или дружить с кем-нибудь, кто знает. На крайний случай можно обратиться к предприимчивым ребятам на крыльце: за несколько долларов те всегда готовы показать непосвященным, как правильно заполнить формуляр запроса. У некоторых формуляры уже в портфелях. Эти пройдохи никогда не прочь нажиться на страхе наивных людей перед жерновами государственной бюрократии.

Босх взбежал по ступенькам, не обращая внимания на попытки продать ему вымышленное название фирмы или поддельное свидетельство о браке. Вошел в здание, миновал справочное бюро и направился к лестнице. По опыту он знал, что ожидание лифта может уморить здесь кого угодно, поэтому пешком спустился на цокольный этаж — туда, где находился отдел записи актов гражданского состояния.

Толкнув стеклянную дверь, он услышал приветственный возглас. Из-за стола — одного из многих, стоявших у стены по ту сторону стойки для посетителей, — улыбаясь до ушей, вскочила азиатка по имени Флора. Она всегда охотно помогала Босху, когда тот служил в УПЛА.

— Гарри Босх! — воскликнула она.

— Флора! — отозвался он.

В стойке было отдельное окошко для полицейских — их всегда принимали без очереди — и еще два для гражданских лиц. У одного из них, опустив глаза на ксерокопии документов, стоял мужчина. Босх подошел ко второму. Флора уже заняла место у полицейского окошка.

— Нет, тебе сюда, — велела она.

Босх послушался, перегнулся через стойку и неуклюже заключил Флору в объятия.

— Так и знала, что ты появишься, — сказала она.

— Ну, деваться-то некуда, — посетовал Босх. — Но я здесь как гражданское лицо. Не хочу, чтобы у тебя были проблемы.

Он, конечно, мог достать жетон, выданный в Управлении полиции Сан-Фернандо, но не хотел, чтобы об этом стало известно Вальдесу или Тревино. Зачем нарываться на неприятности? Поэтому Босх сделал шаг к гражданскому окошку, решив не смешивать личные дела с полицейскими.

— Да ну, проблемы! — фыркнула Флора. — Тебе можно.

Чтобы покончить с пререканиями, Босх вернулся к окошку для полицейских.

— Но дело у меня небыстрое, — предупредил он. — Информации мало, и нырять придется глубоко.

— Посмотрим. Что ищешь?

Общаясь с Флорой, Босх всегда чувствовал: еще чуть-чуть, и он начнет изрекать такие же скупые рубленые фразы, как она. В прошлом он не раз ловил себя на такой реакции, но сегодня надеялся совладать с этим естественным порывом.

Достав блокнот, он просмотрел даты, записанные в кабинете у Вэнса.

— Ищу запись о рождении, — сказал он, не поднимая глаз. — Тысяча девятьсот тридцать третий год. Или тридцать четвертый. Есть что-нибудь из тех времен?

— В базе нет, — ответила Флора. — И твердых копий больше нет. Только пленка. Покажи имя.

В семидесятых архивы перевели на микропленку, но так и не ввели в компьютерную базу данных. Босх развернул блокнот, чтобы Флора могла прочесть имя Вибианы Дуарте. Необычная фамилия: не то что «Гарсия» или «Фернандес». Имя, скорее всего, тоже редкое. Босх надеялся, что это сыграет ему на руку.

— Старая, — заметила Флора. — Смерть тоже надо?

— Да. Но я понятия не имею, когда она умерла. Если вообще умерла. Знаю лишь одно: в июне пятидесятого года она точно была жива.

Флора демонстративно нахмурилась:

— Ох... Ясно, Гарри.

— Спасибо, Флора. Где Паула? Еще здесь?

Во время частых набегов на цокольный этаж Босх — тогда еще детектив Босх, — кроме Флоры, общался еще и с Паулой. Ключ к любому нераскрытому делу, его основа — это поиски свидетелей и родственников жертвы. Первым делом нужно оповестить семью, что дело открыто вновь. Но в папках жертв почти никогда не было новой информации о родне: кто умер, кто женился, кто переехал в другой город. Посему наиболее яркие прозрения нисходили на детектива Босха в архивах и библиотеках.

— Сегодня нет, — ответила Флора. — Только я. Все запишу, а ты попей кофе. Это надолго. — И Флора записала все, что нужно.

— А ты, Флора? Кофе будешь? — спросил Босх.

— Нет, — ответила она. — Ты попей, пока ждешь.

— Пожалуй, обойдусь. Утром уже напился. Побуду здесь. Мне есть чем заняться.

Чтобы добавить веса своим словам, он достал телефон и показал его Флоре. Та ушла в архив, а Босх расположился на пластмассовом стуле в свободной кабинке для просмотра микропленок и задумался, что делать дальше. Сейчас все зависело от того, что найдет Флора. Потом Босх или отправится в собор Святой Вибианы, чтобы взглянуть на записи о крещении, или же в Даунтаун, в Центральную библиотеку, изучать телефонные справочники прошлых десятилетий.

Открыв в телефоне браузер, он ввел в строку поиска запрос «УЮК ОК». Первая же ссылка привела его на нужный сайт. На территории Университета Южной Калифорнии все еще работал кафетерий под названием «Общая кухня». Он находился в здании общежития Бирнкрант на Тридцать четвертой улице. Босх скопировал адрес в приложение «Карты» и через секунду уже смотрел на студенческий городок к югу от Даунтауна. Вэнс сказал, что Вибиана жила в нескольких кварталах от кафетерия и ходила на работу пешком. Студгородок тянулся вдоль Фигероа-стрит и автострады Харбор. В этом районе было не много жилых улиц, откуда можно было дойти до кафетерия пешком. Босх принялся записывать названия улиц и диапазоны адресов, чтобы определиться, где жила Дуарте, когда начнет проверять старые телефонные справочники в Центральной библиотеке.

Вскоре он понял, что смотрит на карту две тысячи шестнадцатого года. Не исключено, что в пятидесятом году прошлого века там не было никакой автострады. Соответственно, район вокруг университета выглядел тогда совсем иначе. Вновь открыв поисковик, Босх запросил историю строительства автострады — диагональной «восьмерки», идущей через весь округ от Пасадены до океана. Вскоре он выяснил, что Харбор — также известная как шоссе 110 — строилась частями, в период с сороковых по пятидесятые, на заре шоссейного бума. Часть автострады к востоку от студгородка начали строить в пятьдесят втором году, а закончили в пятьдесят четвертом, то есть значительно позже того времени, когда Уитни Вэнс учился в университете и встречался с Вибианой Дуарте.

Вернувшись к карте, Босх принялся добавлять в свой перечень улицы, по которым в сорок девятом и пятидесятом годах можно было пешком дойти до северо-восточной части студгородка — туда, где находился кафетерий. Вскоре он составил список из четырнадцати улиц с номерами домов в четырех кварталах. В библиотеке он поищет имя Дуарте и проверит, не жила ли ее семья по одному из этих адресов. В те времена в телефонный справочник вносили почти все фамилии — конечно, если у человека был домашний телефон.

Когда Босх всматривался в экранчик смартфона, проверяя, не пропустил ли каких-нибудь переулков, из недр архива вернулась Флора. В триумфально воздетой руке ее была катушка с микропленкой. Босх тут же ощутил всплеск адреналина. Флора нашла Вибиану.

— Родилась не здесь, — сообщила Флора. — В Мексике.

Сбитый с толку, Босх встал, подошел к стойке и спросил:

— Откуда знаешь?

— Видела в свидетельстве о смерти, — объяснила Флора. — Лорито.

Она произнесла название с ошибкой, но Босх понял, о чем речь. Однажды поиски подозреваемого в убийстве привели его в Лорето, город на полуострове Байя. Пожалуй, там и следовало искать собор или церковь Святой Вибианы.

— Ты уже нашла свидетельство о смерти? — спросил он.

— Почти сразу, — ответила Флора. — Пятьдесят первый год.

Босху вдруг стало нечем дышать. Вибиана была мертва, и умерла очень давно. Впервые он услышал это имя меньше шести часов назад, но уже нашел ее — ну, в каком-то смысле. Что же скажет Вэнс, узнав такие новости?

Он протянул руку. Флора передала ему катушку с микропленкой и назвала номер нужного документа: 51-459. Самое начало, даже с поправкой на 1951 год. Четыреста пятьдесят девятая смерть в Лос-Анджелесе. Когда же это случилось? В январе? В феврале?

Задумавшись, он взглянул на Флору. Интересно, она видела причину смерти, когда нашла документ?

— Она умерла при родах? — спросил он.

Флора заметно озадачилась.

— Нет, — сказала она. — Сам посмотри. Почитай.

Босх с катушкой в руке вернулся в кабинку. Ловко зарядил пленку, включил проектор. Аппарат был автоматический, кадры сменялись по нажатию кнопки. Босх пролистал документы, раз в несколько секунд останавливаясь, чтобы свериться с номером, проставленным в верхнем углу кадра. Четыреста пятьдесят девятая смерть случилась в середине февраля. Остановившись на нужном документе, Босх увидел, что за многие десятилетия форма калифорнийского свидетельства о смерти почти не изменилась. Этот документ был, пожалуй, самым старым на его памяти, но бланк походил на современный. Босх отыскал раздел, предназначенный для пометки коронера или лечащего врача. Причину смерти записали от руки: самоубийство посредством удушения шнуром, бельевой веревкой.

Босх долгое время смотрел на эту строчку, не двигаясь и даже не дыша. Вибиана покончила с собой. Других подробностей в документе не было, лишь размашистая нечитаемая подпись, а рядом с ней — два напечатанных на машинке слова: «Помощник коронера».

Откинувшись на спинку стула, Босх глубоко вздохнул. На него накатила безмерная печаль. Он не знал всех нюансов дела. Слышал лишь рассказ Вэнса, а тот изложил точку зрения восемнадцатилетнего парня, искаженную болезненным чувством вины восьмидесятипятилетнего старика. Но этого было достаточно, чтобы понять: с Вибианой произошло что-то нехорошее. Вэнс расстался с ней не по-человечески. Июньские события стали причиной того, что произошло в феврале. Босх нутром чувствовал, что Вибиана распрощалась с жизнью задолго до того, как сунула голову в петлю.

Он записал в блокнот информацию из свидетельства о смерти. Вибиана покончила с собой 12 февраля 1951 года. Ей было семнадцать лет. В графе «Родственники» было указано имя отца: Виктор Дуарте. Он жил на улице Надежды — одной из тех, которые Босх внес в свой список, изучая карту окрестностей университета. В названии улицы была печальная ирония.

Место смерти — адрес на бульваре Норт-Оксидентал — показалось ему странным. Босх знал, что этот бульвар находится к западу от Даунтауна, в районе Эхо-парка. То есть довольно далеко от дома Вибианы. Он достал телефон, открыл браузер и вбил адрес в строку поиска. Оказалось, в этом здании находился приют Святой Елены для молодых матерей-одиночек. Несколько ссылок вели на сайты о приюте, а еще одна — на статью из «Лос-Анджелес таймс», посвященную его столетнему юбилею.

Босх тут же открыл статью и приступил к чтению.

РОДИЛЬНЫЙ ДОМ ОТМЕЧАЕТ СВОЙ СОТЫЙ ДЕНЬ РОЖДЕНИЯ

Скотт Б. Андерсон, штатный сотрудник «Лос-Анджелес таймс»

Приют Святой Елены для матерей-одиночек на этой неделе отмечает сто лет со дня основания. В прошлом здесь скрывали семейные тайны. Теперь же родильный дом являет собою символ семейного процветания.

На трехакровой территории рядом с Эхо-парком всю неделю будут проводиться праздничные мероприятия, в числе прочих семейный пикник и главное событие юбилея — выступление женщины, которая пятьдесят лет назад была вынуждена отдать новорожденного ребенка в приемную семью, не выдержав давления со стороны родителей.

За последние несколько десятилетий общественные нравы претерпели значительные изменения. Этот процесс затронул и приют Святой Елены. В прошлом, если девушке случалось преждевременно забеременеть, ее старались спрятать, чтобы ребенок родился подальше от чужих глаз и был незамедлительно передан приемным родителям...

Дальше Босх читать не стал. Он понял, что случилось шестьдесят пять лет назад.

— Вибиана родила ребенка... — прошептал он. — Ребенка, которого у нее отобрали.

ГЛАВА 8

Босх бросил взгляд на Флору. Та как-то странно смотрела на него.

— Гарри, ты в норме? — спросила она.

Не ответив, он поднялся на ноги и подошел к стойке.

— Флора, мне нужны записи о рождении за январь и февраль пятьдесят первого года, — сказал он.

— Хорошо, — кивнула Флора. — Фамилия?

— Не знаю. Не уверен, под какой фамилией записан ребенок. Посмотри «Дуарте» и «Вэнс». Дай ручку, я запишу.

— Держи.

— Ребенок родился в больнице Святой Елены. Вообще, мне бы хотелось взглянуть на все записи о рождении в больнице Святой Елены за первые два...

— В округе нет такой больницы.

— Ну, это не совсем больница. Это приют для матерей-одиночек.

— Значит, у нас записей не будет.

— Как так? Должны же быть...

— Это секрет. Родился ребенок, отдали другим людям. Новое свидетельство о рождении. Никаких упоминаний о Святой Елене. Ясно?

Босх не вполне понимал, о чем речь, хотя ему и было известно, что тайна усыновления охраняется множеством законов.

— То есть свидетельство о рождении выдается после усыновления? — спросил он.

— Именно, — ответила Флора.

— И в нем указывают только имена новых родителей?

— Именно так.

— И новое имя младенца?

Флора кивнула.

— А что пишут в графе «Родильный дом»? Врут?

— Пишут «Домашние роды».

Босх разочарованно хлопнул ладонями по стойке:

— Значит, я никак не сумею отыскать ее ребенка?

— Прости, Гарри. Не злись.

— Я не злюсь, Флора. А даже если и злюсь, то не на тебя.

— Ты хороший детектив, Гарри Босх. Разберешься.

— Ага, Флора. Разберусь.

Все еще опираясь ладонями на стойку, Гарри наклонился и попробовал собраться с мыслями. Должен же быть какой-то способ найти этого ребенка! Пожалуй, стоит съездить в приют Святой Елены. Да, других вариантов нет. В голову ему пришла новая мысль, и он поднял глаза на Флору.

— Гарри, я тебя таким не видела, — покачала головой она.

— Знаю, Флора. Извини. Не люблю оказываться в тупике. Будь другом, принеси пленки с записями о рождении за январь и февраль пятьдесят первого года.

— Уверен? За два месяца много детей.

— Да, уверен.

— Тогда ладно.

Флора опять скрылась в архиве, а Босх ушел в кабинку и стал ждать. Взглянув на часы, он понял, что, скорее всего, просидит за пленками до конца рабочего дня. Архив закрывался в пять часов вечера. А потом ему предстоит тащиться домой в Голливуд через центр Даунтауна в самый час пик, а это часа два или около того. Босх решил: раз уж он рядом с округом Ориндж, самое время написать эсэмэску дочери: вдруг у нее найдется время поужинать с отцом где-нибудь подальше от студенческой столовой Чепменского университета.

Мэдс, я в Норуолке, работаю над делом. Если есть время, могу заехать. Поужинаем.

Ответ пришел незамедлительно:

Норуолк? Это где?

Рядом с тобой. Могу забрать в 5:30 и привезти в 7:00, чтобы успела сделать домашку. Что скажешь?

На сей раз Мэдди задержалась с ответом — должно быть, прикидывала варианты. На втором курсе социальная и учебная нагрузка выросла в геометрической прогрессии, и Босх все реже виделся с дочерью. Он страшно гордился ее успехами, но иной раз ему становилось грустно и одиноко. Босх знал, что так будет и сегодня, если он не встретится с Мэдди. История Вибианы Дуарте — вернее, совсем незначительная ее часть, которую Босх сумел выяснить, — произвела на него гнетущее впечатление. Вибиана была лишь на несколько лет моложе Мэдди, и ее судьба была очередным напоминанием о том, что жизнь бывает беспощадна — даже к невинным душам.

Пока Босх ждал ответа от дочери, Флора нашла для него две микропленки. Положив телефон на стол, Гарри зарядил в аппарат катушку с пометкой «Январь 1951 года» и с головой окунулся в сотни документов, проверяя в каждом раздел больничных записей и распечатывая каждое свидетельство, где была строчка «Домашние роды».

Через полтора часа Босх добрался до 20 февраля 1951 года: решил расширить диапазон поисков на неделю после смерти Вибианы, сделав поправку на волокиту при выдаче свидетельства о рождении новым родителям. Он распечатал шестьдесят семь документов, в которых стояла пометка «Домашние роды», а в графе «Раса» было указано «латиноамериканец/латиноамериканка» или «белый/белая». У него не было фотографии Вибианы Дуарте, и он не знал, насколько смуглой была ее кожа. Нельзя было исключать вероятность, что ее ребенка усыновили как белого — под стать расе приемных родителей.

Выравнивая стопку распечаток, он понял, что совсем забыл про ужин с дочерью. Схватил телефон и увидел, что пропустил последнюю эсэмэску. Она пришла больше часа назад. Мэдди согласилась, но при условии, что в 7:30 сядет за уроки. В этом году они с тремя другими девочками снимали дом в нескольких кварталах от студгородка. Взглянув на часы, Босх понял, что был прав: он еле-еле успевал к закрытию архива. Он сбросил Мэдди короткое сообщение, что уже едет, отнес микропленки к стойке и спросил у Флоры, сколько должен за шестьдесят семь свидетельств о рождении.

— Нисколько, — ответила она. — Ты же полицейский.

— Ну да, но я этого не говорил, — произнес Босх. — Это частное дело.

Он вновь отказался ссылаться на свою должность в Сан-Фернандо. Когда речь заходила о поиске имен в полицейских базах данных, у Босха не было выбора. Но работа в архиве — совсем другое дело. Взяв бесплатные копии под ложным предлогом, он воспользовался бы служебным положением ради материальной выгоды. Отдача может прилететь такая, что мало не покажется. Он вытащил бумажник.

— Тогда пять долларов за штуку, — сказала Флора.

Утром Босх стал богаче на десять тысяч долларов, но цена все равно повергла его в изумление. Должно быть, он изменился в лице, ибо Флора улыбнулась.

— Понял? — сказала она. — Ты полицейский.

— Нет, Флора, это не так, — возразил Босх. — Можно заплатить кредиткой?

— Нет, плати наличными.

Нахмурившись, Босх выудил из бумажника сотенную купюру, которую носил в потайном отсеке на всякий пожарный случай. Добавил к ней деньги из кармана пиджака, пересчитал, заплатил триста тридцать пять долларов за копии, а остальные шесть баксов сунул обратно в карман. Попросил квитанцию, хоть и не планировал требовать у Вэнса компенсации расходов. На прощание помахал Флоре пачкой распечаток и вышел из архива.

Через несколько минут его «чероки» уже стоял на выезде с парковки. Там собралась очередь, ибо все — и служащие, и посетители — вышли из здания ровно в пять часов. Чтобы развеяться, Босх поставил компакт-диск с последним альбомом саксофонистки Грейс Келли. Мэдди была по большей части равнодушна к джазу, но Келли ей нравилась. Если она выберет ресторан, куда нужно будет ехать на машине, пусть по дороге играет этот диск.

Но Мэдди заявила, что ужинать они будут в Старом городе. От Палм-авеню — улицы, где она жила, — до Старого города было рукой подать, и они с Босхом решили прогуляться. По пути Мэдди рассказала, что снимать отдельный дом с тремя подругами гораздо приятнее, чем ютиться в двухкомнатной клетушке общежития с одним туалетом на всех, как это было на первом курсе. К тому же теперь она жила рядом с той частью студгородка, где находился факультет психологии. В целом жизнь у Мэдди складывалась неплохо, но Босх волновался насчет ее безопасности. Палм-авеню не входила в зону покрытия университетской полиции, так что Мэдди с подружками оставалось надеяться на полицейское управление Оринджа, а толку от него было немного. В отличие от полиции университета, городские патрули реагировали на вызов как сонные мухи. Разница во времени отклика была ощутимой: не пара секунд, а несколько минут. Босха это изрядно беспокоило.

Местечко в Старом городе оказалось пиццерией, где ты, отстояв длинную очередь, забирал к столику свеженькую заказную пиццу — как говорится, с пылу с жару. Расположившись напротив Мэдди, Босх засмотрелся на ядовито-розовый оттенок ее волос. А потом спросил, зачем она покрасилась в такой цвет.

— Из солидарности, — ответила Мэдди. — У подружки мама болеет раком груди.

И увидела, что Босх ничего не понимает.

— Ты что, прикалываешься? — удивилась она. — Пап, сейчас октябрь: месячник осведомленности о раке груди. Ты же и сам все знаешь.

— Ах да, точно. Забыл.

Недавно он видел по телевизору футболистов «Лос-Анджелес рэмз» в розовой форме. Теперь до него дошло, что к чему. Хорошо, конечно, что Мэдди выкрасила волосы ради благого дела. Что еще лучше, эта краска, наверное, быстро смывается: ведь через пару недель будет уже ноябрь.

Расправившись с половиной своей пиццы, Мэдди уложила остатки в картонную коробку, объяснив, что это на завтрак.

— Ну, какое дело взял? — спросила она, когда они возвращались к дому по Палм-авеню.

— Откуда ты знаешь, что я взял дело? — спросил Босх.

— Ты же написал в эсэмэске. И еще на тебе костюм. Ну почему ты у меня такой параноик? Прямо как агент секретной службы.

— Да забыл. Ищу наследника.

— Как-как? Насильника?

— Наследника. Знаешь фразу «наследник престола»?

— А, ясно.

— В Пасадене живет один старик. У него куча денег. А мне поручено узнать, есть ли у него наследник, которому можно завещать все это богатство.

— Ого, круто. Кого-нибудь нашел?

— На данный момент у меня шестьдесят семь вариантов. Потому-то я и ездил в Норуолк. Искал свидетельство о рождении.

— Тоже круто.

Босх решил, что не стоит рассказывать Мэдди о судьбе Вибианы Дуарте.

— Только никому ни слова, Мэдс. Хоть я и не агент секретной службы, дело строго конфиденциальное.

— Типа мне есть с кем об этом разговаривать?

— Ну не знаю. Просто не выкладывай это в «Майфейс» или «Снэпчат», или куда ты там все выкладываешь.

— Пап, не смеши. У нас поколение визуалов. Мы не рассказываем о том, чем занимаются другие люди. Мы показываем, чем заняты сами. Делимся фотками. Так что не парься.

— Вот и славно.

Возле дома Босх спросил, можно ли войти, проверить замки и убедиться, что остальные меры безопасности соблюдены. Домовладелец еще в сентябре разрешил ему поставить дополнительные запоры на все окна и двери. Расхаживая по комнатам, Босх никак не мог отделаться от мысли о Моските. Наконец он вышел на задний дворик и убедился, что калитка деревянной ограды заперта изнутри. Он заметил, что Мэдди последовала его совету: выставила у черного хода собачью миску, хотя у девочек не было собаки — домовладелец запретил ее заводить.

Похоже, все было в порядке. Еще раз напомнив дочери, что нельзя спать с открытыми окнами, Босх на прощание обнял ее, чмокнул в макушку и сказал:

— Не забывай наливать воду в миску. Сейчас там пусто.

— Хорошо, пап, — обреченно произнесла Мэдди.

— Иначе от миски никакого толку.

— Хорошо, поняла.

— Умница. Куплю в «Хоум депо» пару табличек «Осторожно, злая собака». В следующий раз привезу.

— Пап!

— Ладно-ладно. Уже ухожу.

Еще раз обняв дочь, Босх направился к машине. Соседок Мэдди во время своего недолгого обхода он не видел. Это было странно, но он решил не задавать лишних вопросов. Боялся, что Мэдди начнет выговаривать: мол, не лезь в чужую жизнь. Однажды она уже заявила, что у подружек от его расспросов кровь в жилах стынет.

Усевшись за руль, Босх черкнул себе пометку: не забыть про таблички «Осторожно, злая собака», после чего повернул ключ зажигания и поехал на север, домой.

Пробки уже рассосались. Гарри был рад, что провел день с толком и даже успел поужинать с дочерью. Завтра утром он начнет сужать круг поисков Вибианы Дуарте и ребенка Уитни Вэнса. Его имя должно быть в одном из документов, лежащих на пассажирском сиденье.

Приятно было думать, что дело Вэнса сдвинулось с мертвой точки, но в глубине души Гарри чувствовал тревогу. Что-то подсказывало, что Москит уже высматривает новую жертву и готовится к очередному нападению. Где-то в Сан-Фернандо тикали часики. Босх был в этом уверен.

ГЛАВА 9

Утром Босх сварил кофе и выпил его на задней террасе, разложив на уличном столике распечатанные днем раньше документы. Изучая имена и даты, он быстро пришел к выводу, что сузить круг поисков не получится. Босх надеялся найти свидетельство, выданное с задержкой, но все без исключения документы были выписаны не сразу, а дня через три после рождения ребенка, а то и позже. Босх решил, что вернее всего будет как-то добраться до записей в приюте Святой Елены.

Задача была не из легких. Пробиться сквозь законы о тайне усыновления весьма непросто, даже вооружившись властью и жетоном полицейского. Босх подумал, не стоит ли позвонить Вэнсу, чтобы тот нанял юриста и подал запрос на доступ к записям об усыновлении ребенка Вибианы Дуарте, но пришел к выводу, что такая конструкция не взлетит. Подобный запрос — вернейший способ раскрыть планы Вэнса, а старик твердо намеревался сохранить все в секрете.

Вспомнив о статье из «Таймс», Босх решил дочитать ее до конца и отправился в дом за ноутбуком. Заодно отнес внутрь пачку документов, чтобы те не сдуло ветром в каньон.

В статье говорилось об эволюции приюта Святой Елены. В прошлом матерей спешили разлучить с детьми, теперь же работники приюта помогали девушкам вернуться в общество, не отказываясь от ребенка. В 1950 году слова «преждевременная беременность» звучали как приговор, но в девяностых все изменилось. У юных матерей-одиночек появился шанс на нормальную жизнь, а приют Святой Елены запустил несколько успешных проектов по поддержке неполных молодых семей.

В отдельном параграфе были собраны отзывы женщин: те рассказывали, как родня отвернулась от них, а в приюте им дали крышу над головой и, по сути дела, помогли выжить. В статье не было негативных отзывов. Не было и рассказов о том, как у девушек в буквальном смысле отбирали детей, чтобы отдать их незнакомцам.

Внимание Босха привлек последний параграф статьи. Гарри тут же сообразил, как взглянуть на дело под новым углом. Параграф начинался со слов женщины, оказавшейся в приюте в 1950 году. Родив ребенка, эта женщина прожила в приюте следующие пятьдесят лет.

Четырнадцатилетнюю Абигейл Тернбулл бросили на крыльце приюта с чемоданчиком в руках. Она была на третьем месяце беременности. Родители ее, люди глубоко религиозные, отказались мириться с таким положением дел. Отец ребенка отвернулся от нее. Ей было некуда идти.

Родив дочь, Абигейл пробыла с ней менее часа, после чего отдала ребенка чужим людям. Но ей по-прежнему было некуда податься. В семье ее не ждали. Ей позволили остаться в приюте при условии, что она будет выполнять черную работу: драить полы и стирать белье. Однако со временем Абигейл окончила двенадцать классов школы, а потом и университет, после чего стала выполнять в приюте обязанности соцработника: консультировать девушек, оказавшихся в тяжелой жизненной ситуации. В общей сложности Абигейл прожила в приюте полвека, пока не решила уйти на покой.

На праздновании столетнего юбилея Тернбулл, выступая с речью, рассказала историю о том, как долгие годы ее преданного служения приюту Святой Елены окупились стократно.

Однажды, когда я была в ординаторской, одна из сестер сообщила, что в фойе ждет женщина. Она пришла, чтобы узнать подробности собственного удочерения. Хотела выяснить, кто она по происхождению. По словам родителей, она появилась на свет в приюте Святой Елены. Я вышла к ней и сразу почувствовала что-то странное. Голос, глаза... Казалось, я знаю эту женщину. Я спросила, когда она родилась. Женщина ответила: девятого апреля тысяча девятьсот пятидесятого года. И я все поняла. Передо мной стояла моя собственная дочь. Я обняла ее, и вся моя боль, все сожаления — все это разом исчезло. Я поняла, что случилось чудо, ради которого Господь столько лет не отпускал меня из приюта.

В последнем предложении было сказано, что после выступления Тернбулл представила публике свою дочь, и все прослезились.

— Джекпот... — прошептал Босх, дочитав статью.

Теперь нужно было поговорить с Тернбулл. С момента публикации статьи в «Таймс» прошло восемь лет. Записывая имя, Босх надеялся, что эта восьмидесятилетняя женщина еще жива.

Оставалось понять, как побыстрее с ней связаться. Босх ввел имя в поисковик. Высветились ссылки на платные сайты родословных — по большей части обманки с недобросовестной рекламой. В «Линкедине», социальной сети с бизнес-уклоном, был профиль Абигейл Тернбулл, но вряд ли он принадлежал восьмидесятилетней женщине, которая нужна была Босху. Наконец Гарри решил отвлечься от цифровых изысканий и попробовать другой подход: Мэдди называла его «социальной инженерией». Открыв сайт приюта, он нашел телефонный номер и набрал его на смартфоне. Через три гудка женский голос ответил:

— Приют Святой Елены. Чем могу помочь?

— Ага, да, здравствуйте, — начал Босх, притворяясь, что нервничает. — Можно поговорить с Абигейл Тернбулл? Ну, если она еще у вас работает?

— Голубчик, ее давно уже нет здесь.

— О господи! То есть ей же очень много лет... Скажите, она не умерла?

— Нет, она жива, но давно ушла на покой. Не удивлюсь, если Абби всех нас переживет.

Босх увидел проблеск надежды. Раз Тернбулл жива, он ее найдет.

— Я встречался с ней на юбилее, — продолжил он. — Мы с мамой подходили поздороваться.

— Это было восемь лет назад. Позвольте узнать, с кем я говорю и по какому поводу вы звоните.

— Э-э-э... это Дейл. Я родился у вас в приюте. Мама всегда нахваливала Абигейл Тернбулл: говорила, какая она заботливая и как хорошо они дружили. Ну я уже сказал: мы приходили на юбилей, и я наконец-то с ней познакомился.

— Так чем могу помочь, Дейл?

— Вообще-то, я звоню по печальному поводу. Мама только что скончалась. Она оставила записку для Абигейл. И еще нужно сообщить ей, когда будут похороны, если она вдруг захочет прийти попрощаться. Я сделал карточку с приглашением. Не подскажете, как бы ее передать?

— Присылайте к нам в приют. Пометьте, что это для Абигейл. Мы все устроим.

— Ну да, оно понятно, но я боюсь не успеть — сами понимаете, третьи руки и все такое... Похороны уже в воскресенье. Вдруг приглашение не доставят вовремя?

После долгой паузы женщина сказала:

— Побудьте на связи. Я выясню, что можно сделать.

В динамике стало тихо. Босх ждал и думал, что разыграл все как по нотам. Две минуты спустя женщина вернулась:

— Алло?

— Да-да, я здесь.

— Только в порядке исключения: записывайте почтовый адрес Абигейл. Телефонный номер дать не могу, для этого требуется ее разрешение. Я только что звонила ей, но не дозвонилась.

— Что ж, мне хватит и адреса. Сегодня же отправлю письмо. Как раз придет вовремя.

Женщина продиктовала Босху адрес на бульваре Вайнленд в Студио-Сити. Записав его, Босх поблагодарил и тут же нажал кнопку отбоя.

Он взглянул на адрес. Совсем недалеко от дома: всего-то и нужно, что спуститься в Вэлли и доехать до Студио-Сити. В адресе был номер квартиры или комнаты, — наверное, Абигейл Тернбулл жила в доме престарелых. Не исключено, что, кроме обычных калиток и кнопок, там будет серьезная охрана.

Босх сходил на кухню, достал из шкафчика резинку и перехватил ею пачку документов. Он собирался взять их с собой — на всякий случай. Взяв ключи, он направился к боковому выходу, но тут в переднюю дверь громко постучали. Сменив курс, Босх пошел смотреть, кто к нему заявился.

На веранде стоял безымянный охранник — тот самый, что вчера провожал его в особняк Вэнса.

— Хорошо, что я вас застал, мистер Босх, — сказал он.

Взгляд его упал на пачку свидетельств о рождении. Босх машинально опустил руку и спрятал документы за левое бедро. Рассердившись на себя за столь очевидный жест, он резко спросил:

— Чем могу помочь? Я уже ухожу.

— Меня прислал мистер Вэнс, — сказал мужчина. — Он хочет знать, как обстоят дела.

Какое-то время Босх молча смотрел на него.

— Как вас зовут? — спросил наконец он. — Вчера вы так и не представились.

— Слоун. Начальник охраны поместья в Пасадене.

— Как вы узнали, где я живу?

— Нашел ваш адрес.

— Где нашли? Моего имени нет ни в одной адресной книге, а дом записан на другого человека.

— Мы умеем находить людей, мистер Босх.

Босх еще немного посверлил Слоуна взглядом, после чего сказал:

— Видите ли, Слоун, мистер Вэнс велел отчитываться только перед ним. Так что прошу меня простить.

Босх начал было закрывать дверь, но Слоун придержал ее.

— Вот это вы зря, — заметил Босх.

Слоун попятился и поднял руки.

— Приношу свои извинения, — сказал он. — Дело в том, что вчера мистер Вэнс заболел. Сразу после вашей с ним встречи. Сегодня утром он приказал мне узнать, удалось ли вам продвинуться.

— Продвинуться? В чем? — осведомился Босх.

— В деле, для которого вас наняли.

Подняв палец, Босх спросил:

— Побудете здесь минутку?

Не дожидаясь ответа, он закрыл дверь, сунул пачку документов под мышку и отправился к обеденному столу, где лежала карточка с телефоном Вэнса. Набрал номер, вернулся к двери и вновь открыл ее, слушая долгие гудки.

— Кому звоните? — спросил Слоун.

— Вашему боссу, — ответил Босх. — Вы предлагаете обсудить его дела. Хочу убедиться, что он не против.

— Он не ответит.

— В таком случае...

Телефон Вэнса, издав длинный писк, переключился в режим автоответчика. Приветственного сообщения не прозвучало.

— Мистер Вэнс, это Гарри Босх. Пожалуйста, перезвоните.

Босх продиктовал номер, коснулся иконки отбоя и вновь обратился к Слоуну:

— Одного понять не могу: с какой стати Вэнс прислал вас сюда, не сказав, на какую работу меня нанял?

— Говорю же, он заболел.

— Ну да. Тогда подождем, пока поправится. Передайте, чтобы он мне позвонил.

Босх прочел на лице Слоуна замешательство. Тот хотел сказать что-то еще. Босх ждал. Наконец Слоун разродился:

— У мистера Вэнса есть причины считать, что телефонный номер на карточке, которую он вам дал, уже небезопасен. Он хочет, чтобы вы отчитывались через меня. Я служу у него телохранителем уже двадцать пять лет.

— Что ж, пусть скажет мне эти слова при личной встрече. Когда выздоровеет, дайте знать, и я прискачу к нему во дворец.

С этими словами Босх громко хлопнул дверью, застав Слоуна врасплох. Тот снова постучал, но Босх уже тихонько открывал боковую дверь, ведущую к площадке для автомобиля. Он выскользнул из дома, так же тихонько открыл дверцу «чероки» и юркнул за руль. Как только завелся двигатель, Босх включил задний ход и стремительно выехал на улицу. У противоположной обочины стоял медно-красный седан. К нему спешил Слоун.

Крутанув баранку, Босх сдал направо и рванул в гору мимо Слоуна — тот уже открывал дверцу своей машины. Теперь ему придется заехать на площадку возле дома, чтобы развернуться на узкой улочке. Дело небыстрое, и Босх успеет от него оторваться.

За двадцать пять лет Босх заучил все повороты Вудро-Вильсон-драйв наизусть, так твердо, что мог гонять здесь с закрытыми глазами. Вскоре он увидел знак «Стоп» у Малхолланд-драйв и, не останавливаясь, круто свернул направо — на дорогу, что змеилась вдоль горного хребта до Райтвуд-драйв. Босх то и дело поглядывал в зеркало, но не видел ни Слоуна, ни других преследователей. Еще раз свернув направо, он оказался на Райтвуд-драйв и помчался вниз по северному склону в сторону Студио-Сити. Выехал на бульвар Вентура и оказался в Вэлли.

Через несколько минут «чероки» остановился на обочине бульвара Вайнленд, у жилого комплекса под названием «Горный ветер». Старые обшарпанные корпуса стояли неподалеку от эстакады шоссе 101. Вдоль нее шла двадцатифутовая бетонная глушилка, но Босх подумал, что рев автомобильных моторов все равно гуляет по двухэтажному жилому комплексу не хуже горного ветра.

Что важнее всего, это не был дом престарелых. Абигейл Тернбулл жила в обычном многоквартирнике. Босху оставалось лишь выйти из автомобиля и постучаться к ней в дверь.

ГЛАВА 10

Прислонившись к калитке, Босх делал вид, что занят телефонным разговором. На самом деле он слушал сообщение, которое Мэдди оставила ему год назад, когда поступила в Чепменский университет: «Пап, я сегодня на седьмом небе от счастья, и спасибо за все, что ты для меня сделал. Без тебя я бы не поступила. Здорово, что буду жить неподалеку. Захотим повидаться, всего лишь час езды, и дело в шляпе. Ну ладно, может, два, но это уже с поправкой на пробки».

Босх улыбнулся. Он не знал, как долго хранятся голосовые на его смартфоне, но надеялся, что еще не раз услышит голос дочери, полный неподдельной радости.

Из дома вышел мужчина. Он направился к калитке. Босх, подгадав время, притворился, что говорит по телефону и одновременно шарит по карманам в поисках ключа.

— Отлично, — сказал он. — Я тоже в полном восторге.

Мужчина толкнул калитку с другой стороны. Босх, пробормотав слова благодарности, вошел на территорию жилого комплекса. В очередной раз сохранил сообщение Мэдди и спрятал телефон в карман.

Указатели вдоль каменной дорожки привели его к нужному корпусу. Квартира Абигейл Тернбулл была на первом этаже. Босх подошел к ней и увидел, что дверь за москитной сеткой открыта. Из квартиры донесся голос:

— Все хорошо, Абигейл?

Босх шагнул ближе к москитной сетке и, не стуча, заглянул внутрь. Увидел короткий коридор, а за ним — гостиную, где на диване сидела болезненного вида старушка с копной каштановых волос — очевидно, это был парик — и в очках с толстыми линзами. Перед ней был раскладной столик, а рядом стояла вторая женщина, гораздо моложе первой. В одной руке у нее была тарелка, а другой она собирала столовое серебро. Должно быть, Абигейл припозднилась с завтраком или решила пообедать пораньше.

Босх решил подождать, — возможно, женщина приберется и уйдет. Дверь квартиры выходила на внутренний дворик с трехуровневым фонтаном. Плеск воды перекрывал завывания автомобильных моторов на эстакаде, благодаря чему Тернбулл могла позволить себе не закрывать дверь. Устроившись на цельнолитой бетонной скамье перед фонтаном, Босх положил рядом с собой пачку свидетельств о рождении и стал проверять сообщения на телефоне. Минут через пять из квартиры вновь донесся голос:

— Оставить дверь открытой, Абигейл?

Босх услышал неразборчивый ответ. Из квартиры вышла женщина с сумкой-термосом для готовой еды. Такой же термос с логотипом благотворительной организации когда-то был у Мэдди: в выпускном классе она вызвалась разносить продукты малоподвижным людям. Возможно, заходила и к Абигейл Тернбулл, подумал Босх.

Женщина направилась к калитке. Подождав еще немного, Босх подошел к москитной сетке и снова заглянул в квартиру. Абигейл Тернбулл по-прежнему сидела на диване. Раскладной столик исчез. Его место заняли ходунки с двумя колесиками. Абигейл, не отрываясь, смотрела куда-то вглубь гостиной. Босх не видел, что там, но ему показалось, что в комнате бормочет телевизор.

— Мисс Тернбулл?

Босх окликнул ее во весь голос: мало ли, у старушки проблемы со слухом. Вздрогнув, Абигейл испуганно взглянула на дверь.

— Прошу прощения, — тут же добавил Босх. — Я не хотел вас напугать. Скажите, можно вас кое о чем спросить?

Абигейл принялась озираться по сторонам, словно в поисках поддержки — на тот случай, если она вдруг понадобится.

— Что вам от меня нужно? — наконец спросила она.

— Я детектив, — ответил Босх. — Веду одно дело. Хочу задать вам пару вопросов.

— Ничего не понимаю. У меня нет знакомых детективов.

Босх взялся за дверную ручку. Рама с москитной сеткой была не заперта. Босх приоткрыл ее, чтобы Абигейл получше его рассмотрела. Поднял жетон УПСФ и улыбнулся:

— Я веду расследование, Абигейл. Думаю, вы способны мне помочь.

Женщина, принесшая еду, обращалась к Тернбулл по имени. Босх решил попробовать такой же подход. Тернбулл не ответила. Босх заметил, что руки ее сжались в кулаки. Стало быть, нервничает.

— Разрешите войти? — спросил он. — Я на пару минут, не больше.

— Сюда никто не заходит, — сказала она. — У меня нет денег на покупки.

Босх осторожно вошел в коридор. Ему было совестно, что он напугал старушку, но он продолжал улыбаться.

— Абигейл, я здесь не для того, чтобы что-то вам продать. Честное слово.

С этими словами он вошел в тесную гостиную. По телевизору шла передача Эллен Дедженерес. Еще в комнате был диван и кухонный стул, сиротливо стоявший в углу, у входа в кухоньку с маленьким холодильником. Сунув бумаги под мышку, Босх вытащил из чехла с жетоном удостоверение УПСФ. Абигейл неохотно взяла его в руки и углубилась в чтение.

— Сан-Фернандо? — наконец спросила она. — Это где?

— Тут, рядом, — ответил Босх. — Я...

— Что у вас за расследование?

— Мне нужно найти одного человека. О нем давно уже ничего не слышно.

— Не пойму, зачем я вам понадобилась. Я ни разу не была в Сан-Фернандо.

— Разрешите, я присяду? — Босх указал на стул в углу.

— Да на здоровье. Но я все равно в толк не возьму, чего вы от меня хотите.

Придвинув стул, Босх сел напротив Абигейл и ее ходунков. На старушке был выцветший домашний халат в цветочек. Она все еще рассматривала удостоверение Босха.

— Что это за имя такое? Как читается? — осведомилась она.

— Иероним, — ответил Босх. — Меня назвали в честь одного художника.

— Не знаю я такого художника.

— В этом вы не одиноки. В общем, несколько лет назад в газете опубликовали статью о приюте Святой Елены. Я ее прочел. В ней говорилось о вашем выступлении на юбилее. О том, как вы встретились с дочерью. Та пришла в приют в поисках ответов на свои вопросы.

— Ну и что с того?

— Мой наниматель — глубокий старик, и он тоже хочет узнать ответ на свой вопрос. Его ребенок родился в приюте Святой Елены. Я надеялся, что вы поможете мне с поисками.

Абигейл откинулась на спинку дивана, словно отстраняясь от разговора, и покачала головой.

— Там родилось очень много детей, — проговорила она. — Я полвека прожила в приюте. Всех не упомнишь. К тому же при усыновлении почти каждому давали другое имя.

— Знаю, — кивнул Босх. — Но этот случай особенный. Думаю, вы помните мать ребенка. Ее звали Вибиана. Вибиана Дуарте. Она появилась в приюте через год после вас.

Тернбулл зажмурилась, словно в попытке совладать с мучительной болью. Босх тут же понял, что она была знакома с Вибианой. Его путешествие во времени подошло к концу.

— Вы вспомнили ее, верно? — спросил он.

Тернбулл ответила кивком:

— Я была там, когда это случилось. Жуткий день.

— Расскажете?

— Зачем? Дело прошлое.

Замечание было справедливым, и Босх кивнул:

— Помните, как ваша дочь нашла вас в приюте? Вы еще назвали это чудом. Здесь примерно такая же ситуация. Я работаю на человека, который хочет найти своего ребенка. Своего и Вибианы.

Он тут же понял, что ошибся с выбором слов. Судя по выражению лица, Тернбулл не на шутку рассердилась.

— Такая же ситуация? Ничего подобного, — сказала она. — Никто не заставлял его отдавать ребенка в приемную семью. Он сам отвернулся и от Вибби, и от собственного сына.

Подметив слово «сын», Босх тут же попытался загладить вину.

— Согласен, Абигейл, — сказал он. — Но все же речь идет об отце, который ищет своего сына. Этот человек стар. Он скоро умрет. И еще он очень богат. Да, оставив ребенку наследство, он не искупит своей вины, но нам ли это решать? По-моему, этот вопрос касается только его сына. Так давайте позволим ему хотя бы сделать выбор.

Тернбулл молчала. Должно быть, обдумывала слова Босха.

— Ничем не могу помочь, — наконец произнесла она. — Я не знаю, что стало с мальчиком после того, как его забрали.

— Тогда поведайте мне о том, что знаете, — попросил Босх. — Да, история ужасная. Но расскажите, как все было. И еще расскажите про сына Вибби.

Тернбул уставилась в пол. Босх понял, что она погрузилась в воспоминания и вот-вот заговорит. Ухватившись обеими руками за ходунки, словно в поисках опоры, она начала:

— Он был совсем слабенький. Родился с недовесом. У нас было правило: не отдавать ребенка в новую семью, если он весит меньше пяти фунтов.

— Что было дальше? — спросил Босх.

— Тем двоим, что собирались его усыновить, велели подождать. Нужно было, чтобы он поправился. Набрал вес.

— То есть усыновление отложили?

— Да, иногда такое случалось. Отложили. Сказали Вибби, чтобы она хорошенько его откормила. Ей пришлось забрать его к себе в комнату, кормить грудью. Кормить, пока не поправится. Пока не прибавит в весе.

— И как долго?

— Неделю. Может, дольше. Знаю только, что Вибби провела с ребенком больше времени, чем кто-либо еще. У меня, например, забрали через час. В общем, через неделю или около того пришло время отдавать ребенка. Те двое вернулись, начали оформлять документы. Забрали у Вибби малыша.

Босх угрюмо кивнул. История становилась все мрачнее, с какой стороны ни глянь.

— Что случилось с Вибби? — спросил он.

— Я тогда работала в прачечной, — продолжила Тернбулл. — Приют был небогатый. Сушилок не было. Белье сушили во дворике за кухней, на веревках. Позже на том месте поставили пристройку. В то утро я пошла развешивать простыни и заметила, что одной веревки не хватает.

— Вибиана?

— Потом я все узнала. Девочки рассказали. Вибби повесилась на трубе в душевой. Когда спохватились, было уже поздно.

Тернбулл не поднимала взгляда. Казалось, она не желает смотреть Босху в глаза, рассказывая эту жуткую историю.

История и впрямь была жуткой. У Босха на душе кошки скребли, но он должен был продолжить разговор. Должен был найти сына Вибианы.

— Вот и все? — спросил он. — Мальчика забрали, и больше вы ничего о нем не знаете?

— Да. Они уехали, и дело с концом.

— Не помните его имя? Или фамилию приемных родителей?

— Вибби называла его Доминик. Может, ему дали другое имя. Не знаю. Обычно приемные родители называют ребенка по-своему. Я назвала дочку Сарой. А когда она вернулась, ее звали Кэтлин.

Босх взял в руки пачку документов. Он был уверен, что утром видел в одном из них имя «Доминик». Принялся просматривать бумаги в поисках этого имени. Нашел нужный документ, взглянул на фамилию и дату рождения. Доминик Сантанелло, 31 января 1951 года. Свидетельство о рождении выдано спустя пятнадцать дней — должно быть, из-за недовеса и задержки с усыновлением.

Он показал старушке распечатку и спросил:

— Это он? Доминик Сантанелло?

— Говорю же, — произнесла Тернбулл, — это она его так называла.

— Других Домиников в этих записях нет. Это точно он. Вот, написано: «Домашние роды». В те времена такую пометку делали при усыновлении.

— Ну... Тогда, наверное, вы нашли, кого искали.

Босх снова взглянул на свидетельство. Квадратик «Лат.» в графе «Раса» был помечен галочкой. Семья Сантанелло жила в Окснарде, в округе Вентура. Лука и Одри Сантанелло, обоим по двадцать шесть лет. В строке «Род деятельности» Луки Сантанелло значилось: «Продавец бытовой техники».

Он заметил, что старушка крепко сжимает алюминиевые трубки ходунков. Благодаря Абигейл Босх, похоже, нашел давно пропавшего сына Уитни Вэнса, но заплатил за это высокую цену. Он знал, что не скоро забудет, как Абигейл рассказывала о Вибиане Дуарте.

ГЛАВА 11

Босх вышел из «Горного ветра», сел в машину и отправился на запад. Доехав до бульвара Лорел-Каньон, свернул на север. По шоссе вышло бы быстрее, но Босх не хотел никуда спешить. Ему нужно было обдумать рассказ Абигейл Тернбулл. И еще он собирался купить сэндвич в придорожном кафе.

Перекусив на обочине, он достал телефон и еще раз позвонил по номеру с карточки Уитни Вэнса. На звонок опять не ответили, и Босх оставил сообщение: «Мистер Вэнс, это снова Гарри Босх. Обязательно перезвоните. По-моему, у меня есть информация, которую вы искали».

Завершив звонок, он положил телефон в держатель для кофейного стаканчика и вырулил на дорогу.

За двадцать минут он проехал всю Вэлли, с юга на север. На пересечении Лорел-Каньон и Маклей-стрит свернул направо и оказался в Сан-Фернандо. В сыскном отделе по-прежнему не было ни души. Босх направился прямиком к своему столу.

Для начала он проверил почту УПСФ. Ему пришло два новых письма — судя по заголовкам, ответы на запросы по Москиту. Первое прислал детектив из отделения Вест-Вэлли УПЛА:

Уважаемый Гарри Босх!

Если Вы тот самый детектив, который прослужил в УПЛА больше тридцати лет, а потом подал на него в суд, желаю Вам как можно скорее заболеть раком прямой кишки и умереть в страшных мучениях. Если же Вы его тезка, приношу свои соболезнования. Хорошего Вам дня.

Перечитывая письмо, Босх чувствовал, что закипает. Не из-за оскорблений, нет. Ему плевать было на оскорбления. Нажав кнопку «Ответить», он быстро напечатал:

Детектив Маттсон!

Приятно узнать, что следователи отделения Вест-Вэлли соответствуют той репутации, которую заслужили у жителей Лос-Анджелеса. Вместо того чтобы обработать запрос на информацию, Вы решили оскорбить человека, обратившегося к Вам за помощью. Тем самым Вы в полной мере выполнили долг полицейского: служить и защищать. Теперь я буду знать, что все насильники Вест-Вэлли живут в постоянном страхе, и только лишь благодаря Вашим стараниям.

Он хотел было нажать кнопку «Отправить», но передумал и стер текст письма. Сейчас не время давать волю эмоциям. По крайней мере Маттсон не служил в смежных отделениях — ни в Мишн-Хиллз, ни в Футхилле. А Москит, скорее всего, засветился именно там.

Гарри открыл второе письмо. Детектив из Глендейла прислал подтверждение, что получил запрос и взял его в работу. Он обещал поспрашивать у коллег в управлении и сообщить, если что-нибудь узнает.

Босх рассылал письма наудачу, но все же получил несколько подобных ответов. К счастью, сообщений вроде первого, от Маттсона, было немного. Как правило, детективы вели себя профессионально. Все они были занятые люди, но обещали разобраться с запросом Босха как можно быстрее.

Закрыв почту, Гарри переключился на окно базы транспортных средств. Пора было найти Доминика Сантанелло. Вводя логин и пароль, Босх прикинул, что Сантанелло сейчас шестьдесят пять лет. Может, он только что ушел на пенсию. Живет на гроши и знать не знает, что ему полагается огромное наследство. Не исключено, что по-прежнему проживает в Окснарде. Интересно, известно ли ему об усыновлении? И о том, что настоящая мать его умерла, когда ему была неделя от роду?

Босх ввел в строку поиска имя и дату рождения. В базе тут же нашлось соответствие, но запись была короткой. Доминик Сантанелло получил калифорнийские водительские права 31 января 1967 года — в день своего шестнадцатилетия, когда закон позволил ему сесть за руль. Права ни разу не продлевали и не сдавали. Последним словом в записи было «Скончался».

Босх откинулся на спинку стула — с таким чувством, будто ему двинули под дых. Он занимался этим делом меньше полутора суток, но уже успел погрузиться в него с головой. История Вибианы, рассказ Абигейл, попытка Вэнса загладить свою вину спустя десятилетия... И вот финал. Судя по записи в базе, сын Вэнса умер, прежде чем пришло время продлять водительские права.

— Гарри, ты в норме?

Взглянув налево, Босх увидел, что в отдел вошла Белла Лурдес. Она шагала к своей секции — по соседству с секцией Гарри.

— Да, в норме, — ответил Босх. — Просто... просто очередной тупик.

— Знакомое чувство, — заметила Лурдес и скрылась в своей секции.

Невысокая — пять футов два дюйма, — она полностью исчезла за перегородкой. Босх же тупо смотрел в монитор. О смерти Сантанелло было известно лишь одно: он умер, не продлив права. Босх получил свои в 1966 году — то есть на год раньше — и хорошо помнил, что в те времена права нужно было продлевать раз в четыре года. Значит, Сантанелло не дожил до двадцатилетия.

Босх понимал, что обязан будет предоставить Вэнсу убедительные доказательства смерти его сына. И знал, что в конце шестидесятых молодые люди по большей части погибали в автомобильных авариях или на войне. Усевшись ровнее, он вбил в поисковик слова «Вьетнам» и «Стена». Открылась страница со ссылками на сайты, посвященные вашингтонскому Мемориалу ветеранов Вьетнама — черной гранитной стене с именами погибших. Имен было больше пятидесяти восьми тысяч.

Босх выбрал сайт Фонда Мемориала ветеранов Вьетнама. На нем он уже бывал. Делал пожертвования и разыскивал подробности о сослуживцах, не вернувшихся домой. Теперь он ввел в строку поиска имя «Доминик Сантанелло». Предчувствие его не обмануло: на экране появилась страничка с фотографией солдата и кратким послужным списком.

Прежде чем приступить к чтению, Босх вгляделся в фото. До этого момента в деле не было никаких фотографий. Босх мог лишь представить, как выглядели Вибиана и Доминик. Теперь же перед ним оказался чернобелый портрет Сантанелло: улыбчивого парня в костюме и при галстуке. Может, снимок из выпускного альбома, или же фотография была сделана, когда Сантанелло поступил на военную службу. У молодого человека были черные волосы и пронзительные глаза — еще чернее волос. Фото было черно-белым, но Босх сразу увидел, что перед ним метис, сын белого и латиноамериканки. Хорошенько всмотревшись в глаза Сантанелло, он решил, что видит сходство с глазами старика. Босх почти не сомневался, что перед ним сын Уитни Вэнса.

На страничке был указан номер строки с именем Сантанелло на мемориале, общие подробности его службы и обстоятельства гибели. Босх перенес всю информацию в блокнот. Сантанелло был санитаром. Записался в армию 1 июня 1969 года, через четыре месяца после восемнадцатилетия. Погиб он 9 декабря 1970 года в провинции Тэйнинь, будучи приписан к Первому медицинскому батальону в Дананге. В тексте говорилось, что Сантанелло погребен на Национальном кладбище Лос-Анджелеса.

Во время войны Босх служил в инженерно-саперном батальоне. Был, что называется, «туннельной крысой». По долгу службы он побывал во многих провинциях и зонах боевых действий, где занимался зачисткой подземных ходов противника. Взаимодействовать приходилось со всеми родами войск: ВВС, ВМС, морской пехотой. Босх в общих чертах представлял, кто есть кто на войне, и запись на страничке Доминика Сантанелло дала ему достаточно пищи для размышлений.

Он знал, что санитары ВМС работали вместе с морпехами. К каждой разведгруппе был прикреплен собственный санитар. Хотя Сантанелло числился в Первом батальоне, а тот находился в Дананге, погиб Доминик в провинции Тэйнинь, рядом с камбоджийской границей. Следовательно, его убили на разведзадании.

На сайте мемориала солдаты были перечислены в соответствии с датой смерти, поскольку имена павших значились на стене мемориала именно в таком порядке. На страничке были две стрелки — влево и вправо. С их помощью можно было посмотреть, кто погиб в тот же день, что и Доминик Сантанелло. Вскоре Босх выяснил, что 9 декабря 1970 года в провинции Тэйнинь было убито восемь человек.

На войне парни ежедневно умирали десятками, но Босх решил, что восемь погибших в один день и в одной провинции — не такое уж обычное дело. Должно быть, разведгруппа напоролась на засаду или попала под бомбу с американского же самолета. Он изучил звания и воинские должности погибших. Все они, включая двоих пилотов и одного бортстрелка, были морскими пехотинцами.

Вот он, момент истины. Босх знал, что бортовые пулеметчики летали на «сликах». Эти транспортные вертолеты доставляли разведгруппу в джунгли и забирали с задания. Теперь он понял, что Доминик Сантанелло погиб при падении сбитого вертолета, скорее всего собранного из деталей, изготовленных на заводе его отца. Ирония была столь безжалостной, что Босх даже оторопел. Он понятия не имел, как будет рассказывать обо всем Уитни Вэнсу.

— Ты точно в норме?

Босх поднял глаза. Из-за перегородки между секциями выглядывала Лурдес. Она смотрела на пачку свидетельств о рождении, лежавшую у Босха на столе.

— Угу. Все в порядке, — быстро ответил он. — А что?

Он как бы невзначай накрыл документы ладонью, но тут же увидел, что Лурдес заметила этот неуклюжий жест.

— У меня подруга в Футхилле, работает с изнасилованиями. Прислала письмо, — сказала она. — Говорит, нашла дело с почерком нашего Москита. Сетка не разрезана, но все остальное сходится.

— Свежее? — спросил Босх. Грудь ему сдавило из-за тревожного предчувствия.

— Нет, старое. Она в свободное время листает старые папки. Вот и нашла. Может, поначалу он не резал москитных сеток.

— Может, и так.

— Поедешь со мной?

— Э-э-э...

— Ладно, сама сгоняю. Ты, похоже, занят.

— Я бы съездил, но если обойдешься без меня...

— Само собой. Будут горячие новости, позвоню.

Лурдес вышла из отдела, и Босх вернулся к работе. Переключаясь от странички к страничке, он заносил в блокнот имена и подробную информацию о каждом, кто погиб в тот день в Тэйнинь, ибо записи нужно держать в полном порядке. Вдруг его осенило: в списке погибших значился лишь один бортстрелок. Босх знал, что в «слике» их всегда было двое: два борта, две двери, два пулеметчика. Значит, не исключено, что на месте крушения вертолета — сбит он был или же разбился по несчастью — остался выживший.

Перед тем как уйти с сайта, Босх вновь открыл страничку Доминика Сантанелло. Щелкнул по кнопке с надписью «Мы помним» и перешел в раздел, где люди оставляли комментарии, чествуя службу Сантанелло и принесенную им жертву. Пролистал его до конца, не читая. Комментариев было штук сорок, и Босх принялся читать их снизу вверх, в том порядке, в котором они были оставлены. Первый был датирован 1999 годом — тем самым, когда был основан сайт. Автор комментария говорил, что учился с Домиником в окснардской школе и всегда будет помнить, как его школьный товарищ пожертвовал собой в далекой стране.

Некоторые комментарии были оставлены чужими людьми: те просто хотели почтить память павшего солдата. Должно быть, случайно набрели на страничку Сантанелло. Другие же, подобно однокласснику, знали его лично. Одним из таких был некий Билл Бисинджер. Он указал, что в прошлом тоже был санитаром ВМС. Вместе с Сантанелло он проходил в Сан-Диего курс молодого бойца, а в конце 1969 года оба были отправлены во Вьетнам и проходили службу на плавучем госпитале «Убежище» в Южно-Китайском море.

Дочитав до этого места, Босх задумался. Он тоже бывал на «Убежище»: как раз в конце шестьдесят девятого года, после ранения, которое получил в одном из туннелей Кути. Босх понял: не исключено, что они с Сантанелло были на этом корабле в одно и то же время.

Слова Бисинджера в какой-то мере прояснили судьбу Сантанелло. Автор комментария обращался напрямую к Доминику, и это придавало тексту еще более печальный оттенок.

Помню, Никки, я сидел в столовке и вдруг услышал, что вас сбили. К нам привезли вашего бортстрелка — обгоревшего, но живого. Он рассказал, как все было. Что сказать, хреновое дело — принять бессмысленную смерть вдали от дома. А я просил тебя: не записывайся в Первый медицинский. Я тебя умолял. Говорил тебе: сиди на корабле. Но ты от меня отмахнулся. Тебе хотелось понюхать пороху, получить свою МБС. Жаль, дружище. Жаль, что я не смог тебя отговорить. Прости, что я тебя подвел.

Босх знал, что «МБС» — это медаль боевого санитара. За словоизлияниями Бисинджера шел комментарий, оставленный некой Оливией Макдоналд:

Ну зачем ты так, Билл? Все мы знали Ника. Знали, что он упертый парень и настоящий сорвиголова. Поэтому он и записался в армию. Пошел в санитары, потому что рвался в гущу событий, но не хотел никого убивать. Хотел помогать нашим ребятам. Да, такой был наш Ник. Ты судишь его поступок задним числом, а на деле он достоин восхищения.

Судя по тексту, эта женщина была близко знакома с Сантанелло. Босх решил: она или член его приемной семьи, или бывшая подружка. Бисинджер оставил ответный комментарий, в котором благодарил Оливию за добрые слова.

Листая комментарии, Босх заметил еще пять сообщений от Оливии Макдоналд. Она всегда отмечалась на сайте 11 ноября, в День ветеранов. По этим комментариям, написанным в духе «Никто не забыт, ничто не забыто», уже нельзя было сделать вывод о ее близком знакомстве с Домиником.

В верхнем углу раздела была кнопка «Оповещать о новых комментариях». Вернувшись к первому сообщению Бисинджера, Босх увидел, что Оливия ответила на него через день после публикации, то есть почти сразу. Не прошло и суток, как Бисинджер написал свой второй комментарий со словами благодарности.

По скорости откликов Босх сделал вывод, что и Макдоналд, и Бисинджер были подписаны на обновления странички. Развернув текстовое окошко под вторым комментарием Бисинджера, он написал ему сообщение. Еще одно оставил в окошке под текстом Макдоналд. На страничку Доминика Сантанелло люди заглядывали совсем нечасто, но Босх не собирался раскрывать суть дела на публичном форуме. Ему, однако, необходимо было связаться с кем-нибудь из этих двоих. Поэтому он составил следующий текст:

Оливия и Билл, я ветеран Вьетнама. Был ранен в 1969 году, проходил лечение на «Убежище». У меня есть информация насчет Ника. Хочу с вами побеседовать.

Указав в сообщениях свой личный адрес электронной почты и номер телефона, Босх дважды нажал кнопку «Опубликовать». Он надеялся, что вскоре с ним свяжутся.

Отправив на печать фотографию Доминика Санта-нелло, Босх вышел из своего аккаунта на компьютере. Закрыл блокнот и сунул его в карман. Взял пачку свидетельств о рождении, встал из-за стола и направился к выходу, по пути забрав распечатку из лотка общего принтера.

ГЛАВА 12

Вернувшись в машину, Босх какое-то время сидел, не заводя мотора. Ему было стыдно, что он не поехал с Беллой Лурдес в отделение Футхилла на встречу с ее подругой. Пренебрег обязанностями копа ради частного расследования, а ведь дело Москита было неизмеримо важнее, чем поручение Вэнса. Босх подумал, не стоит ли позвонить Лурдес и сказать, что он скоро будет. Но если посмотреть правде в глаза, Белла и сама справится. Она всего лишь поехала в другой полицейский участок на совещание с коллегой. Подкрепление ей ни к чему. Босх выехал с парковки и отправился по делам.

В поисках новых улик он уже побывал в домах, где Москит изнасиловал своих жертв. Все эти женщины уже переехали в новые жилища. Всякий раз попасть на место преступления было непросто, и визиты Босха были недолгими. Лишь одна из жертв согласилась вернуться в дом и сопровождать детективов во время осмотра.

Теперь же Босх впервые объезжал эти дома в соответствии с хронологией преступлений. Он и сам толком не знал, зачем решил этим заняться, но ясно было: так он сможет еще раз прокрутить в голове всю цепочку расследования. Это было важно. Босх был полон решимости поймать Москита и не хотел, чтобы дело Вэнса отвлекало его от мыслей о работе.

На все про все ушло не больше пятнадцати минут. У последнего дома Босх свернул к тротуару. Найти место для парковки не составило труда, так как в тот день на улицах проводилась уборка и все машины стояли по одной стороне дороги. Босх выудил из-под сиденья старинный атлас издательства «Томас бразерз». Сан-Фернандо был столь мал, что уместился на одной странице. В прошлом Босх уже пометил на ней дома жертв. Теперь же он решил еще разок взглянуть на карту.

И вновь не увидел никакой закономерности. Они с Лурдес уже не раз ломали голову, пытаясь найти связь между жертвами или местами их проживания: проверка счетчиков, маршрут почтальона, вызовы водопроводчика... Но так ничего и не придумали.

Лурдес считала, что насильник примечал будущих жертв вдали от дома, а потом следил за ними, когда готовился к преступлению. Босх, однако, в этом сомневался. Получалось, преступник где-то пересекался с жертвой, преследовал ее и все четыре раза оказывался в крошечном Сан-Фернандо. Босх считал, что эта версия не выдерживает критики. Сам он думал, что преступник выбирал жертву, побывав у нее в гостях или заметив неподалеку от дома.

Повернувшись к боковому окну, он принялся рассматривать дом, где Москит совершил свое последнее преступление. Вернее говоря, последнее из известных. Это было скромное здание послевоенной постройки с крыльцом у входной двери и гаражом на одну машину. Насильник разрезал сетку на окне гостевой спальни: оно выходило во двор, и с улицы его не было видно.

У противоположного окна «чероки» мелькнула тень. Обернувшись, Босх увидел, как прямо перед ним остановился почтовый фургон. Выпрыгнув из кабины, почтальон направился к двери дома: в ней было отверстие для писем и газет. Глянув на машину Босха, почтальон узнал человека за рулем и показал ему средний палец. Так и шел до самой двери с оттопыренным средним пальцем. Почтальона звали Митчелл Мэрон, и его в свое время подозревали в совершении этих преступлений. Даже пытались тайком взять у него образец ДНК, но попытка эта закончилась полным провалом.

Дело было месяц назад, в «Старбаксе» на Трумэн-стрит. Босх и Лурдес выяснили, что рабочий маршрут Мэрона пролегает мимо трех из четырех домов, где раньше жили потерпевшие. Чтобы подтвердить или опровергнуть подозрения, нужно было раздобыть образец ДНК почтальона и сравнить ее с ДНК преступника, причем как можно скорее. После двухдневной слежки за Мэроном детективы узнали, что он, во-первых, не делает ничего предосудительного, а во-вторых, ежедневно завтракает в «Старбаксе»: съедает сэндвич и запивает его чашкой чая.

На третий день Лурдес решилась на импровизацию. Вслед за Мэроном она вошла в кофейню, купила чай со льдом и села за столик на открытой веранде рядом с почтальоном. Тот, доев свой завтрак, вытер рот салфеткой, сунул ее в пустой бумажный пакет из-под бутерброда, бросил его в ближайшую урну и пошел к своему фургону. Лурдес заняла позицию возле урны, чтобы туда не набросали нового мусора. Увидев, как Мэрон залезает в фургон, она сняла с урны крышку и опустила глаза на бумажную обертку от бутерброда. Надела латексные перчатки, достала пластиковый пакет для улик и была готова взять образец ДНК. Босх выскочил из служебной машины, на ходу вытаскивая из кармана телефон, чтобы записать на камеру процесс изъятия пакета из урны, —

на тот случай, если доказательства нужно будет предъявить в суде. Образец ДНК, взятый в общественном месте, считался законной уликой, но Босх обязан был показать присяжным, как салфетка попала в руки полиции.

Чего они с Лурдес не учли, так это рассеянность Мэрона: тот оставил телефон на столике и вспомнил об этом, когда собирался отъехать от «Старбакса». Он выпрыгнул из кабины и вернулся на открытую веранду. Проходя мимо Босха и Беллы, он спросил: «Это еще что за хрень?»

Детективы поняли, что Мэрон запросто может пуститься наутек, и вынуждены были обращаться с ним как с подозреваемым. Его попросили проехать в участок и ответить на несколько вопросов. Он согласился, но был весьма сердит. Во время допроса он заявил, что ничего не знает ни о каких изнасилованиях. Имена трех жертв были ему известны, но лишь потому, что Мэрон доставлял им почту.

Пока Босх занимался допросом, Лурдес привезла в участок всех четырех женщин для аудиовизуального опознания. Поскольку насильник всякий раз был в маске, детективы надеялись, что жертвы узнают его по глазам, рукам или голосу.

Через четыре часа после инцидента в кофейне Мэрон, насупившись, добровольно вышел для опознания. Женщины по очереди заходили в комнату, после чего почтальон демонстрировал им свои руки и зачитывал с бумажки те слова, что преступник говорил во время изнасилований. Никто из жертв его не опознал.

В тот же день Мэрона отпустили, а еще через неделю пришло документальное подтверждение его невиновности: ДНК с его салфетки не совпадала с ДНК насильника. Шеф полиции отправил ему письмо с извинениями за неприятное происшествие и благодарностью за сотрудничество.

Теперь же, бросив газеты в отверстие для почты, Мэрон направился было к фургону, но резко свернул в сторону «чероки». Гарри опустил стекло, чтобы с достоинством принять словесный бой.

— Я, чтоб ты знал, адвоката нанял, — начал Мэрон. — Засужу вас, сволочей, по самое не балуйся. За незаконное задержание.

Босх кивнул, словно то была не угроза, а вежливое «здравствуйте».

— Главное, договорись об оплате за результат, — заметил он.

— Чего это ты мне указываешь? — насупился Мэрон.

— Надеюсь, ты ему пока не платил. Договорись об оплате за результат: чтобы он получил деньги только в случае победы. Потому что ты, Митчелл, проиграешь. Если твой адвокат говорит иначе, никакой он не адвокат. Он пустозвон.

— Брехня!

— Ты сам согласился поехать в участок. Тебя никто не задерживал. Мы даже разрешили тебе ехать на фургоне, чтобы никто не спер твои газеты. У тебя нет оснований судиться. На этом наживутся только юристы. Так что не спеши. Сперва подумай.

Наклонившись, Мэрон положил руку на козырек джипа.

— Выходит, мне остается просто забить? — спросил он. — У меня было такое чувство, что это меня изнасиловали. А потом «простите-извините», и все.

— Изнасиловали? Как бы не так, Митчелл, — покачал головой Босх. — Попробуй сказать это в глаза тем женщинам. Они быстро поставят тебя на место. Да, тебя пару часов промурыжили в участке. А им с этим жить.

Хлопнув по козырьку, Мэрон выпрямился.

— Чтоб тебя! — выругался он.

Потом вернулся к фургону, сел за руль и эффектно сорвался с места — так, что заскрипели шины. Эффект, однако, смазался, так как у следующего дома Мэрону пришлось затормозить, чтобы доставить почту.

У Босха зазвонил телефон. Звонила Лурдес.

— Белла?

— Гарри, ты где?

— То тут, то там. Как ситуация в Футхилле?

— Пусто. Подробности не сходятся.

— Ну ладно, — кивнул Босх. — Ко мне только что подходил твой приятель Митч Мэрон. Все еще сердится.

— Подходил? В «Старбаксе»?

— Нет, возле старого дома Фриды Лопес. Привез почту, а потом сообщил мне, какое я говно. Говорит, что собрался нанимать адвоката.

— Ага, флаг ему в руки. Что ты там забыл?

— Ничего. Просто размышляю. Может, до чего-нибудь додумаюсь. Знаешь, этот наш Москит... Что-то мне подсказывает, что он скоро даст о себе знать.

— Ох, как я тебя понимаю! Сама разволновалась, когда пришла весточка из Футхилла. Черт! Ну почему нигде нет похожих дел?

— В том-то и вопрос.

В динамике щелкнуло: Босху звонил кто-то еще. Взглянув на экран, он увидел номер Уитни Вэнса.

— Слушай, у меня входящий, — сказал он. — Завтра обсудим, как быть дальше.

— Договорились, — ответила Лурдес.

Босх переключился на второй звонок:

— Мистер Вэнс?

Ни звука. Тишина.

— Мистер Вэнс, это вы?

Молчание.

Крепко прижав телефон к уху, Босх поднял стекло. Ему показалось, что из динамика доносится чье-то дыхание. Может, Вэнс не способен говорить из-за болезни, о которой упоминал Слоун?

— Мистер Вэнс, это вы?

Босх напряг слух, но ничего не услышал. Наконец связь оборвалась.

ГЛАВА 13

Босх выехал на шоссе 405 и направился на юг. Спустя час, покинув Вэлли через перевал Сепульведа, он оказался в Международном аэропорту Лос-Анджелеса, где медленно проехал по кольцу вокруг центрального терминала и остановился на самой дальней парковке. Достал из бардачка фонарик, вышел из машины и по-быстрому заглянул под бамперы, в колесные арки и бензобак. Однако, если на его джип поставили трекер, вероятность найти его была почти нулевой. Технологии не стояли на месте, и такие устройства становились все меньше и незаметнее.

Босх уже решил купить в интернет-магазине глушилку джи-пи-эс, но доставят ее лишь через несколько дней. Поэтому он сел в машину, убрал фонарик в бардачок, достал из-под сиденья рюкзак и сложил в него копии свидетельств о рождении. Запер джип и пешком вернулся к терминалу «Юнайтед эйрлайнз», где спустился на эскалаторе в зону прилета. Протолкавшись сквозь толпу пассажиров у багажной карусели, он вышел через двойные двери, пересек стоянку такси и запрыгнул в подошедший желтый автобус, идущий к офису проката автомобилей «Херц». Спросил у водителя, есть ли на стоянке свободные машины. Водитель сказал, что машин на стоянке полно.

Джипу, оставленному на парковке аэропорта, было двадцать два года. В офисе «Херц» предложили новенький «чероки», и Босх взял его, несмотря на завышенный ценник.

С тех пор как он выехал из Сан-Фернандо, прошло лишь полтора часа. Босх снова мчался на север по шоссе 405 — теперь в машине без «жучков», уверенный, что его перемещения теперь невозможно отследить. Тем не менее он то и дело поглядывал в зеркала — так, на всякий случай.

В Вествуде он свернул с шоссе на бульвар Уилшир и направился к Национальному кладбищу Лос-Анджелеса, на 114 акрах которого покоились солдаты, погибшие во всех американских войнах, от Гражданской до войны в Афганистане. Нескончаемые ряды белых мраморных надгробий, по-военному ровные, в очередной раз напоминали, что война никого не щадит.

Чтобы найти могилу Доминика Сантанелло, Босху пришлось воспользоваться экраном поиска в мемориальной часовне Боба Хоупа. Оказалось, Сантанелло похоронили в северной части кладбища. Вскоре Босх стоял у надгробия, опустив глаза на идеально подстриженную траву, прислушиваясь к шуму машин на шоссе. Небо на западе окрасилось в розовый цвет. Прошло меньше суток, но Босх чувствовал, что между ним и этим солдатом установилась некая связь. Оба были на одном и том же корабле в Южно-Китайском море, но так и не встретились. И только Босху был известен секрет Сантанелло, чья недолгая жизнь началась с одной трагедии и оборвалась в результате другой.

Постояв над могилой, Гарри достал телефон и сделал фото надгробия. Позже он приложит этот снимок к отчету, который рано или поздно ляжет на стол Уитни Вэнса. Оставалось надеяться, что старик будет в состоянии его прочесть.

Он собрался спрятать телефон в карман, но тот зажужжал. Входящий звонок. На экране высветился номер с кодом «805»: звонили из округа Вентура. Босх поднес телефон к уху и сказал:

— Гарри Босх.

— Э-э-э... здравствуйте. Это Оливия Макдоналд. Вы оставили комментарий на сайте мемориала, на страничке моего брата. Хотели со мной поговорить.

Босх кивнул. Оливия, сама того не зная, уже ответила на первый вопрос. Доминик Сантанелло приходился ей братом.

— Спасибо, что так быстро связались со мной, Оливия, — сказал Босх. — Сейчас я стою у могилы Ника в Вествуде. На военном кладбище.

— В самом деле? — спросила она. — Ничего не понимаю. Что происходит?

— Мне нужно с вами поговорить. Скажите, мы можем встретиться? Я бы к вам заехал.

— Ну, наверное... Хотя стойте, подождите. Для начала объясните, в чем дело.

Прежде чем ответить, Босх на какое-то время задумался. Ему не хотелось обманывать Оливию, но он не имел права выложить все начистоту. Еще не время. Дело запутанное, о таком в двух словах не расскажешь. К тому же Босх был связан документом о неразглашении. Номер Оливии не был скрыт, и, даже если она пошлет Босха куда подальше, ее нетрудно будет найти. Однако те узы, что появились между Босхом и Домиником, распространялись и на его сестру. Ему не хотелось причинять беспокойство этой женщине, хотя сейчас она была для него лишь голосом в динамике телефона.

Он решился на выстрел вслепую:

— Ник знал, что его усыновили?

— Да, знал, — ответила Оливия после долгой паузы.

— Он когда-нибудь спрашивал о своих настоящих родителях? — спросил Босх. — Об отце, о матери?

— Он знал имя своей настоящей мамы, — сказала Оливия. — Вибиана. Ее назвали в честь какой-то церкви. Больше наши приемные родители ничего о ней не знали. Да и сам Никки ее не искал.

Босх на мгновение закрыл глаза. Вот и еще одна важная подробность: Оливию тоже удочерили. Пожалуй, ей не чуждо желание выяснить правду.

— Я знаю о ней кое-что еще, — произнес он. — Я детектив и могу рассказать эту историю от начала до конца.

Еще одна долгая пауза.

— Хорошо, — сказала Оливия. — Давайте встретимся. Назначайте время.

ГЛАВА 14

В четверг с самого утра Босх открыл ноутбук и отправился в сеть за покупками. Изучив весь диапазон глушилок и детекторов джи-пи-эс, он выбрал устройство «два в одном». Оно обошлось в двести долларов. Доставить его обещали за два дня.

Затем он позвонил в Сент-Луис, что в штате Миссури, — следователю СУ ВМС США, работавшему в Национальном центре кадровой документации. Имя и номер Гари Макинтайра были в списке контактов, который Босх прихватил с собой, увольняясь из УПЛА. Во время службы в убойном отделе Босх работал с Макинтайром по меньшей мере трижды. Тот зарекомендовал себя честным парнем и всегда готов был протянуть товарищу руку помощи. Теперь же Босх надеялся, что старые связи помогут ему получить копию послужного списка Доминика Сантанелло — папки со всеми подробностями его военной службы. В этой папке было все, что нужно: название тренировочного лагеря, перечень всех баз, на которых бывал Сантанелло, список его боевых наград, дисциплинарных взысканий и увольнительных, а также рапорт о гибели на поле боя.

Работая над нераскрытыми делами, детективы регулярно поднимали документы военного архива. Многие подозреваемые, жертвы и свидетели в свое время служили в армии, и архивные записи помогали заполнить пробелы в их биографии. В нынешнем случае Босх уже знал, что военная служба сыграла в жизни Сантанелло самую ключевую роль, но ему хотелось разложить все по полочкам. Расследование подходило к концу, и Босх собирался предоставить Уитни Вэнсу максимально полный отчет. И еще он хотел найти способ подтвердить родство Вэнса и Доминика Сантанелло через анализ ДНК — хотя бы для того, чтобы с гордостью сказать: «Я сделал работу на совесть».

Доступ к послужному списку полагался только членам семьи или их законным представителям. Прикрыться именем Уитни Вэнса Босх не мог, а разыгрывать полицейскую карту было рискованно: Макинтайр мог узнать, что на самом деле запрос Босха не имеет никакого отношения к делам УПСФ. Поэтому Гарри решил выложить все начистоту. Сказал, что звонит по поводу частного расследования и ему нужно выяснить, действительно ли Сантанелло приходится сыном некоему клиенту, имя которого не подлежит разглашению. Босх сообщил Макинтайру, что планирует встретиться с сестрой Сантанелло и взять у нее письменное разрешение на доступ к послужному списку.

Макинтайр велел Гарри не париться, поблагодарил его за честность и добавил, что полностью ему доверяет. Поэтому заранее найдет и отсканирует нужную папку, но на это уйдет пара-тройка дней. Макинтайр пообещал перезвонить, как только все будет готово, а Босх тем временем получит письменное разрешение от семьи. Гарри рассыпался в благодарностях и сказал, что будет с нетерпением ждать звонка.

Встреча с Оливией Макдоналд была назначена на час дня. Остаток времени Босх провел за просмотром собственных пометок и подготовкой к разговору. Адрес, который дала ему Оливия, совпадал с адресом приемных родителей в свидетельстве о рождении. Значит, она жила в том же доме, где вырос ее брат. Не исключено, что там найдется предмет с образцом ДНК Сантанелло. Вероятность была невелика, но Босх все равно волновался.

Отложив блокнот, он позвонил адвокату Микки Холлеру, своему единокровному брату, и спросил, нет ли у того выхода на надежную частную лабораторию, где можно по-быстрому провести тайный анализ ДНК — на тот случай, если образец все-таки найдется. До этого момента Босх работал с образцами ДНК лишь на службе, пользуясь лабораторией и финансовыми средствами УПЛА.

— Есть парочка, сделают быстро и хорошо. Сам к ним обращаюсь, — ответил Холлер. — Дай-ка угадаю. До Мэдди дошло, что у такого тупого папаши, как ты, не могло родиться такой умницы, как она. А ты теперь из кожи вон лезешь, чтобы доказать обратное.

— Ха-ха! — усмехнулся Босх.

— Или же анализ нужен тебе по работе. Дело частное?

— Типа того. Рассказать не могу, но с меня причитается. Помнишь прошлый год, Западный Голливуд? Потому-то клиент и решил меня нанять.

В деле, о котором Уитни Вэнс упоминал во время встречи, фигурировал пластический хирург из Беверли-Хиллз и парочка нечистых на руку копов из УПЛА. В итоге они получили по заслугам, но все началось с того, что Босх взялся вести это дело по просьбе Холлера.

— Причитается? Рискну предположить, что речь идет о проценте с твоего гонорара, Гарри, — сказал Холлер.

— Размечтался! — хмыкнул Босх. — Хотя, если подгонишь лабораторию, и тебе что-нибудь перепадет.

— Скину тебе письмо, братишка.

— Спасибо, братан.

Босх вышел из дома в половине двенадцатого, чтобы успеть перекусить по пути в Окснард. На улице он посмотрел по сторонам — нет ли слежки, — после чего направился к взятому напрокат «чероки». Машину он оставил в квартале от дома. Спустившись в Вэлли, он завернул в «Покито мас», где проглотил порцию тако, затем выехал на шоссе 101 и отправился в округ Вентура.

Окснард был самым большим городом в округе. Свое неблагозвучное название он получил в память о фермере, который в конце девятнадцатого века построил там завод по переработке сахарной свеклы. Город окружал бухту Порт-Уайниме, где находилась небольшая база ВМС США. Во время разговора с Оливией Макдоналд Босх планировал спросить, не потому ли Доминик решил записаться во флот.

Пробок не было, и Босх оказался в Окснарде раньше, чем планировал. Заехал в порт и прокатился вдоль Голливудского пляжа, где напротив океана выстроилась шеренга аккуратных домиков, а улицы назывались Ла-Бреа, Сансет и Лос-Фелис — так же, как знаменитые бульвары Голливуда, где блеск граничит с нищетой.

Ровно в назначенное время он остановился у дома Оливии Макдоналд — ухоженного калифорнийского бунгало, похожего на остальные здания в этом старом районе для среднего класса. Оливия ждала Босха, сидя в кресле на крыльце. Она была примерно того же возраста, что и Гарри. Подобно Доминику, Оливия была полукровкой: наполовину белой, наполовину латиноамериканкой. Волосы ее были снежно-белыми. На Оливии были выцветшие джинсы и белая блузка.

— Здравствуйте, я Гарри Босх, — сказал Босх.

Протянул руку, и Оливия пожала ее, не вставая с кресла.

— Оливия, — сказала она. — Присаживайтесь.

Босх сел в плетеное кресло. Между ними с Оливией стоял столик со стеклянным верхом, а на нем — кувшин чая со льдом и два стакана. Оливия предложила Босху выпить чая, и тот не отказался, но чисто из вежливости. Еще на столике лежал большой желтый конверт с надписью «Не сгибать». Наверное, в нем были фотографии.

— Итак, — начала Оливия, разлив чай по стаканам, — вы хотели поговорить о моем брате. Сразу спрошу: на кого вы работаете?

Босх ожидал, что разговор начнется с этого вопроса. И знал, что от его ответа зависит дальнейший ход беседы.

— Ну, это весьма щекотливая тема, — ответил он. — Человек, который меня нанял, хочет выяснить, есть ли у него ребенок. Этот ребенок должен был родиться в пятьдесят первом году. Но мы условились, что я буду вести расследование в обстановке строжайшей секретности и не раскрою имени моего нанимателя, пока он сам того не велит. В общем, сейчас я в затрудненном положении. Что-то вроде «уловки двадцать два»: вы не захотите говорить со мной, пока не узнаете имени моего нанимателя. А я не могу его назвать, пока не выясню, что ваш брат был сыном этого человека.

— Ну а как вы это выясните? — спросила она, сокрушенно всплеснув руками. — Никки погиб в семидесятом году.

Босх понял, что беседа идет в нужную сторону:

— Есть кое-какие соображения. Он вырос в этом доме, верно?

— Откуда вы знаете?

— Этот адрес указан в свидетельстве о рождении — том, что выписали после усыновления. Может, найду здесь что-нибудь полезное. Скажите, его комната осталась такой же, как при жизни?

— Что? Странный, знаете ли, вопрос. К тому же я вырастила здесь троих детей, когда вернулась. Места здесь немного, так что мы не стали устраивать из его комнаты музей. Не до этого было. Вещи Никки — те, что остались, — лежат на чердаке.

— Что за вещи?

— Не знаю. Военные. Что-то он сам прислал, что-то прислали после его смерти. Родители их сохранили. А я, когда вернулась, убрала все на чердак. Мне его вещи не нужны, но мать взяла с меня слово, что я не стану ничего выбрасывать.

Босх кивнул. Осталось найти способ пробраться на чердак.

— Ваши родители еще живы? — спросил он.

— Отец двадцать пять лет как умер. Мать жива, но, если спросить, какой сегодня день, она не ответит. Даже имени своего не помнит. Она в доме престарелых, там за ней хорошо ухаживают. А здесь только я. Развелась, дети выросли и разъехались кто куда.

Босх сумел разговорить Оливию, не возвращаясь к вопросу о том, кто его нанял. Теперь нужно было извернуться так, чтобы речь зашла о чердаке и вещах, которые там хранятся.

— Значит, ваш брат знал, что его усыновили? Вы говорили об этом по телефону.

— Да, знал, — сказала она. — Мы оба знали.

— Вы тоже родились в приюте Святой Елены?

— Меня взяли первой, — кивнула она. — Приемные родители были белыми, а я, как видите, смуглянка. В те времена здесь был белый район. Родители решили, что мне нужен сверстник с таким же цветом кожи, как у меня. Поэтому снова поехали в приют и вернулись с Домиником.

— Вы говорили, что брат знал, как звали его родную мать. Откуда? Такое обычно хранится в тайне. По крайней мере, так было в те времена.

— Да, вы правы. Я так и не узнала, кто моя мать и откуда. Никки отписали моим родителям еще до появления на свет. Когда он родился, они его уже ждали. Но он был хиленький. Врачи сказали, лучше ему какое-то время побыть на материнском молоке. Что-то в этом роде.

— Так ваши родители и познакомились с его матерью.

— Именно. Несколько дней приходили к ней. Наверное, какое-то время сидели у нее в комнате. Позже, когда мы подросли, стало очевидно, что между нами и родителями — они итальянцы — нет никакого сходства. Мы начали приставать с вопросами. Нам сказали, что мы приемные дети. И что маму Никки зовут Вибиана. Рассказали, как встречались с ней, прежде чем она отказалась от Никки.

Похоже, Доминик и Оливия не знали всей истории. Не знали, что случилось с Вибианой. Возможно, их приемные родители тоже об этом не знали.

— Скажите, Ник не пробовал найти настоящих родителей, когда вырос?

— Если даже искал, мне об этом неизвестно. Мы знали, что появились на свет в приюте Святой Елены. Там, где рожают нежеланных детей. Мне никогда не хотелось найти биологических родителей. И Никки, по-моему, тоже.

Босх услышал в ее голосе горькую нотку. Даже сейчас, спустя шестьдесят лет, она не могла простить людей, которые от нее отказались. Гарри понимал: сейчас не лучшее время доказывать, что не все дети, рожденные в приюте, были нежеланными. В те времена у многих — если не у всех — матерей попросту не было выбора.

Он решил направить разговор в другое русло. Отпил из стакана, кивнул на конверт и спросил:

— Там фотографии?

— Решила, что вы захотите на них взглянуть, — сказала Оливия. — И еще там статья из газеты.

Открыв конверт, она протянула Босху пачку фотографий и свернутую пополам газетную вырезку. Снимки и вырезка выцвели и пожелтели от времени.

Босх сперва прочел статью, осторожно развернув вырезку, чтобы та не разошлась по сгибу. Судя по содержанию статьи, газета была местной, а тираж — совсем маленьким. Определить название газеты было невозможно. Заголовок гласил: «Окснардский спортсмен убит во Вьетнаме», а из текста Босх не узнал почти ничего нового. Сантанелло погиб, когда его разведгруппа возвращалась с вылазки в провинцию Тэйнинь. Вертолет попал под снайперский огонь и рухнул на рисовое поле. В статье упоминалось, что Сантанелло увлекался спортом: играл в футбол в университетской сборной, а также в баскетбол и бейсбол в последних классах школы. И еще там были слова матери Сантанелло: та говорила, что сын с гордостью служил своей стране, несмотря на популярные в те времена антивоенные настроения.

Свернув вырезку, Босх протянул ее Оливии и взялся за фотографии. Они были сложены в хронологическом порядке — так, чтобы видеть, как мальчик по имени Доминик превращается в юношу: резвится на пляже, играет в баскетбол, катается на велосипеде... На одном снимке он позировал в форме бейсбольной команды, на другом был в костюме, а рядом с ним стояла девушка. Среди прочих был и семейный снимок с сестрой и приемными родителями. Босх рассмотрел молодую Оливию. В молодости она была красавица. Они с Домиником смотрелись как родные брат и сестра: одинаковый цвет волос и кожи, одинаковые глаза.

На последнем фото Доминик был в форме ВМС. Руки в боки, он позировал на фоне ухоженной лужайки, лихо сдвинув белую бескозырку на затылок — так, что был виден взбитый чуб и прилизанные виски. Не похоже на Вьетнам, подумал Босх. Улыбка у парня была беззаботная, лицо наивное. Этот человек еще не видел войны. Наверное, снимок был сделан в тренировочном лагере.

— Обожаю это фото, — сказала Оливия. — В нем весь Ник.

— Где он обучался? — спросил Босх.

— В окрестностях Сан-Диего. В Бальбоа, в медицинской учебке. Боевую подготовку и курс военно-полевой медицины проходил в Пендлтоне.

— Вы навещали его?

— Лишь однажды, когда он окончил учебку. Тогда я видела его в последний раз.

Босх снова взглянул на фото. Кое-что заметил, присмотрелся внимательнее. Рубашка Сантанелло вся истерлась от ручной стирки и выжимания. Имя на ней читалось с трудом, но там точно было написано не «Сантанелло», а «Льюис».

— Имя на рубашке...

— Да, Льюис. Потому-то он так хитро улыбается. Поменялся рубашками с другом, тот не мог сдать норматив по плаванию. Его звали Льюис. Все они были одеты одинаково, у всех одинаковые прически. Различали их только по именам на рубашках. Льюис не умел плавать, так что Никки надел его рубашку и отправился в бассейн. Записался под именем друга и сдал за него экзамен. — Она рассмеялась.

Босх с улыбкой кивнул. Типичная армейская история про матроса, не умеющего плавать.

— Почему Доминик записался на службу? — спросил он. — Почему пошел во флот, в санитары?

После рассказа о Льюисе Оливия улыбалась. Теперь же улыбка исчезла.

— Господи, это была страшная ошибка, — произнесла она. — Затупил по молодости. И заплатил за это жизнью.

Оливия рассказала, что в январе брату исполнилось восемнадцать лет. Тогда он учился в выпускном классе школы и был старше остальных ребят. Во время войны всем восемнадцатилетним парням было положено проходить медкомиссию для оценки физической формы. Через пять месяцев, окончив школу, он получил призывное свидетельство с пометкой «1А» — то есть годен. И ему, скорее всего, предстояло служить в Юго-Восточной Азии.

— Это было до призывной лотереи, — сказала она. — По правилам, старшие ребята тянули жребий первыми. А Никки был постарше многих. Он знал, что его все равно призовут. Это был лишь вопрос времени. Поэтому пошел добровольцем, чтобы сохранить за собой право выбора. Записался в ВМС. Летом он, бывало, подрабатывал неподалеку от базы в Порт-Уайниме. Насмотрелся на матросов. Говорил, что они красавчики.

— Почему он не пошел в университет? — спросил Босх. — Получил бы отсрочку. Уже в шестьдесят девятом Никсон начал сокращать контингент. Война перешла в затяжную фазу.

— Нет, об учебе речь не шла, — покачала головой Оливия. — Никки был сообразительный парень, но не любил учиться. Терпения не хватало. Он ходил в кино, занимался спортом, увлекался фотографией. Думаю, хотел сам в себе разобраться. К тому же отец занимался продажей холодильников, и учиться было не на что.

Последние слова эхом отозвались в сердце Босха. Учиться было не на что. Если бы Уитни Вэнс исполнил свой отцовский долг — воспитал сына, дал денег на университет, — Доминик и близко не угодил бы во Вьетнам. Отбросив эту мысль, Гарри вернулся к разговору:

— Значит, он хотел стать медбратом? Санитаром?

— Это уже другая история, — сказала Оливия. — Записавшись в армию, он мог выбрать, где служить. Его начали терзать сомнения. Ник хотел быть поближе к гуще событий, но не в самом пекле, понимаете? Такой уж был человек. Ему предложили список военных должностей. Он сказал, что хочет быть журналистом, фотографом или боевым санитаром. Ну чтобы не сидеть без дела, но и не убивать людей направо и налево.

Во Вьетнаме Босх повидал немало парней, которые рвались в бой, но не хотели марать рук. Большинству рядовых было по девятнадцать-двадцать лет. В этом возрасте так и подмывает показать, кто ты таков и на что способен.

— В общем, его определили в санитары. Научили, как вести себя на поле боя, — продолжала Оливия. — Сперва отправили на плавучий госпиталь, но это лишь для начала. Месяца через три-четыре Никки прикрепили к разведгруппе, стали посылать на задания. И он, само собой, погиб, — закончила она сухим будничным тоном.

Это случилось почти пятьдесят лет назад, и Оливия, пожалуй, говорила на эту тему уже десять тысяч раз. Теперь ее слова не пробуждали в ней никаких чувств. Так, часть семейной истории.

— Печально все это, — помолчав, добавила она. — Ему оставалось служить пару недель. Он прислал нам письмо. Говорил, что вернется к Рождеству. Но не вернулся.

Теперь голос Оливии звучал мрачно и угрюмо. Босх подумал, что поторопился с выводами насчет ее эмоций. Отхлебнув еще чая со льдом, он задал следующий вопрос:

— Вы говорили, что из Вьетнама пришли его вещи. Они на чердаке?

Оливия кивнула:

— Там пара коробок. Никки отправил их домой, когда готовился к возвращению. Ему оставалось служить несколько недель. Потом пришел его солдатский сундук с личными вещами. Родители все сохранили, а я засунула на чердак. Честно говоря, не хотела, чтобы все это попадалось на глаза, лишний раз напоминало о нашем горе.

Она определенно не хотела говорить о вещах брата. Тем не менее Босх увидел окно возможностей и слегка разволновался.

— Оливия, — сказал он, — можно мне подняться на чердак и взглянуть на посылки?

Она поморщилась. Должно быть, сочла его вопрос неуместным.

— Зачем?

Босх облокотился на столик. Пришло время говорить откровенно. Ему необходимо было попасть на чердак.

— Затем, что я ищу какую-нибудь связь между вашим братом и моим клиентом. Не исключено, что на чердаке что-нибудь найдется.

— Имеете в виду ДНК? С тех лет?

— Вполне возможно. И еще затем, что я тоже воевал во Вьетнаме. В том же возрасте, что и ваш брат. Помните наш телефонный разговор, когда я стоял у его могилы? Я был на том же корабле, что и он. Возможно, в одно и то же время. Мне нужно взглянуть на его вещи. Не только ради дела. Ради себя самого.

Прежде чем ответить, Оливия задумалась.

— Значит так, — сказала она, — я на чердак не полезу. Лестница хлипкая, боюсь упасть. Если хотите подняться, пожалуйста. Но только без меня.

— Не вопрос, — ответил Босх. — Спасибо, Оливия.

Допив чай со льдом, он поднялся на ноги.

ГЛАВА 15

Лестница и впрямь была хлипкая. Она раскладывалась, когда открывали люк в потолке второго этажа. Босх вовсе не страдал от ожирения. Всю свою жизнь он был человеком сухим и жилистым. Но когда он поднимался по деревянной лестнице, она страшно скрипела под его весом, и Гарри опасался, что крепления вот-вот лопнут и он рухнет на пол. Стоя внизу, Оливия с тревогой смотрела на него. Одолев четыре ступеньки, Босх дотянулся до краев люка, чтобы равномерно распределить свой вес и уменьшить нагрузку на лестницу.

— Там веревочка, — сказала Оливия. — Если дернуть, загорится свет.

Лестница выдержала. Поднявшись на чердак, Босх пошарил рукой в темноте. Наконец нащупал шнурок выключателя. Включил свет и осмотрелся.

— Я не была там уже много лет, — крикнула снизу Оливия. — Но по-моему, все его вещи в дальнем углу, справа.

Босх повернул голову. В закоулках чердака по-прежнему было темно. Босх достал из заднего кармана фонарик, которым снабдила его Оливия. Направил луч света в дальний правый угол и тут же увидел знакомые очертания солдатского сундука. Чтобы подойти к нему, пришлось пригнуться, но Босх все равно стукнулся головой о стропила, после чего присел на корточки и уже таким манером добрался до места.

На крышке сундука стояла картонная коробка. Посветив на нее, Босх понял, что это и есть та посылка из Дананга, о которой говорила Оливия. В строках «Отправитель» и «Получатель» стояло одно и то же имя: Доминик Сантанелло. В графе обратного адреса значилось: «Первый медицинский батальон, Дананг». Скотч пожелтел и отслаивался, но Босх увидел, что коробку открывали, а потом снова заклеили и убрали на хранение. Он снял коробку с сундука и отставил ее в сторонку.

Сундук был стандартный, из клееной фанеры, выкрашенный в зеленовато-серый цвет. От времени краска выцвела так, что сквозь нее проглядывала структура фанерного листа. На крышке сундука была такая же блеклая черная надпись, сделанная через трафарет:

ДОМИНИК САНТАНЕЛЛО, МС3

Босх без труда догадался, что такое «МС3». Говоря военным языком, «морской санитар третьего класса». Стало быть, Сантанелло был в чине старшины.

Вытащив из кармана латексные перчатки, Босх надел их, прежде чем открывать сундук или коробку. Единственная щеколда на сундуке была не задвинута. Подняв крышку, Босх посветил фонариком на содержимое. В ноздри ему тут же ударил землистый запах, и он на мгновение вспомнил подземные ходы Кути. От фанерного сундука разило Вьетнамом.

— Ну что, нашли? — осведомилась Оливия.

Взяв себя в руки, Босх откликнулся:

— Ага, все здесь. Я какое-то время покопаюсь.

— Ладно! — крикнула Оливия. — Если понадоблюсь, зовите. Отойду вниз, у меня там стирка.

В сундуке была аккуратно сложенная одежда. Осторожно вынимая вещь за вещью, Босх все рассматривал и перекладывал на картонную коробку. Сам он служил в пехоте, но знал, что во всех родах войск, чтобы не добавлять горя скорбящей семье, было принято сперва дезинфицировать одежду погибшего в бою, а уже потом отсылать ее домой. Перед отправкой из солдатских сундуков забирали все книги и журналы с обнаженкой, фотографии вьетнамок и филиппинок, наркотики и все с ними связанное, а также дневники и любые другие записи, в которых могли упоминаться места дислокации войск, подробности боевых задач или даже факты военных преступлений.

В итоге в сундуках оставалась лишь одежда да кое-какие блага цивилизации. Босх выложил на коробку несколько комплектов формы — камуфляжной и зеленой, — носки и нижнее белье. На дне сундука было несколько книг, популярных в конце шестидесятых годов, все в мягкой обложке. Среди них нашелся экземпляр «Степного волка» Германа Гессе. Такой же лежал в сундуке у Босха. Еще там был непочатый блок «Лаки страйк» и зажигалка «Зиппо» с эмблемой базы ВМС в бухте Субик в Олонгапо, что на Филиппинах.

Рядом лежала пачка писем, стянутая резинкой. Та развалилась на куски, едва Босх взял письма в руки. Он просмотрел конверты. Все от членов семьи, а обратный адрес — тот самый дом, где сейчас находился Босх. По большей части письма были от Оливии.

Босх решил не лезть в чужую переписку. В этом не было необходимости. Скорее всего, он нашел бы в ней лишь слова поддержки, заверения в любви и рассказы о том, как вся семья молится о благополучном возвращении Доминика с войны.

Еще в сундуке был кожаный чехол с туалетными принадлежностями. Босх аккуратно достал его. В первую очередь его интересовали именно эти предметы. Расстегнув молнию, он раскрыл чехол и посветил на него фонариком. Обычный набор: бритва, мыльный порошок для бритья, зубная паста, зубная щетка, щипчики для подстригания ногтей, расческа и щетка для волос.

Босх решил ничего не трогать. Пусть разбираются в лаборатории. Вещи были такими старыми, что он боялся сдвигать их с места, чтобы не потерять фолликул волоса, микроскопическую частицу кожи или пятнышко засохшей крови.

Поудобнее повернув фонарик, он увидел, что на щетине щетки остались волоски, каждый длиннее дюйма. Должно быть, в джунглях Сантанелло перестал стричься, как и многие парни на передовой.

Затем он направил свет на старомодную обоюдоострую бритву, заткнутую за кожаный ремешок на чехле. Она казалась чистой, но Босх видел лишь один край лезвия. Он знал, что кровь — настоящая золотая жила для лаборатории ДНК. От незначительного пореза на лезвии могла остаться крошечная капелька крови. Этого будет более чем достаточно.

Босх понятия не имел, можно ли по прошествии полувека извлечь образец ДНК из волосков или слюны, засохшей на зубной щетке, или даже щетины, оставшейся на лезвии бритвы. Знал он лишь одно: если там есть кровь, дальше можно не искать. За время работы в отделе открытых и нераскрытых дел УПЛА он видел случаи, когда из засохшего пятна крови примерно такой же давности извлекали безупречный образец ДНК. Теперь же Босх аккуратно отвезет этот чехол — конечно, если Оливия позволит его взять — в лабораторию из списка Микки Холлера и будет надеяться, что ему повезет.

Застегнув молнию, Босх положил чехол на деревянный пол по правую руку от себя. Туда же пойдут все остальные вещи, представляющие для него интерес. Закончив, Босх спросит у Оливии разрешения все это забрать. Он снова взглянул на солдатский сундук. Тот казался пустым. Посветив фонариком, Босх прощупал его на предмет двойного дна. По опыту он знал, что некоторые солдаты вынимали дно из свободного сундука и делали в своем тайник для наркотиков, запрещенного трофейного оружия и журналов «Плейбой».

В этом сундуке двойного дна не было. Сантанелло ничего не прятал. Босх еще раз подумал: странно, что в солдатских вещах не нашлось никаких фотографий или конвертов, кроме писем от членов семьи.

Босх аккуратно сложил одежду назад в сундук. Закрывая крышку, он кое-что заметил. Посветив под углом, он внимательно рассмотрел внутреннюю часть крышки и увидел на фанере несколько светлых полосок: скотч сняли, а следы клея остались. Похоже, на обратной стороне крышки когда-то были фотографии.

Дело вполне обычное. Крышка солдатского сундука зачастую напоминала дверцу шкафчика в школьном коридоре. Босх вспомнил, как многие бойцы приклеивали к фанере снимки подружек, жен и детей. Иногда вместо фотографий там были открытки, детские рисунки или журнальные развороты с красотками.

Неизвестно, сам ли Сантанелло убрал фотографии, или это сделали во время санитарной обработки его вещей. Босху стало еще любопытнее: что же скрывается в коробке, которую Сантанелло отправил домой? Открыв ее, Гарри посветил внутрь.

Очевидно, здесь были вещи, милые сердцу Доминика. Дослуживая последние недели, Сантанелло хотел, чтобы они точно попали домой в Окснард. Сверху лежали два комплекта гражданской одежды: джинсы, слаксы, рубашки и черные носки. Под одеждой были кроссовки фирмы «Конверс» и черные лакированные туфли. Несмотря на запрет на гражданскую одежду, у солдат ее было предостаточно. Все знали, что возвращаться домой или ходить в увольнение лучше в штатском, чтобы избежать лишних вопросов и неприятностей. Во всем мире вьетнамская война была не очень-то популярна.

Но Босху было известно, что солдаты хранили гражданскую одежду еще по одной причине. В течение года службы бойцам было положено недельное увольнение через полгода и еще одно через девять месяцев или позже, когда на самолете окажется свободное место. Официально для солдатского отдыха было выделено пять географических точек: все за пределами материковой части США, так как возвращаться на «большую землю» было запрещено. Однако, заселившись в гостиницу где-нибудь в Гонолулу, солдат мог переодеться в штатскую одежду, вернуться в аэропорт и сесть на рейс до Лос-Анджелеса или Сан-Франциско — при условии, что не попадется на глаза патрулям военной полиции, которые активно ловили таких беглецов. По этой же причине солдаты — и Сантанелло в их числе — отращивали в джунглях волосы. В аэропорту Гонолулу одной гражданской одежды было недостаточно: парень с бритыми висками и армейским «ежиком» сразу же привлекал внимание ВП. Длинные волосы служили отличной маскировкой.

Сам Босх во время службы дважды ускользал в Лос-Анджелес: первый раз в 1969 году, чтобы провести пять дней с подружкой, а второй — полгода спустя, хотя подружки у него уже не было. Сантанелло погиб на двенадцатом месяце службы. Значит, был в увольнении как минимум один раз, а то и дважды. Не исключено, что летал в Калифорнию.

Под одеждой Босх обнаружил кассетный магнитофон и фотоаппарат, оба в оригинальных упаковках. На коробке с магнитофоном сохранился ценник армейского магазина в Дананге. Возле нее двумя аккуратными рядками стояли кассеты — надписями вверх. Рядом был еще один блок «Лаки страйк» и зажигалка «Зиппо», на сей раз с эмблемой Медицинской службы ВМС. Кроме того, в коробке нашелся зачитанный экземпляр «Властелина колец» Джона Толкиена, несколько ниток с бусинами и другие сувениры, которые Доминик купил в тех городах, куда его забрасывала служба.

Рассматривая все это, Босх ощутил дежавю. Во Вьетнаме он, как и многие участники боевых действий, тоже зачитывался Толкиеном. Яркий вымышленный мир помогал забыть о реальности. Забыть, где оказался и чем занимаешься. Босх прочел надписи на корешках кассет: Джими Хендрикс, «Крим», «Роллинг стоунз», «Муди блюз»... Во Вьетнаме он слушал то же самое.

На него нахлынули воспоминания о том, как все устроено в Юго-Восточной Азии. Те же вьетнамки, что торговали бусами у зоны высадки «Белый слон» в Дананге, продавая солдатам уже скрученные «косяки»: десять штук идеально вмещались в сигаретную пачку — удобный контейнер для перевозки в джунгли. Если нужно было полсотни «косяков», ты покупал банку «колы» с крышкой-обманкой. Марихуану курили все подряд, причем в открытую: «Ну поймают, и что мне сделают? Отправят во Вьетнам?»

Распечатав пачку «Лаки страйк», Босх вытащил из нее сверток. В нем, разумеется, оказался десяток ловко скрученных джойнтов[1], старательно упакованных в фольгу, чтобы не пересохли. Босх решил, что такие же свертки лежат и в остальных пачках. Должно быть, во время службы Сантанелло привык регулярно накуриваться и хотел,

---

[1] Джойнт — самокрутка или папироса с марихуаной, изготовленная из специальной папиросной бумаги (ризлы).

чтобы дома его ждал достаточный запас марихуаны: проще будет переключиться на мирную жизнь.

Все это вызвало у Босха некоторый интерес и разбередило память. Однако в коробке не было вещей, способных подтвердить родство Доминика Сантанелло с Уитни Вэнсом. Гарри же пришел сюда для того, чтобы найти такое подтверждение. Раз он собрался сообщить Вэнсу, что его родословная оборвалась на месте крушения вертушки в провинции Тэйнинь, то обязан в точности знать, что говорит старику правду.

Он закрыл блок сигарет и положил его рядом с коробкой. Достал магнитофон и фотоаппарат. Задумался, где же фотографии: ведь если есть камера, должны быть и снимки. И тут же увидел на дне коробки черно-белые карточки и конверты с негативами. Фотографии не видели света уже десятки лет и потому хорошо сохранились.

Чтобы достать снимки, пришлось вынуть из коробки футляры с кассетами. Возможно, Сантанелло не хотел, чтобы члены семьи увидели эти фотографии, если вдруг решат открыть коробку до его возвращения. Босх подровнял карточки в стопку и взял ее в руки.

Фотографий он насчитал сорок две. На них был весь спектр заморских впечатлений: от джунглей до вьетнамок возле «Белого слона». Некоторые снимки были сделаны на госпитальном судне. Босх сразу узнал «Убежище». И снова ирония: вертолеты над джунглями и бесконечные рисовые поля.

В стопке карточек не было никакого порядка: ни по теме, ни по хронологии. То была до боли знакомая мешанина из картинок. Но это смутное чувство кристаллизовалось в четкое воспоминание, когда Босх досмотрел до серии из трех фотографий. Они были сделаны одна за другой на верхней палубе «Убежища» в канун Рождества. Человек двести раненых смотрели выступление Боба Хоупа и Конни Стивенс. На первом фото оба артиста стояли бок о бок. Судя по разомкнутым губам, Стивенс пела, а солдаты в переднем ряду, с восхищением глядя на сцену, вслушивались в каждую ноту. На втором снимке была публика в конце выступления, когда артисты откланивались. На фоне виднелась Обезьянья гора. На третьей фотографии был сам Хоуп, махавший на прощание рукой. Солдаты встали, аплодируя.

Босх тоже там был. Напоровшись на бамбуковую пику в подземном ходу, он попал на «Убежище» в декабре 1969 года и провел там четыре недели. Сама рана быстро затянулась, но инфекция оказалась более стойкой. За время лечения Босх, и без того худощавый, сбросил двадцать фунтов, но к концу месяца поправился и должен был отбыть к месту несения службы на следующий день после Рождества.

О выступлении Хоупа и его труппы стало известно за несколько недель. Босх, как и все остальные, с нетерпением ждал приезда легендарного артиста эстрады и специально приглашенной звезды Стивенс, знаменитой актрисы и певицы. Гарри видел ее в двух телесериалах: «Гавайском глазе» и «Сансет-Стрип, 77».

Но в сочельник в Южно-Китайском море поднялся сильный ветер. Началась качка. Солдаты уже стали собираться на верхней палубе, когда у кормы появились четыре вертолета с Хоупом, артистами его труппы и музыкальным ансамблем. Приблизившись к «Убежищу», пилоты решили, что садиться на корабль слишком опасно. Он был построен еще до того, как изобрели вертолеты. Крошечная посадочная площадка на корме с высоты была похожа на почтовую марку.

На глазах у солдат вертолеты развернулись и направились назад в Дананг. По толпе раскатился всеобщий стон. Публика начала расползаться по койкам, когда кто-то, глянув в сторону Дананга, крикнул: «Погодите, они возвращаются!»

Он был прав, но лишь отчасти. К «Убежищу» вернулся один вертолет из четырех. После трех рискованных попыток пилот все же сумел посадить машину. Дверца вертолета отъехала в сторону. На палубу спрыгнул Боб Хоуп, а за ним Конни Стивенс, Нил Армстронг и джазовый саксофонист Квентин Маккинзи.

Толпа взревела так, что даже сейчас, вспоминая спустя полвека тот момент, Босх ощутил что-то вроде электрического разряда. У артистов не было ни музыкального сопровождения, ни группы бэк-вокала, но Хоуп и компания велели пилоту развернуться и сесть на палубу. Посадить вертушку на какую-то там посудину? После того, как пять месяцев назад Нил Армстронг высадился не куда-то, а на целую Луну? Да ну, на хрен, плевое дело!

Армстронг выступил перед солдатами с ободряющей речью. Маккинзи сыграл несколько соло на своем саксофоне. Хоуп сыпал остротами, а Стивенс, хоть и без музыкального сопровождения, исполнила медленный вариант хита Джуди Коллинз «Both Sides Now» — да так, что у всех комок в горле стоял. Босху этот день запомнился как лучший за всю его солдатскую службу.

Много лет спустя Босха в числе других сотрудников УПЛА — всех в штатском — бросили на охрану театра Шуберта во время калифорнийской премьеры мюзикла «Mamma Mia!». Ожидался наплыв ВИП-публики, и руководство театра, чтобы усилить собственную охрану, обратилось за помощью к полиции. Босх стоял в главном фойе, поглядывая на лица и руки входящих, как вдруг заметил Конни Стивенс в компании каких-то важных персон. Он пошел к ней сквозь толпу, словно охотник, преследующий дичь. Даже снял с ремня жетон, чтобы при необходимости попросить людей расступиться, но добрался до места без проблем. Дождавшись паузы в разговоре, он произнес: «Мисс Стивенс?»

Она обернулась, и он попытался все ей рассказать. Рассказать, как был на «Убежище» в тот день, когда они с Хоупом и компанией велели пилоту развернуться. Хотел сказать, как много для него это значило, но слова застряли в горле. «Сочельник шестьдесят девятого, плавучий госпиталь» — вот и все, что он сумел выдавить.

Пару секунд Стивенс смотрела на Босха, а потом все поняла. Просто взяла и обняла его. И шепнула ему в ухо: «Да, „Убежище“. Видишь, ты вернулся домой».

Босх кивнул. Недолго думая, вложил ей в руку свой жетон, и они расстались. Босх вернулся в толпу, к своей работе. Сообщив о потере жетона, он на несколько недель стал посмешищем Голливудского участка. Но день, когда Гарри встретился с Конни Стивенс, запомнился ему как лучший за всю его службу в полиции.

— У вас там все нормально?

Все еще глядя на фото верхней палубы «Убежища», Босх очнулся от воспоминаний.

— Да, — откликнулся он. — Почти закончил.

И продолжил изучать фотографию. Где-то на снимке был и сам Босх, но он так и не нашел своего лица. Гарри еще раз просмотрел все снимки Сантанелло, прекрасно зная, что не увидит на них самого Доминика: он был по другую сторону фотоаппарата.

Наконец Босх дошел до снимка с большой выдержкой. На нем были очертания Обезьяньей горы на фоне фосфористо-белых вспышек ночного боя. Босх вспомнил, как солдаты на «Убежище» собирались на палубе, чтобы полюбоваться световым шоу, когда враг обстреливал коммуникационный узел на вершине горы, а такое случалось довольно часто.

Доминик определенно был талантливым фотографом. Возможно, вышел бы на профессиональный уровень, если бы не погиб на войне. Гарри готов был разглядывать эти снимки до самого вечера, но заставил себя отложить их в сторону и закончить разбор вещей погибшего солдата.

Он открыл красную коробку с фотоаппаратом Сантанелло — компактной «Лейкой М4», в самый раз для бокового кармана форменных брюк. Корпус фотоаппарата был черный, чтобы не давать отблесков в джунглях. Кроме камеры, в коробке была инструкция. Больше ничего.

Босх знал, что «Лейка» — дорогое удовольствие, и решил, что Сантанелло серьезно относился к своему увлечению фотографией. Однако снимков в коробке оказалось немного. Заглянув в конверты с негативами, Босх увидел, что отснятых кадров там гораздо больше, чем карточек в стопке. Возможно, у Сантанелло не хватило денег, чтобы напечатать все снимки во Вьетнаме. Или не было доступа к нужному оборудованию. Наверное, он планировал заняться фотографиями, вернувшись домой в Штаты.

Наконец Босх открыл заднюю крышку фотоаппарата, чтобы проверить, нет ли в корпусе наркотиков. Вместо них он обнаружил рулон пленки на приемной катушке. Поначалу Босх решил, что пленка не проявлена и он ее только что засветил. Однако, развернув рулон, увидел готовые негативы. Сантанелло спрятал эту пленку от посторонних глаз.

Пленка была такой ломкой, что треснула у него в руках, когда Босх собирался взглянуть на снимки. Он поднес к фонарику обрывок с тремя кадрами. На каждом снимке была женщина на фоне какой-то горы.

На руках у женщины был ребенок.

ГЛАВА 16

Утром Босх отправился в Бербанк, в промзону между аэропортом и Мемориальным парком «Валгалла». В двух кварталах от кладбища он остановился на стоянке возле «Флэшпойнт графикс». Он заранее договорился о встрече, и его там ждали.

В этой фотостудии занимались крупномасштабной печатью для билбордов, стен зданий, автобусов и прочих поверхностей, отданных под рекламу. Созданные здесь изображения можно было видеть повсюду в Лос-Анджелесе и даже за его пределами. К примеру, вся реклама на Сансет-Стрип была изготовлена во «Флэшпойнте». Студией руководил человек по имени Гай Клоди, в прошлом — фотограф-криминалист УПЛА. В восьмидесятых и девяностых они с Босхом не раз работали на месте преступления, а потом Клоди уволился и открыл собственный бизнес по печати изображений. Они с Босхом до сих пор поддерживали отношения и пару-тройку раз за сезон ходили на игры «Доджерс». Тем утром Босх позвонил Клоди и попросил об услуге. Тот сказал, что все сделает.

Одетый по-простому, в джинсы и цветастую рубаху, он встретил Босха у здания без вывески — «Флэшпойнт» не делал ставку на случайных посетителей, — после чего проводил его в весьма приличный, но не слишком богатый кабинет, стены которого были увешаны фотографиями в рамках. На фотографиях были запечатлены славные моменты истории «Доджерс». Вопросов Босх не задавал: ему и без того было известно, что Клоди сделал эти снимки в недолгую свою бытность штатным фотографом команды. На одной из фотографий был Фернандо Валенсуэла, ликующий на питчерской горке. Босх был в очках, и поэтому сразу понял, что снимок сделан ближе к концу карьеры легендарного питчера. Постучав пальцем по рамке, он сказал:

— Девяностый год. Порвали «Кардиналс» всухую.

— Так точно, — подтвердил Клоди. — Вижу, на память ты не жалуешься.

— Тогда я был в Эхо-парке, вел наблюдение на Уайт-Нолл. Мы вдвоем там были, с Фрэнки Шиханом. Помнишь дело Кукольника?

— Конечно. Ты прижал того гада.

— Угу. В общем, в тот вечер мы следили за другим парнем на Уайт-Нолл. Там недалеко до стадиона, и слышно было, как Винни объявил, что «Кардиналс» до сих пор не размочили счет. В каждом доме слушали трансляцию, все окна были открыты. Знаешь, чего мне захотелось? Все бросить и рвануть на стадион, посмотреть последний иннинг. Показал бы на входе жетон, меня бы пропустили. Но мы остались на месте и дослушали репортаж Винни. Помню, все закончилось на двойном ауте.

— Так точно. Не ожидал я, что Герреро выкинет такой фокус. Едва успел сделать снимок. Как раз менял пленку. Ну и скажи мне — как теперь жить без Винни?

Вин Скалли был комментатором «Доджерс» с 1950 года — то есть невероятно долго, еще с тех пор, когда команда называлась «Бруклин доджерс». Теперь же, достигнув почтенного возраста, он ушел на пенсию.

— Не знаю, — ответил Босх. — Он ведь голос нашего города, хоть и начинал в Бруклине. Увы, теперь все будет по-другому.

Они угрюмо расселись по обе стороны от стола. Босх решил сменить тему.

— Здоровенная у тебя контора, — начал он, на самом деле впечатленный, что его друг сумел выстроить такой серьезный бизнес. — А я и не знал.

— Сорок тысяч квадратных футов. Размером с «Бест бай», — сообщил Клоди. — И все равно места не хватает. Знаешь что? Я до сих пор скучаю по всяким полицейским штукам. Ну давай, скажи, что принес мне кадры с места преступления.

— Ну, это скорее загадка, а не преступление, — улыбнулся Босх.

— Загадка? Тоже хорошо. Показывай, что там у тебя.

Босх протянул ему конверт, который принес из машины. В нем были негативы, среди них — снимок женщины с ребенком. Босх показал этот кадр Оливии Макдоналд, но та понятия не имела, что это за люди. Заинтригованная не меньше Гарри, она разрешила ему взять конверт и чехол с туалетными принадлежностями.

— Я веду частное дело, — пояснил Босх. — И нашел эти негативы. Они старые, почти пятьдесят лет пролежали на чердаке без кондиционера и отопления. Кроме того, пленка повреждена: растрескалась в руках, когда я ее нашел. Взгляни, что можно сделать.

Раскрыв конверт, Клоди высыпал содержимое на стол. Склонился над пленкой и стал разглядывать ее, не трогая руками.

— На некоторых вроде женщина на фоне горы, — добавил Босх. — Мне интересны все кадры, но эти, с женщиной — в первую очередь. Думаю, фотографии сделаны где-то во Вьетнаме.

— Да. Глянь, вот тут пленка покоробилась. А вот тут трещина. Кстати, пленка «Фуджи».

— То есть?

— То есть хорошая. Надежная. Что это за женщина?

— Не знаю. Потому-то и хочу рассмотреть ее получше. И ребенка у нее на руках.

— Ну ладно, — сказал Клоди. — Что-нибудь да получится. Не у меня, так у ребят в лаборатории. Мы ее промоем и высушим. Потом напечатаем. Смотри, тут пальчики. Старые. Не исключено, что останутся.

Босх задумался. Все это время он считал, что снимки сделал сам Доминик. Пленка лежала рядом с фотоаппаратом и другими негативами. С какой стати отправлять проявленную пленку солдату во Вьетнам? Но мало ли что. Отпечатки пальцев могут пригодиться.

— Как скоро тебе надо? — спросил Клоди.

— Вчера, — ответил Босх.

— Ну да, конечно, — усмехнулся Клоди. — Гарри-побегарри.

Усмехнувшись в ответ, Босх кивнул. Его не называли так с тех пор, как Клоди уволился из полиции.

— В общем, через час, — пообещал Клоди. — Посиди в комнате отдыха. Попей эспрессо.

— Терпеть его не могу, — признался Босх.

— Тогда погуляй по кладбищу. Это как раз в твоем стиле. А через час приходи.

— Через час приду.

Босх встал.

— Передавай привет Оливеру Харди, — сказал Клоди. — Он где-то там лежит.

— Передам, — сказал Босх.

Он вышел из «Флэшпойнта» и направился вперед по Валгалла-драйв. Лишь взглянув на огромный памятник у ворот кладбища, он вспомнил, что здесь похоронен отец

Уитни Вэнса. Об этом Гарри прочел, когда собирал информацию перед встречей со стариком. Кладбище было рядом с Калтехом и взлетно-посадочной полосой аэропорта Боба Хоупа. Здесь нашли последний приют многие пионеры авиации, конструкторы, пилоты и летчики-трюкачи. Все они были погребены — или увековечены — внутри высокой часовни Авиаторов или вокруг нее. Увенчанное куполом строение еще называли «Порталом сложенных крыльев». Внутри его на кафельном полу обнаружилась мемориальная табличка Нельсона Вэнса.

НЕЛЬСОН ВЭНС
Первый визионер воздушных пространств
и крестный отец авиации США
Без него наша страна не добилась бы
воздушного господства
в делах войны и мира

Рядом с табличкой Босх заметил свободное место для урны с прахом и решил, что оно зарезервировано для Уитни Вэнса.

Он вышел из часовни и направился к памятнику астронавтам, погибшим в двух катастрофах «шаттлов». Взглянув на лужайку, Босх увидел, что у одного из огромных фонтанов начинается заупокойная служба. Вглубь кладбища решил не ходить: нечего пялиться на чужое горе. Поэтому отправился назад к «Флэшпойнту», так и не поискав могилу одного из участников комического дуэта «Лорел и Харди» — того, что был потолще.

Когда Босх вернулся, Клоди уже все сделал. Оба прошли в сушильную, где к пластмассовой доске были прикреплены девять фотографий формата А4. Снимки были влажными от проявителя, и техник удалял с них остатки жидкости с помощью обрезиненного скребка. На некоторых карточках были видны края пленки, а кое-где —

отпечатки пальцев, о которых предупреждал Клоди. Одни кадры были полностью засвечены, другие в той или иной мере повреждены из-за времени. Но три кадра сохранились процентов на девяносто. Среди них было фото женщины с ребенком.

Босх сразу понял, что ошибся. Снимок сделали не во Вьетнаме. У горы, на фоне которой позировала женщина, не было горного склона, потому что это была не гора, а всем известное здание гостиницы «Дель Коронадо» неподалеку от Сан-Диего. Определившись с местом съемки, Босх принялся рассматривать женщину и ребенка. Женщина была латиноамериканкой, а на голове у ребенка был бантик. Девочка, месяц-два от роду.

Женщина улыбалась и выглядела совершенно счастливой. Глаза ее сияли от радости. Босх увидел в них любовь — и к малышке, и к человеку по ту сторону фотоаппарата.

На остальных кадрах — полных или их фрагментах — были картинки с пляжа за «Дель Коронадо». Женщина, малышка, пенистый прибой.

— То, что надо? — спросил Клоди.

Он стоял за спиной у Босха, не мешая ему рассматривать снимки.

— Пожалуй, да... — проговорил Босх.

Он прикинул совокупность обстоятельств. Фотографии и запечатленные на них люди были важны для Сантанелло — настолько, что он спрятал их в посылке из Вьетнама. Вопрос — почему? На фотографии его ребенок? У него была тайная семья, о которой не знали в Окснарде? Если так, зачем секретничать? Босх всмотрелся в лицо женщины. Ей было больше двадцати пяти. Пожалуй, ближе к тридцати. А Доминику и двадцати еще не исполнилось. Может, он скрывал все от сестры и родителей из-за возраста женщины?

Второй вопрос — место съемки. Фотографии были сделаны или на пляже, или возле гостиницы «Дель Коронадо». Но когда? И почему эта пленка — отснятая в Штатах, в том нет сомнений, — оказалась в посылке из Вьетнама?

Босх еще раз просмотрел фотографии, пытаясь определить время съемки. И не смог.

— Как ни крути, у парня неплохо получалось, — сказал Клоди. — Глянь, какая раскадровка.

Босх согласился.

— Он умер? — спросил Клоди.

— Да, — ответил Босх. — Погиб во Вьетнаме.

— Жалость-то какая...

— Да. Я видел другие его снимки. Из джунглей. С вылазок.

— Вот бы посмотреть. Вдруг из них что-то получится.

Не отводя глаз от фотографий, Босх кивнул.

— Можешь сказать, когда были сделаны эти снимки? — спросил он.

— Нет. На кадрах нет временно́й метки, — ответил Клоди. — Ее тогда еще не придумали.

Босх ожидал такое услышать.

— Но могу сказать, когда изготовили пленку, — добавил Клоди. — С погрешностью в три месяца. На «Фуджи» ставили маркировку производственного цикла.

Обернувшись, Босх посмотрел на Клоди:

— Покажи.

Клоди шагнул вперед, к фотографии, сделанной с испорченного негатива. На ней был виден краешек пленки.

— Видишь? Год и трехмесячный производственный цикл. Вон она, маркировка. — Он указал на код: 70-АИ. — Пленку сделали в промежуток с апреля по июнь семидесятого года.

Босх обдумал услышанное.

— Но ведь отснять ее могли когда угодно после июня?

— Да, — подтвердил Клоди. — Код показывает, когда была сделана пленка, но не когда ее поставили в фотоаппарат.

Что-то тут не сходилось. Фотограф погиб в декабре 1970 года. Пленку изготовили не раньше апреля. Ну да, Сантанелло запросто мог купить ее в любой из восьми следующих месяцев, отснять и отправить домой с остальными вещами.

— Ты же знаешь, где это снято? — спросил Клоди.

— В «Дель Коронадо», — ответил Босх.

— Гостиница почти не изменилась.

— Верно.

Босх снова рассмотрел фото матери с ребенком, и тут до него дошло, что к чему. Он все понял.

В 1969 году Доминик Сантанелло был в тренировочном лагере неподалеку от Сан-Диего, но в конце того же года его отправили за океан. Босх смотрел на фото, снятое в Сан-Диего не раньше апреля 1970 года, а тогда Сантанелло давно уже был во Вьетнаме.

— Он возвращался, — сказал Босх.

— Чего? — переспросил Клоди.

Босх не ответил. Сейчас он чувствовал себя как серфер на гребне волны. Все мелочи лавиной сошлись в одно целое. Гражданская одежда в коробке, длинные волоски на щетке, фотографии, снятые с крышки сундука, спрятанные снимки малышки на пляже. Сантанелло тайком приезжал в Штаты. Он спрятал негативы, потому что те могли служить доказательством его проступка. Рискуя пойти под трибунал и оказаться в военной тюрьме, он все же отважился проведать свою подругу.

И свою малышку-дочь.

Теперь Босх мог с уверенностью сказать, что у Вэнса была наследница: внучка, рожденная в 1970 году.

ГЛАВА 17

Чтобы фотографии не помялись, Клоди сложил их в папку из плотного картона и вручил ее Босху. В машине Гарри открыл папку и еще раз взглянул на фото женщины с ребенком. Он знал, что в его версии много пробелов, и некоторые он никогда не сможет заполнить. Снимки были напечатаны с негативов, спрятанных в фотоаппарате Ника Сантанелло, но это не значит, что он был автором фотографий. Возможно, их сделал кто-то другой, а потом отослал пленку во Вьетнам. Гарри понимал, что такое маловероятно, но допустимо. Однако в глубине души он был уверен в обратном. Негативы оказались в фотоаппарате, рядом с другими пленками Сантанелло. Босху было ясно, что Ник собственноручно сделал снимок женщины и ребенка.

Открытым оставался еще один вопрос: почему Сантанелло скрывал отношения с женщиной и свое отцовство от семьи в Окснарде. В особенности от сестры. Босх знал, что взаимоотношения членов семьи — почти такая же уникальная штука, как отпечатки пальцев. Не исключено, что потребуется еще несколько раз съездить к Оливии, чтобы понять, как все было устроено в семье Сантанелло. Босх решил, что для начала нужно установить, был ли Доминик сыном Уитни Вэнса и является ли девочка с фотографии у гостиницы «Дель Коронадо» его дочерью. С остальным можно разобраться позже, по мере необходимости.

Он закрыл папку и перехватил ее эластичным ремешком — тот шел в комплекте с подарком Клоди.

Прежде чем завести мотор, Босх достал телефон и позвонил Гари Макинтайру, следователю СУ ВМС США. Днем раньше Оливия Макдоналд отправила ему электронное письмо — сообщила, что дает Босху разрешение на доступ к послужному списку брата. Теперь же Босх хотел узнать, как продвигаются поиски.

— Только-только закончил все собирать, — сказал Макинтайр. — Архив большой, в почту не пролезет. Выложу на наш сайт, в раздел закачек. И пришлю тебе пароль.

Босх не знал, когда сможет добраться до компьютера, чтобы скачать большой файл. И не был уверен, что поймет, как это сделать.

— Славно, — ответил он. — Но сегодня я еду в Сан-Диего. Вряд ли смогу что-то скачать. Мне бы узнать, что ты нашел по тренировочному лагерю, раз уж я буду в тех краях.

Просьба повисла в воздухе. Босх знал, что Макинтайра донимают запросами из всех уголков страны и ему пора уже переходить к следующему делу. Но он надеялся, что интрига, сокрытая в деле Сантанелло — ведь этот солдат погиб сорок шесть лет назад, — склонит чашу весов в нужную сторону, и хотя бы на несколько вопросов Макинтайр ответит по телефону. По большей части следователи СУ ВМС США проводят время за разбором личных дел ветеранов войны в Ираке, обвиненных в преступлениях, которые были совершены под действием алкоголя или наркотиков. Или принудительно закрытых в дурке по закону Бейкер[1].

Наконец Макинтайр ответил:

— Мне тут только что принесли сэндвич с тефтелями. Могу ответить на пару вопросов во время еды. Но предупреждаю: буду чавкать.

— Идеальный вариант, — сказал Босх и достал записную книжку.

— Что ты ищешь? — спросил Макинтайр.

— Давай, чтобы не запутаться, начнем с краткого обобщения его записей. Ну, что, где, когда.

— Давай.

Макинтайр, время от времени отвлекаясь на сэндвич, принялся зачитывать список армейских перемещений Сантанелло, а Босх делал пометки. В июне 1969 года Доминик прибыл в тренировочный лагерь новобранцев ВМС в Сан-Диего. Затем он учился в военно-медицинской школе при госпитале ВМС Бальбоа, а после этого — на базе Кэмп-Пендлтон в Оушенсайде, где прошел курс полевой медицины. В декабре его отправили во Вьетнам и приписали к госпитальному судну «Убежище». Через четыре месяца Сантанелло получил временное назначение в Первый медицинский батальон в Дананге, где был прикреплен к разведгруппе морпехов. В Первом медицинском он прослужил семь месяцев, после чего погиб в бою.

Босх вспомнил про зажигалку «Зиппо» с эмблемой базы в бухте Субик — ту, что нашел среди вещей Сантанелло на чердаке у Оливии Макдоналд. Зажигалка все

---

[1] *Закон Бейкер* — закон штата Флорида о психическом здоровье 1971 года; назван в честь Максин Элдридж Бейкер, бывшей с 1963 по 1972 год членом палаты представителей от Демократической партии Флориды. Закон Бейкер разрешает принудительное обследование, которое может быть инициировано судьями, сотрудниками правоохранительных органов, врачами или специалистами в области психического здоровья.

еще была в целлофановой упаковке. Наверное, Доминик хранил ее в качестве сувенира.

— Значит, в Олонгапо он не бывал? — спросил Босх.

— Нет, об этом здесь ничего не написано, — ответил Макинтайр.

Возможно, Сантанелло выменял зажигалку у санитара или солдата, прибывшего с филиппинской базы. Или же то был подарок от сослуживца или пациента на «Убежище».

— Что еще? — спросил Макинтайр.

— Ну хотелось бы найти людей, с которыми я мог бы побеседовать, — сказал Босх. — Его друзей. Там есть приказы о переводе из учебки в Бальбоа?

Он ждал. Пожалуй, эта просьба выходила за рамки соглашения поговорить во время еды. По опыту Босх знал, что солдатская дружба, как правило, длилась недолго: и в учебку, и в войска записывали в случайном порядке. Но Сантанелло был медиком. Не исключено, что двое-трое санитаров проделали тот же путь, что и он. И скорее всего, сдружились: всегда приятно видеть знакомое лицо в океане чужаков.

— Угу, есть, — отозвался Макинтайр.

— С указанием личного состава в рамках одного приказа? — спросил Босх.

— Да. Из учебки в Бальбоа перевели четырнадцать парней.

— Отлично. Что насчет перевода из Бальбоа в Кэмп-Пендлтон? Я ищу людей, прошедших этот путь вместе с Сантанелло.

— То есть учебка, потом Бальбоа, потом Пендлтон? Черт, Босх, это до вечера возиться!

— Понимаю, что раскатал губу. Но если списки у тебя под рукой, глянь, пожалуйста. Кто-нибудь из тех четырнадцати отправился с ним в Пендлтон?

Босх подумал, что это не займет много времени. Уж точно не до вечера. Но решил не заострять на этом внимание.

— Повиси на телефоне, — угрюмо ответил Макинтайр.

Босх молчал: боялся сказать что-нибудь не то, чтобы Макинтайр не рассердился и не бросил трубку. Четыре минуты из динамика не доносилось ни звука. Макинтайр даже перестал чавкать.

— Трое, — наконец сказал он.

— Значит, трое парней учились с ним во всех трех местах? — спросил Босх.

— Верно. Готов записывать?

— Готов.

Макинтайр зачитал три имени, сперва целиком, а потом по буквам: Хорхе Гарсия-Лавин, Дональд К. Стэнли и Хэлли Б. Льюис. Босх вспомнил, что фамилия «Льюис» была вышита на рубашке, в которой сфотографировался Сантанелло. Тот снимок показала ему Оливия. Похоже, Льюис и Сантанелло крепко дружили. Босху стало ясно, в какую сторону копать.

— Кстати, — добавил Макинтайр, — двое из них погибли в бою.

Надежда Босха найти человека, способного подсказать, что за женщина стоит на фоне «Дель Коронадо», сдулась, словно воздушный шарик.

— Которые? — спросил он.

— Гарсия-Лавин и Стэнли, — ответил Макинтайр. — Если честно, мне пора, Гарри. Работа не ждет. Так что скачай файл.

— Как только смогу, — без промедления отозвался Босх. — Еще один вопросик, и я от тебя отстану. Хэлли Б. Льюис. Есть там дата или место рождения?

— Пишут, что Флорида. Таллахасси. Больше ничего нет.

— Ну хотя бы это. Даже не знаю, как благодарить, Гари. Желаю, чтобы больше тебя никто не дергал.

Нажав кнопку отбоя, Босх завел мотор и направился к шоссе 170, ведущему в сторону Сан-Фернандо. Он собирался сесть за компьютер УПСФ, найти Хэлли Б. Льюиса и выяснить, что он помнит о сослуживце по имени Доминик Сантанелло. По пути он думал о процентном соотношении. Четверо парней прошли учебку, военно-медицинскую школу и курс полевой медицины. Вместе отправились во Вьетнам, и лишь один вернулся домой живым.

Босх знал, что санитар шел третьим номером в списке любого вьетнамского снайпера. Первым был лейтенант, вторым радист. Командир, связь, медицинская помощь — без них разведгруппа превращалась в стадо перепуганных баранов. Поэтому санитары по большей части не носили нашивок с красным крестом.

Интересно, знает ли Хэлли Б. Льюис, как ему повезло.

ГЛАВА 18

По дороге в Сан-Фернандо Босх позвонил на личный номер Уитни Вэнса. Телефон опять пискнул и переключился на автоответчик. И снова Босх попросил Вэнса перезвонить. Завершив звонок, он задумался: стоит ли считать Вэнса своим клиентом, раз он больше не выходит на связь? Но Гарри уже погрузился в дело, и время его было оплачено. В любом случае он не собирался бросать начатое.

Затем он наугад позвонил в справочное бюро Таллахасси и спросил телефон Хэлли Б. Льюиса. Под этим именем значилась лишь одна запись: номер юридической конторы, с которой Босх и попросил его соединить. На звонок ответила секретарша. Босх представился и сказал, что желает поговорить с мистером Льюисом насчет Доминика Сантанелло, с которым мистер Льюис проходил курс полевой медицины в Пендлтоне. Ему было велено подождать. Прошла по меньшей мере минута. Все это время Босх думал, что скажет Льюису, если тот возьмет трубку. Он помнил, что по-прежнему связан документом о конфиденциальности расследования.

— Хэлли Льюис, — раздался наконец голос в динамике. — По какому поводу вы звоните?

— Мистер Льюис, я частный детектив из Лос-Анджелеса, — сказал Босх. — Спасибо, что согласились со мной поговорить. Я веду дело, в котором фигурирует покойный Доминик Сантанелло. Я...

— Покойный? Это уж точно. Ник погиб почти пятьдесят лет назад.

— Да, сэр, я знаю.

— Что у вас за дело и с какой стати Ник в нем фигурирует?

Босх выпалил заготовленный ответ:

— Это конфиденциальное расследование. Но могу сказать, что кое-кто желает выяснить, не осталось ли у Доминика наследников.

После секундной паузы Льюис спросил:

— Наследников? Его убили во Вьетнаме. Ему было лет девятнадцать.

— Верно, сэр. Он не дожил один месяц до двадцатилетия. Но не исключено, что успел зачать ребенка.

— Это вы и хотите выяснить?

— Да. Меня интересует то время, когда он проходил курс молодого бойца в округе Сан-Диего. А также учеба в Бальбоа и Пендлтоне. Я работаю в контакте со Следственным управлением ВМС США. Тамошний следователь сказал, что вы с Ником учились вместе, пока его не отправили во Вьетнам.

— Да, это так. Но как вам удалось подключить к делу Следственное управление?

— Я связался со следователем, чтобы поднять послужной список Ника. Мы выяснили, что вы и еще двое парней учились вместе с ним от начала до конца. В живых остались только вы, сэр.

— Знаю. Можете не рассказывать.

Чуть раньше Босх, свернув на бульвар Победы, заехал в Северный Голливуд. Теперь же он вырулил на шоссе 170 и направился на север. Впереди, куда ни глянь, стеной стояли горы Сан-Гейбриел.

— Почему вы решили, что мне известно, был ли у Ника ребенок? — спросил Льюис.

— Потому что вы дружили, — ответил Босх.

— С чего вы взяли? Ну да, мы вместе проходили военную подготовку. Но это не значит...

— Он сдал за вас норматив по плаванию. Надел вашу рубашку и назвался вашим именем.

После долгой паузы Льюис спросил, как Босх об этом узнал.

— Я видел фотографию, — объяснил Босх. — А его сестра рассказала, как все было.

— Давно уже об этом не вспоминал... — вздохнул Льюис. — Но отвечу на ваш вопрос: о наследниках Ника мне ничего не известно. Если у него и был ребенок, Ник мне об этом не рассказывал.

— В любом случае дочь, если это его дочь, родилась после распределения в конце курса полевой медицины. Ник уже был во Вьетнаме.

— А я в бухте Субик. Дочь, говорите?

— Я видел фотографию с пляжа возле «Дель Коронадо». Женщина и ребенок. Мать — латиноамериканка. Вы не помните его подругу?

— Помню, да. Была одна женщина. Старше Ника. Она его приворожила.

— Приворожила?

— Ну, околдовала, что ли. Это было уже в конце учебы. Он встретил ее в баре в Оушенсайде. Такие, как она, высматривали ребят вроде него.

— Вроде него? То есть?

— С мексиканской кровью. Тогда было время «Чикано-прайд» — «Горжусь, что я мексиканец» и тому подобное[1]. Они вроде как вербовали мексиканцев с военных баз. Ник был смуглый, а его родители белые. Они приезжали на выпуск из учебки, тогда я с ними и познакомился. Но Ник рассказал, что он приемный, а его настоящая мать мексиканка. Вот его и поймали на крючок. Надавили на то, что на самом деле он мексиканец.

— Надавили? Думаете, та женщина?

— Да. Помню, мы со Стэнли пытались его вразумить. Но Ник сказал, что дело не в «Чикано-прайд». Он влюбился. В эту женщину.

— Не помните ее имени?

— Нет, не помню. Это было давно.

— Как она выглядела? — спросил Босх, стараясь не выказать разочарования.

— Красивая брюнетка. Старше Ника, но ненамного. Лет двадцать пять. Может, тридцать. Говорила, что художница.

Босх знал: если Льюис задумается о тех временах, он вспомнит что-нибудь еще.

— Где они познакомились?

— Наверное, в баре «На гребне волны». Мы там часто тусовались. Или в другом баре. Рядом с базой их было несколько.

— И Ник встречался с ней по выходным?

— Да. В Сан-Диего было одно место, где они могли видеться во время увольнений. В мексиканском квартале — то ли под мостом, то ли под эстакадой. Его называли Чикано-Вэй, что-то типа того. Давно было, почти ничего не помню. Но Ник мне про это рассказал. Там хотели устроить что-то вроде парка, разрисовали все столбы своими граффити. Ник уже начал говорить, что эти лю-

---

[1] *Чикано* — американец мексиканского происхождения. В начале 1960-х годов возникло движение американцев-мексиканцев за гражданские и политические права в США.

ди — его *familia*. Ну, «семья» по-испански. Смешно, конечно, если учесть, что он вообще не знал испанского. Так и не удосужился выучить.

Информация была весьма любопытной и прекрасно дополняла уже известную Босху историю. Он думал, о чем еще спросить, и тут сделанный наудачу звонок вдруг окупился сторицей.

— Габриела, — неожиданно произнес Льюис. — Только что вспомнил.

— Так ее звали? — спросил Босх, не сумев сдержать волнения.

— Да, точно, — подтвердил Льюис. — Габриела.

— Фамилию не помните? — рискнул Босх.

— Черт, я имя-то с трудом откопал! — рассмеялся Льюис.

— Вы мне очень помогли.

Босх решил, что с разговором пора закругляться. Продиктовал Льюису свой номер и попросил звонить, если тот вспомнит что-нибудь про Габриелу или Сантанелло в Сан-Диего.

— Выходит, после службы вы вернулись в Таллахасси, — произнес он, просто чтобы подвести разговор к завершению.

— Да, вернулся, — сказал Льюис. — Надоело мне все — и Вьетнам, и Калифорния. С тех пор никуда не выезжал.

— Вы юрист. Что у вас за практика?

— Да по всем аспектам юриспруденции. В городах вроде Таллахасси нужно заниматься всем подряд. Но кого я ни при каких условиях не буду защищать, так это игроков «Флорида стейт семинолз». Болею за «Гейторс». Так что эту черту переступить не могу.

Должно быть, он говорил о каких-то командах, но Босх не знал, о каком виде спорта идет речь. Его спортивные познания не простирались дальше «Доджерс» и мимолетного интереса к недавнему возвращению «Лос-Анджелес рэмз».

— Можно задать вам один вопрос? — спросил Льюис. — Кто хочет узнать, был ли у Ника ребенок?

— Задать вопрос можно, мистер Льюис, но ответа я дать не могу.

— Ник был бедняк, да и семья у него была небогатая. Должно быть, речь идет о его настоящих родителях?

Босх молчал. Льюис попал в самую точку.

— Знаю, вы не имеете права отвечать, — продолжал Льюис. — Я же юрист. Так что все понимаю.

Босх подумал, что пора заканчивать разговор, пока Льюису не пришли в голову новые вопросы.

— Спасибо, мистер Льюис. И благодарю за помощь.

Завершив звонок, Босх решил, что все равно поедет в Сан-Фернандо, хоть уже и нашел Льюиса. Нужно было узнать новости по Москиту и посидеть в Интернете, чтобы проверить информацию, которую он только что получил. Но Гарри не сомневался, что в итоге дело заведет его на юг, в Сан-Диего.

Через несколько минут, свернув на Первую улицу Сан-Фернандо, он увидел, что возле полицейского участка стоят три фургона телевизионщиков.

ГЛАВА 19

Босх вошел в участок через боковую дверь и по заднему коридору направился к сыскному отделу. На пересечении с главным коридором он глянул направо и увидел, что у комнаты для инструктажа толпятся люди. Среди них была и Белла Лурдес. Краем глаза заметив Босха, она махнула ему рукой: дескать, иди сюда. На ней были джинсы и черная рубашка поло с нашивкой «УПСФ» и названием отдела на левом кармашке, а на ремне — пистолет и жетон.

— Что стряслось? — спросил Босх.

— Повезло нам, — ответила Лурдес. — Москит сегодня напал на новую жертву, но она его прогнала. Шеф сказал, хватит. Пора все озвучить.

Босх лишь кивнул. Он все еще считал, что предавать дело огласке нельзя, но понимал, каково сейчас Вальдесу. Изнасилования и без того долго держали в секрете, и публика ему это припомнит. Лурдес была права. Им и впрямь повезло. Повезло, что это не они сейчас стоят в комнате для инструктажа и рассказывают репортерам о пятом изнасиловании.

— Где потерпевшая? — спросил Босх.

— В командном, — ответила Лурдес. — Все еще на взводе. Я решила, что ей лучше отсидеться.

— Как вышло, что я ничего не знаю?

Лурдес удивленно взглянула на него:

— Капитан сказал, что до тебя не дозвониться.

Босх лишь покачал головой и сказал себе «проехали». Мелочь, хоть и неприятная. Есть вопросы посерьезнее, чем подлянки Тревино.

Он глянул поверх голов в попытке увидеть, что творится в комнате для инструктажа. У самого входа стояли Вальдес и Тревино. Понять, сколько там репортеров, было невозможно: те расселись по всей комнате, а операторы так и вовсе расположились у дальней стены. Босх знал: теперь все зависит от того, какой день выдался в Лос-Анджелесе. Новости о серийном насильнике в Сан-Фернандо — городке, где жители почти не смотрели англоязычных телепередач, — пожалуй, не создадут большого шума в мегаполисе. Но на одном из новостных фургонов у входа было написано: «Univision Noticias» — название кабельного испаноязычного канала. Так что все местные будут в курсе дела.

— Ну а Тревино или Вальдес говорили о контрольном вопросе? — спросил он.

— О контрольном вопросе? — переспросила Лурдес.

— Ответ на который будем знать только мы с насильником. Чтобы отфильтровать ложные признания и подтвердить настоящее.

— Э-э-э... Нет, про это ни слова не было.

— Пожалуй, капитану все же стоило мне позвонить. Вместо того чтобы подкладывать всем свинью. — Отвернувшись от сборища, Босх спросил: — Готова поговорить с жертвой? Как у нее с английским?

— Понимать понимает, — сказала Лурдес, — но говорить предпочитает по-испански.

Босх кивнул, и они с Лурдес пошли по коридору, ведущему к сыскному отделу. «Командным пунктом» назывался просторный конференц-зал по соседству с клетушкой для детективов. Там был длинный стол и большая белая доска: все, что нужно для «Д&Д» — диаграмм и дискуссий, когда речь идет о рейде, задании или расследовании. Обычно здесь планировали облавы на пьяных за рулем или обеспечение безопасности во время городского парада.

— Итак, что нам известно? — спросил Босх.

— Думаю, ты с ней знаком. По крайней мере видел, — сказала Лурдес. — Это бариста из «Старбакса». Подрабатывает в утреннюю смену — каждый день, с шести до одиннадцати.

— Как зовут?

— Беатрис. Фамилия Саагун.

Босх попробовал связать это имя со знакомым лицом, но не смог. Утром, когда он заходил в «Старбакс», там обычно работали три женщины. Наверное, узнает ее, когда войдет в командный пункт.

— После работы она сразу пошла домой? — спросил Босх.

— Да. Там ее поджидал Москит, — ответила Лурдес. — Она живет на Седьмой, в квартале от Маклейстрит. Адрес подходит под его шаблон: дом на одну семью, район смешанный — жилые здания рядом с коммерческими. Она уже на входе поняла: что-то не так.

— Увидела москитную сетку?

— Нет, ничего она не увидела. Она его почуяла.

— Почуяла?

— Сказала, что в доме как-то не так пахло. И вспомнила, как мы облажались с почтальоном. В тот день, когда мы его винтили, она работала в «Старбаксе». Мэрон, прибыв в следующий раз завтракать, рассказал девчонкам за стойкой, что полицейские перепутали его с городским насильником. В общем, она тут же встревожилась. Приходит домой и видит: что-то здесь нечисто. Сразу идет на кухню, хватает швабру.

— Ого, какая храбрая. Надо было уматывать.

— Ясен пень. Но она решила «застать его врасплох». Заходит в спальню и сразу понимает, что он спрятался за шторой. Замахивается шваброй, чисто Адриан Гонсалес из «Доджерс», и лупит его прямо по роже. Он падает вместе со шторой. Оглушенный. Не понимает, что случилось. А потом прыг в окно — и дал деру. Прыг — в смысле, прямо через стекло.

— Кто работает на месте?

— Команда «А» и Систо в роли няньки. Капитан назначил. Прикинь, Гарри, теперь у нас есть его нож.

— Ух ты!

— Москит выронил, когда жертва огрела его шваброй. Нож зацепился за штору и остался в доме. Систо только что звонил рассказать.

— Шефу об этом известно?

— Нет.

— Вот и наш контрольный вопрос. Нужно сказать Систо и команде, чтобы помалкивали.

— Будет сделано.

— В какой маске он был?

— Об этом я еще не спрашивала.

— Что насчет месячного цикла?

— Об этом тоже не спрашивала.

Они остановились у двери командного пункта.

— Ну ладно, — сказал Босх. — Готова? Твой выход.

— Что ж, к делу.

Босх открыл дверь и придержал ее, пропуская Лурдес вперед. Он сразу узнал сидевшую за огромным столом женщину: та не раз готовила ему латте со льдом в «Старбаксе» за углом. Всегда дружелюбно улыбалась и подавала напиток, не дожидаясь заказа.

Когда они вошли, Беатрис Саагун набирала эсэмэску на телефоне. Не спеша подняв глаза, она узнала Босха, и на губах ее появилась едва заметная улыбка.

— Латте со льдом, — произнесла она.

Кивнув, Босх улыбнулся в ответ. Протянул ей руку, и Беатрис пожала ее.

— Беатрис, я Гарри Босх. Рад, что вы целы.

Они с Лурдес сели напротив женщины и принялись ее опрашивать. В общих чертах история была известна, и теперь Лурдес могла углубиться в подробности. Всплыли новые детали. Время от времени Босх тоже задавал вопросы, а Лурдес повторяла их по-испански, чтобы избежать недопонимания. Беатрис отвечала вдумчиво и неторопливо, так что Босх понимал почти все без перевода.

Беатрис было двадцать четыре года. Она подходила под описание предыдущих жертв Москита: длинные каштановые волосы, черные глаза, стройная фигура. Уже два года она работала в «Старбаксе» — в основном на должности бариста, так как не могла принимать заказы или стоять за кассой из-за плохого знания английского. Она рассказала, что у нее никогда не было проблем ни с покупателями, ни с другими работниками кофейни. Ни бывшие парни, ни другие мужчины ей не докучали. Она снимала дом вдвоем с другой бариста из «Старбакса». Та обычно работала в дневную смену, так что в момент происшествия ее не было дома.

В ходе беседы Беатрис рассказала, что на преступнике была маска рестлера луча либре. Такая же, как в одном из прошлых случаев: черно-красно-зеленая.

Еще она сообщила, что отслеживает свой месячный цикл с помощью календаря, лежащего на тумбочке у кровати. Беатрис пояснила, что ее воспитали в строгой католической семье, и с прошлым своим бойфрендом она предохранялась через метод естественного цикла.

С особым интересом детективы спрашивали о том, как Беатрис догадалась, что в дом кто-то проник. О запахе. Наконец женщина объяснила: в доме пахло курильщиком. Не сигаретами, а человеком, привычным к курению табака. Босх, понимая разницу, счел эту подробность весьма полезной. Итак, Москит курил. Не в доме у жертвы, но она все равно учуяла специфический запах.

Беатрис отвечала на вопросы, обхватив себя руками. Она инстинктивно бросилась на преступника, вместо того чтобы убежать, и теперь понимала, насколько рискованным было это решение. Закончив разговор, детективы посоветовали ей выйти через боковую дверь, чтобы не столкнуться с репортерами. Еще они предложили подвезти Беатрис домой — собрать вещи на ближайшие несколько дней. Им с соседкой было бы разумнее на какое-то время съехать из дома. Во-первых, там работали следователи и криминалисты. А во-вторых, хоть детективы и не говорили, что Москит может вернуться, всем было ясно, что такой вариант вполне возможен.

Лурдес позвонила Систо — предупредить, что они скоро приедут, — после чего все в ее личном автомобиле отправились к дому жертвы.

На крыльце их ждал Систо. Он родился и вырос в Сан-Фернандо и никогда не работал нигде, кроме УПСФ. Лурдес же до перевода в Сан-Фернандо довелось потрудиться в управлении шерифа округа Лос-Анджелес. Систо, как и Лурдес, был одет в джинсы и черную рубашку поло. Похоже, эти двое считали такой наряд неофициальной форменной одеждой для следователей. За время работы в УПСФ Босх не раз восхищался навыками Лурдес и ее преданностью делу охраны порядка. Систо же не вызывал у него особенного восхищения. Босх видел, что он попросту отсиживает рабочее время. Систо, не выпуская телефона из рук, то и дело писал кому-то эсэмэски, а болтать предпочитал не о полицейских делах, а о том, какая сегодня волна на пляже. Некоторые детективы держали на столах и личных информационных досках фотографии жертв или улик по делу. Другие предпочитали иметь на рабочем месте что-нибудь, связанное с хобби. Систо был из вторых. Его стол всегда был завален предметами, имеющими отношение к серфингу или команде «Доджерс». Впервые взглянув на него, Босх даже не понял, что за этим столом работает следователь.

Лурдес не отходила от Беатрис ни на шаг. Обе женщины проследовали в дом. Одежду и туалетные принадлежности сложили в чемодан и большую спортивную сумку, после чего Лурдес попросила снова рассказать всю историю и показать, как все было. Беатрис не отказалась, и Босх в очередной раз восхитился ее решением: найти злоумышленника, а не бежать куда глаза глядят.

Лурдес вызвалась отвезти Беатрис домой к матери — та тоже жила в Сан-Фернандо. Босх же вместе с Систо и группой криминалистов остался в доме. Сперва он проверил окно, выходящее во внутренний дворик. Как и в остальных случаях, прежде чем проникнуть в дом, злоумышленник разрезал москитную сетку.

Затем Гарри попросил Систо показать ему нож, найденный в сорванной шторе. Тот, пошарив в коричневом бумажном мешке с уликами, выудил пластиковый пакет и сказал:

— Криминалисты уже проверили. Ноль. Никаких отпечатков. Парень был в маске и перчатках.

Кивнув, Босх стал рассматривать черный складной нож. На раскрытом лезвии был логотип производителя, а рядом — мелкие цифры серийного номера. Прочесть их сквозь пластик было невозможно. Нужно будет изучить нож в спокойной обстановке сыскного отдела.

— Неплохой, кстати, ножик, — добавил Систо. — Я уже посмотрел на телефоне. Такие делает компания

«Титаниум эдж». Модель называется «Коспо блэк». Порошковая окраска лезвия, чтобы не отражало свет. Ну, если ночью на улице собрался кого-нибудь пырнуть.

Наверное, это была шутка, но Босх не улыбнулся.

— Угу, я знаю, — ответил он.

— Я, пока был здесь, почитал пару блогов про ножи. Прикинь, бывают такие блоги. Говорят, «Коспо блэк» — одна из лучших моделей.

— Лучших? Для чего? — спросил Босх.

— Ну типа напугать. Кого-то замочить. «Коспо», наверное, какая-то спецназовская аббревиатура. Секретные вылазки и все такое.

— Команда спецопераций. Отряд «Дельта».

Систо сделал удивленное лицо:

— Ого! Чувак, да ты разбираешься в армейских штуках.

— Кое-что знаю.

И Босх осторожно вернул ему нож.

Он до сих пор не определился с мнением о Систо. Они мало общались, хотя их столы в отделе разделяла одна лишь перегородка. Систо занимался имущественными преступлениями, а Босх решил не тратить на них свое время. Поэтому у них почти не было тем для разговоров. Оба ограничивались стандартными приветствиями. Систо был вдвое моложе Гарри. Наверное, смотрел на Босха как на ископаемое. К тому же Гарри, как правило, являлся на работу в пиджаке и при галстуке. И не получал никакой зарплаты. Этого Систо тоже, пожалуй, не понимал.

— Значит, когда ты нашел нож, он был раскрыт? — спросил Босх. — Парень стоял за шторой с раскрытым ножом?

— Да, наготове, — ответил Систо. — Думаешь, стоит закрыть, чтобы никто не порезался?

— Нет. Оформляй, как нашел. Просто не хватайся за лезвие пальцами. И всех предупреди, что он открыт. Ну или положи в коробку, когда повезешь на склад вещдоков.

Кивнув, Систо осторожно положил пакет с ножом обратно в бумажный мешок. Босх подошел к окну и взглянул на осколки на заднем дворе. Москит выпрыгнул в окно, разбив стекло вместе с рамой. Босх сразу же подумал, что преступник, должно быть, поранился. Удар шваброй по лицу так его озадачил, что Москит решил не драться, а сбежать, в то время как потенциальная жертва приняла строго противоположное решение. Но чтобы разбить стекло вместе с рамой, нужна недюжинная сила.

— Есть что-нибудь на осколках? Кровь или что-то еще? — спросил он.

— Пока ничего не нашли, — сказал Систо.

— По поводу ножа ты уже в курсе? Никому ничего не говорим. Особенно про фирму или модель.

— Так точно. Думаешь, люди начнут сдаваться пачками?

— Как знать. Чего только не бывает.

Вытащив телефон, Босх отошел от Систо — сперва в коридор, потом на кухню — и позвонил дочери. Та, как обычно, не ответила. Она пользовалась телефоном для эсэмэсок и соцсетей. Но Босх знал: хоть Мэдди никогда не отвечает на звонки — и даже их не слышит, потому что на ее телефоне всегда включен беззвучный режим, — она не пропускает его голосовых сообщений.

Как и ожидалось, звонок переключился на голосовую почту: «Привет, это папа. Хотел проверить, как у тебя дела. Надеюсь, все в порядке. Возможно, на этой неделе буду проезжать через Ориндж — нужно смотаться в Сан-Диего по делам. Если захочешь перекусить или попить кофейку, дай мне знать. Может, поужинаем. Ну, у меня все. Люблю, надеюсь на скорую встречу. Ах да, и налей воды в собачью миску».

Завершив звонок, он подошел к входной двери. Там дежурил патрульный по фамилии Эрнандес.

— Кто сегодня главный? — спросил Босх.

— Сержант Розенберг, — ответил Эрнандес.

— Свяжешься с ним? Узнай, сможет ли он меня забрать. Мне нужно в участок.

— Да, сэр.

Дожидаясь патрульной машины с Ирвином Розенбергом, Босх встал у обочины. Ему действительно нужно было в участок. И еще ему нужно было сказать, чтобы Розенберг — тот был начальником ночной смены — выделил пару патрульных для наблюдения за домом Беатрис Саагун.

Взглянув на экран телефона, он увидел сообщение от дочери: Мэдди говорила, что, раз уж речь зашла об ужине, то есть одно место, где она давно хотела побывать. Босх ответил, что вот и славно, нужно лишь утрясти график. Он знал, что теперь и ужин с дочерью, и поездку в Сан-Диего, и дело Вэнса придется отложить по меньшей мере на пару дней. А пока он сосредоточится на деле Москита. По крайней мере, будет готов к реакции, которая неминуемо последует за выпуском новостей.

ГЛАВА 20

В субботу утром Босх был страшно горд собой: он явился в сыскной отдел раньше всех. Конечно, гордился бы еще сильнее, просиди он над делом всю ночь. Но на этой должности он сам выбирал, когда работать, и предпочел не корпеть над бумагами до рассвета, а хорошенько выспаться. Как-никак, возраст. Здоровье лучше поберечь для расследования убийств.

По пути в отдел Босх заглянул в диспетчерскую и забрал пачку листков с сообщениями, поступившими после вечерних новостей с сюжетом о серийном насильнике. Потом зашел на склад вещдоков и еще раз взглянул на нож, найденный на месте преступления.

Теперь же, сидя за столом, он потягивал старбаксовский латте со льдом и просматривал сообщения, раскладывая их в две стопки. Во вторую отправлялись те, где звонивший говорил только по-испански. С ними будет разбираться Лурдес. Ожидалось, что она тоже проведет выходные, работая по делу Москита. Систо занимался другими делами, где требовалось присутствие детектива, а капитан Тревино должен был скоро подойти: в этот уик-энд была его очередь руководить полицейским управлением.

Среди сообщений на испанском нашлось одно любопытное. Женщина сообщила, что однажды на нее тоже напал насильник в маске мексиканского рестлера. Представиться она отказалась, объяснив, что находится в США нелегально. Диспетчер так и не сумел убедить ее, что, если она подробно расскажет о преступлении, против нее или ее иммиграционного статуса не будет принято никаких мер.

Босх всегда считал, что в деле есть и другие жертвы, о которых ему не известно. Однако у него стало тяжело на душе — особенно когда он дочитал до того места, где говорилось, что насильник напал на женщину почти три года назад. Босх представил, как она жила все эти годы с психологическими, а то и физическими последствиями такой жуткой травмы. И даже подумать не могла, что злодей когда-нибудь ответит за свое преступление. Из страха депортации жертва решила не обращаться в полицию, тем самым отказавшись от любой надежды на справедливость.

Босх знал, что некоторым ее совсем не жаль. Они скажут, что из-за нее насильник, не опасаясь возмездия, напал на новых жертв. И будут правы. Но все же Гарри сочувствовал этой женщине, решившей хранить молчание. Он не знал, как она попала в США, но мог сказать наверняка: путь ее был нелегким и она хотела остаться здесь, невзирая ни на что. Женщина молчала, даже когда ее изнасиловали. Босха это зацепило. Политиканы могут сколько угодно говорить о возведении стен и менять законы, чтобы затруднить латиносам въезд в США, но в итоге ничего не изменится. И стена, и новые законы бессильны против нелегалов, как бессилен против прилива волнорез в порту. Если человек хочет чего-то по-настоящему, его не остановить.

Босх вышел из своей секции и положил на стол Лурдес стопку сообщений на испанском. Он поймал себя на мысли, что впервые видит рабочее место Беллы под таким углом. На перегородках были вездесущие полицейские бюллетени и листовки с надписью «Внимание, розыск», а на самом видном месте — портрет пропавшей женщины. С ее делом управление возилось уже десять лет: женщину так и не нашли, и полицейские подозревали, что она убита. К перегородке между секциями Лурдес и Босха были приколоты несколько фотографий с маленьким мальчиком. На одном снимке он был на руках у какой-то женщины, на другом — у самой Лурдес, на остальных обнимались все трое. Босх на секунду задержался. Пригнулся к фотографиям, вгляделся в счастливые лица. В этот момент дверь сыскного отдела отворилась и в комнату вошла Лурдес.

— Что это ты делаешь? — спросила она, записывая маркером на доске время прибытия.

— Э-э-э... принес тебе записки с телефонными сообщениями, — сказал Босх и попятился, уступая ей место у стола. — На испанском. Поступили за ночь.

Обогнув его, Лурдес вошла в свою секцию:

— А, ну ладно. Спасибо.

— Слушай, это твой?

— Да. Родриго.

— Не знал, что у тебя есть ребенок.

— Бывает.

Повисла неловкая пауза. Лурдес ждала, что Босх задаст вопрос насчет второй женщины. А потом поинтересуется: кто из них выносил ребенка или же его усыновили? Но Гарри решил не развивать эту тему.

— Обрати внимание на верхний листок. Это еще одна жертва, — сказал он, направляясь к своему столу в обход остальных секций. — Нелегалка. Имя называть отказалась. Диспетчер говорит, звонок был из телефонной будки возле суда.

— Ну, мы предполагали, что есть и другие.

— У меня тоже стопка сообщений. И еще я забрал со склада нож.

— Нож? Зачем?

— Он крутой. Военный. Коллекционная штука. Может, получится его отследить.

И Босх скрылся от Беллы в своей секции.

Сел за стол и взглянул на сообщения. Он знал, что потратит на них весь день, а толку от этого будет немного. Или вовсе никакого не будет. После этого перевел взгляд на нож.

И решил начать с ножа. Натянул латексные перчатки, вынул оружие из пластикового пакета. Услышав шуршание, Лурдес встала и выглянула из-за перегородки.

— Вчера не довелось на него взглянуть, — сказала она.

Босх показал ей нож.

— Охренеть! Злобная вещица, — оценила Лурдес.

— Самое то, чтобы тихонько снять часового, — объяснил Босх.

Повернув нож горизонтально, лезвием наружу, он изобразил нападение сзади: правой рукой зажал воображаемому противнику рот, а левой вонзил лезвие ему в шею и дернул вперед.

— Бьешь сбоку, а потом режешь кровотоки и горло одним махом, — сказал он. — И ни звука. Цель исходит кровью секунд за двадцать. Дело сделано.

— Цель? — переспросила Лурдес. — Тебе что, и повоевать довелось?

— Довелось. Задолго до твоего рождения. Но таких вещиц у нас не было. Мы мазали клинки сапожной ваксой.

Вид у Беллы был озадаченный.

— Чтобы не блестели в темноте, — пояснил Босх.

— Ах да, точно, — кивнула она.

Босх положил нож на стол. От этой пантомимы ему стало слегка не по себе.

— Думаешь, он бывший военный? — спросила Лурдес.

— Нет, не думаю.

— Почему?

— Потому что сбежал вчера. Будь он человеком подготовленным, пришел бы в себя, оценил обстановку и бросился в атаку. На Беатрис. Может, убил бы ее.

Какое-то время Лурдес смотрела на Босха, а потом кивнула на стаканчик латте. Тот стоял на салфетке, и под ним расплывалось влажное пятно.

— Сегодня она была на месте? — спросила Лурдес.

— Нет. И это неудивительно. Хотя... Может, по субботам у нее выходной.

— Ну ладно. Буду обзванивать всех по порядку. Не помешаю?

— Нет, не помешаешь.

Она снова скрылась из виду, а Босх надел очки для чтения, чтобы получше рассмотреть нож. Однако, опустив взгляд на оружие, он увидел не черный клинок, а лицо человека, которого убил в подземном ходу больше сорока лет назад. В туннеле была расщелина, и Босх тогда вжался в нее, а человек прошел мимо. Было темно. Человек не увидел его. Даже не почуял. Босх набросился на него со спины, зажал ему рот ладонью, рассек горло ножом. Сделал все так быстро и ловко, что даже не забрызгался. На него не попало ни капли артериальной крови. Босх до сих пор помнил, как последний вздох убитого обжег ему ладонь. И еще он помнил, как аккуратно уложил мертвеца в лужу его собственной крови, а потом закрыл ему глаза.

— Гарри?

Босх вынырнул из глубин памяти. Над его секцией навис капитан Тревино.

— Простите, задумался, — пробормотал Босх. — Что такое, кэп?

— Запишись на доске, — сказал Тревино. — Сколько можно повторять?

Развернувшись на стуле, Босх проследил за указательным пальцем Тревино. Тот был направлен на доску у двери.

— Да-да, сейчас запишусь.

Он встал, и Тревино сделал шаг в сторону, чтобы выпустить Босха из секции. Гарри направился к доске.

— Тот самый нож? — вдогонку спросил Тревино.

— Тот самый, — не оборачиваясь, ответил Босх.

Взял с бортика доски маркер и записал время прибытия: 6:15. Входя в сыскной отдел, он не посмотрел на часы, но точно знал, что в «Старбаксе» был ровно в шесть утра.

Тревино ушел к себе в кабинет и закрыл дверь. Босх вернулся к ножу на столе, решив, что на сей раз не станет ворошить прошлое. Вместо этого он склонился над черным клинком, чтобы прочесть гравировку. Рядом с логотипом «Титаниум эдж» была дата изготовления — 09/08, а с другой стороны клинка — последовательность цифр. Должно быть, серийный номер. Записав дату и номер, Босх полез в Интернет — искать веб-сайт производителя.

За перегородкой Лурдес говорила с кем-то по-испански. Босх, разобрав некоторые слова, понял: собеседница Беллы утверждает, что лично знакома с насильником. Значит, разговор будет короткий. Следователи были почти уверены, что искать нужно белого человека. Любое сообщение о латиноамериканце следует расценивать как ошибку. И скорее всего, как попытку свести счеты на почве личной неприязни.

Босх нашел сайт «Титаниум эдж» и вскоре выяснил, что владелец ножа может зарегистрировать его при покупке или после нее. Делать это было не обязательно, и Босх решил, что покупатели по большей части не заморачивались. Фирма была пенсильванская и располагалась по соседству с металлургическим заводом, поставляющим сырье для производства. На сайте было представлено несколько моделей складных ножей. Босх не знал, работает ли «Титаниум эдж» по субботам, но все равно позвонил по указанному на сайте номеру. На звонок ответила секретарша. Босх попросил пригласить кого-нибудь из начальства.

— Сегодня здесь Джонни и Джордж. Они оба за главных.

— Можно с кем-нибудь из них поговорить? — спросил Босх. — Без разницы с кем.

После двухминутного ожидания в трубке раздался хриплый мужской голос, идеально подходящий к образу продавца ножей с черными клинками.

— Это Джонни.

— Джонни, говорит детектив Босх из УПСФ. Это в Калифорнии. Скажите, у вас найдется несколько минут? Хочу попросить вас о помощи следствию.

Повисла пауза. Звоня в другие города, Босх намеренно пользовался сокращением «УПСФ». Пусть думают, что он из Сан-Франциско, а не из крошечного Сан-Фернандо. Проще будет разговаривать.

— УПСФ? — повторил наконец Джонни. — Я и в Калифорнии-то ни разу не был.

— Дело не в вас, сэр. Дело в том, что мы нашли на месте преступления нож вашей фирмы. И я хотел бы навести справки, — объяснил Босх.

— Кого-то порезали?

— Насколько нам известно, нет. Злоумышленник проник в дом, но его сумели прогнать. Убегая, он выронил нож.

— Наверное, собирался кого-то порезать.

— Ну, как знать. В общем, нож остался на месте преступления, и я пытаюсь его отследить. У вас на сайте написано, что после покупки нож можно зарегистрировать. Мне бы хотелось узнать, есть ли у вас в базе конкретно этот экземпляр.

— Какой именно?

— «Коспо блэк». Четырехдюймовый клинок, черная порошковая окраска. На клинке указана дата изготовления: сентябрь две тысячи восьмого года.

— Мы таких уже не делаем.

— Говорят, коллекционеры высоко ценят эту модель.

— Что ж, сейчас покопаюсь в компьютере. Посмотрим, что найдется, — с готовностью отозвался Джонни.

Воспрянув духом, Босх продиктовал ему серийный номер ножа.

— Да, этот зарегистрирован, — сказал Джонни, пощелкав клавиатурой. — Но его, к несчастью, украли.

— Да вы что? — сказал Босх.

На самом деле он не удивился. Вряд ли серийный насильник станет пользоваться оружием, зарегистрированным на собственное имя, — даже если он конченый нарцисс и уверен, что никогда не попадется и не потеряет нож.

— Да. Через пару лет после покупки, — подтвердил Джонни. — По крайней мере, тогда покупатель сообщил нам о краже.

— Что ж, теперь он у нас, — сказал Босх. — Как только раскроем дело, вернем его владельцу. Имя не подскажете?

Он надеялся, что Джонни не спросит про ордер. Иначе дело застопорится. Тревожить судью по поводу второстепенной улики, да еще на выходных — перспектива не из приятных.

Но Джонни был настроен патриотически.

— Всегда рады помочь армии и полиции, — ответил он.

Босх записал имя и адрес покупателя, указанные в 2010 году: Джонатан Дэнбери, Санта-Кларита. Полчаса от Сан-Фернандо по шоссе 5, если этот Дэнбери никуда не переехал.

Поблагодарив ножевика Джонни за помощь, Босх повесил трубку и сразу же открыл базу транспортных средств. Оказалось, что Джонатан Дэнбери, сообщивший в 2010 году о краже ножа, жил на прежнем месте. Ему было тридцать шесть лет. Ни правонарушений, ни преступлений за ним не числилось.

Дождавшись, когда Лурдес договорит, Босх окликнул ее:

— Белла?

— Что?

— Хочешь прокатиться? Есть зацепка по ножу. Шесть лет назад один парень из Санта-Клариты сообщил, что его нож украли.

Лурдес высунулась из-за перегородки:

— Прокатиться? Застрелиться я хочу, вот что. Все, кому звоню, жалуются на бывших парней. Да на кого угодно, лишь бы устроить людям неприятности с полицией. И еще масса жалоб на принуждение к сексу. И во всем, оказывается, виноват наш Москит. Печально это.

— Звонки не закончатся, пока мы его не поймаем, — сказал Босх.

— Знаю. Думала провести воскресенье с сыном. А теперь придется торчать на работе и всех обзванивать.

— Завтра я тебя подменю. Записки на испанском оставлю до понедельника.

— Что, правда?

— Правда.

— Спасибо. Мы уже знаем, как украли нож?

— Пока нет. Ну что, едем?

— Может, это Москит? — предположила Лурдес. — Сообщил о краже, чтобы не попасть под подозрение?

Пожав плечами, Босх указал на монитор:

— Приводов у него не было. В отчете профайлера сказано, что нужно искать человека с историей. С какой-нибудь мелочью, из которой выросло нечто большее.

— Профайлеры, бывает, ошибаются, — покачала головой Лурдес. — Чур я поведу.

Это была их локальная шутка. Резервисту Босху не полагалось служебного автомобиля. Когда нужно было выехать по полицейским делам, за руль всегда садилась Белла.

На выходе из отдела Лурдес задержалась, чтобы отметить на доске время и пункт назначения — ДСК.

Босх, однако, не потрудился этого сделать.

ГЛАВА 21

Долина Санта-Кларита была обширным спальным районом в расселине между хребтами Сан-Гейбриел и Санта-Сусана к северу от Лос-Анджелеса. Казалось, горы ограждают долину от изъянов мегаполиса. Сюда с самого начала стекался городской люд, который искал жилье подешевле, школы поновее, парки позеленее — ну и чтобы преступников поменьше. Из-за этого же здесь обосновались сотни полицейских, традиционно предпочитавших селиться вдали от места службы. Санта-Кларита считалась самым безопасным районом в округе — здесь почти в каждом квартале жил собственный коп.

Однако, несмотря на этот сдерживающий фактор и горную стену, городские болезни оказались весьма заразны. Они просачивались через горные перевалы, укоренялись в парках и жилых районах. Свидетелем тому был Джонатан Дэнбери, рассказавший Босху и Лурдес, что не успел он оставить машину на подъездной дорожке у собственного дома на Фезерстар-авеню, как из бардачка стащили нож фирмы «Титаниум эдж» стоимостью триста долларов. Обидно. И вдвое обиднее, если учесть, что в доме через дорогу жил помощник шерифа.

Район был неплохой, для людей среднего класса, а то и побогаче. Сразу за домами начинался овраг с ручейком на дне: Хаскелл-Каньон-Уош, естественная дренажная низина. Дэнбери был в футболке, «бермудах» и шлепанцах на босу ногу. Оказалось, он турагент — ведет дела через Интернет и работает на дому, а жена его торгует недвижимостью в районе Согус. Дэнбери вспомнил об украденном ноже, только когда Босх показал ему пластиковый пакет для улик.

— Ого! — удивился Дэнбери. — Я уж и не думал, что он найдется.

— Шесть лет назад вы сообщили о его краже на сайте «Титаниум эдж». В департамент шерифа не заявляли? — спросил Босх.

В Санта-Кларите не было своего полицейского управления. С момента основания этот район находился под присмотром окружного шерифа.

— Я им позвонил, — ответил Дэнбери. — Ко мне зашел Тиллман, помощник шерифа. Он тогда жил по соседству. Принял заявление, и на этом все кончилось.

— Вам никто не перезвонил? — спросил Босх.

— Был звонок от детектива, но энтузиазма в его голосе я не услышал. Он сказал, что нож, скорее всего, стащили местные ребятишки. Я еще подумал, что это чересчур смелая версия. — Чтобы подтвердить свои слова, Дэнбери показал на дом напротив. — Там стояла машина шерифа. А вот здесь, в двадцати футах, — моя. Украсть нож из бардачка? Не слишком ли наглые ребятишки?

— Окно машины было разбито? Сигнализация сработала?

— Не-а. Детектив настаивал, что я не закрыл машину. Вроде как я сам во всем виноват. Но быть такого не могло. Я всегда ее закрываю. Пожалуй, у тех ребятишек было что-то вроде слим-джима — ну, знаете, такая длинная тонкая железка. Вот они и влезли, не разбив стекла.

— То есть вы не знаете, арестовали кого-то или нет?

— Если даже арестовали, передо мной не стали бы отчитываться, уж поверьте.

— Сэр, у вас осталась копия заявления? — спросила Лурдес.

— Где-то была, но это случилось давно, — ответил Дэнбери. — Если и найду, то не сразу. Трое детей, домашний офис, сами понимаете. Вечный бардак. Потому и не приглашаю войти. Не дом, а дурдом! — рассмеялся он.

Босх даже не улыбнулся. Лурдес лишь кивнула.

Дэнбери указал на пакет с ножом:

— Что ж, крови я не вижу. Только прошу, не говорите, что моим ножиком кого-то пырнули.

— Никого не пырнули, — сказал Босх.

— Дело, наверное, серьезное, раз вы приехали в такую даль.

— Да, серьезное. Но у нас нет права о нем распространяться.

Сунув руку во внутренний карман пиджака, Босх что-то поискал, но не нашел. Похлопал по другим карманам и спросил:

— Мистер Дэнбери, сигаретки не найдется?

— Не курю, — ответил Дэнбери. — Извините. — Он показал на нож. — Ну а вы его вернете? Сейчас он, наверное, стоит дороже, чем когда я покупал. Коллекционная вещица.

— Да, я в курсе, — сказал Босх. — Детектив Лурдес даст вам визитку. Свяжитесь с ней через пару-тройку недель. И еще... Можно спросить, зачем вам понадобился такой нож?

— Ну, честно говоря, мой шурин — бывший военный. Собирает всякие армейские штуки. Я вроде как взял нож для самозащиты, но на самом деле хотел произвести впечатление на шурина. Как купил, поначалу держал на тумбочке возле кровати. А потом сообразил, что это глупо. Не дай бог, кто-то из детей порежется. Сунул в бардачок и забыл. А однажды сел в машину и вижу, что бардачок открыт. Полез проверять, а ножа-то и нет.

— Что-нибудь еще пропало? — спросила Лурдес.

— Нет, только нож, — ответил Дэнбери. — Кроме него, в машине не было ничего ценного.

Кивнув, Босх взглянул на дом напротив:

— А помощник шерифа — куда он переехал?

— Не знаю, — сказал Дэнбери. — Мы не очень-то дружили. То ли в Сими-Вэлли, то ли куда еще.

Босх снова кивнул. Других вопросов у него не было. И Дэнбери, похоже, прошел проверку на курильщика. Босх решил, что называется, «хлопнуть дверью» — задать вопрос, провоцирующий гневную реакцию в конце непринужденной беседы.

— Вы не могли бы сказать, где были вчера около полудня? — осведомился он.

Дэнбери с тревогой посмотрел на него и неловко улыбнулся:

— Ребята, вы чего? Меня в чем-то подозревают?

— Это стандартный вопрос, — сказал Босх. — Злоумышленник потерял нож, когда проник в чужое жилище. Это случилось около полудня. Расскажите, где вы были. Сэкономите нам время. Если шеф увидит, что в рапорте нет этой информации, снова отправит к вам.

Отступив назад, Дэнбери положил ладонь на дверную ручку. Еще чуть-чуть, и разговор будет окончен. Дэнбери в сердцах хлопнет дверью.

— Я весь день был здесь, дома, — резко ответил он. — Разве что около одиннадцати возил двоих детей к врачу. Они приболели. Все это легко проверить. Что-нибудь еще?

— Нет, сэр, — сказал Босх. — Спасибо, что уделили нам время.

Лурдес протянула Дэнбери свою визитку и вслед за Босхом спустилась с крыльца. Оба услышали, как дверь громко захлопнулась.

Выехав на шоссе, они остановились у сетевой кафешки, чтобы Босх мог перекусить по пути на юг. Лурдес сказала, что уже позавтракала. Поначалу в салоне автомобиля было тихо. Босху хотелось сперва подумать, а потом уже разговаривать. Свернув на шоссе 5, Лурдес опустила стекла, чтобы выветрились запахи фастфуда. Босх решил, что пора обсудить результаты поездки.

— Ну, что думаешь насчет Дэнбери? — спросил он.

Подняв стекла, Лурдес ответила:

— Не знаю. Думала, он знает, кто стащил нож. Нужно будет поднять рапорт шерифа — убедиться, что они не спустили дело на тормозах.

— Значит, не думаешь, будто он сообщил о краже, чтобы себя обезопасить?

— И через два года стал насиловать женщин в Сан-Фернандо? Это вряд ли, — покачала головой Лурдес.

— Да, изнасилования начались через два года. Но лишь те, о которых нам известно. Судя по вчерашним звонкам, были и другие. Не исключено, что раньше.

— Верно. Но я не вижу Дэнбери в роли Москита. Приводов нет, не курит, не подходит под отчет профайлера. Жена, дети.

— Ты же сама говорила: профайлеры иногда ошибаются, — напомнил Босх. — Он работает из дома. График свободный, а дети на учебе.

— Но не вчера. Его алиби легко проверить в школе и у врача. Гарри, это не он.

Босх кивнул. Он был согласен с Беллой и спорил чисто для галочки, чтобы ничего не упустить.

— Но если задуматься, странно все это, — сказала Лурдес.

— Что именно? — спросил Босх.

— Странно, что нож украли в тихой Санта-Кларите, а потом он оказался в Сан-Фернандо. У белого парня, который насилует латиноамериканок, спрятав лицо под маской.

— Мы уже обсуждали расовый аспект. Может, стоит к нему вернуться? Копнуть поглубже?

— Как, например?

— Постучаться в УПЛА. Там наверняка есть данные по расистам в зонах Мишн-Хиллз и Футхилла — аресты и прочее. Может, всплывут какие-то имена.

— Хорошо, займусь, — согласилась Лурдес.

— В понедельник. Завтра у тебя выходной, — напомнил Босх.

— Хотелось бы, — вздохнула она.

Босх понимал: Лурдес планирует взять на себя общение с УПЛА, чтобы следствие не застопорилось из-за личной неприязни. В некоторых отделах управления к Босху относились весьма враждебно.

— Белла, где ты живешь? — спросил он.

— В Чатсворте, — ответила она. — У нас дом рядом с Уиннетка-авеню.

— Славно.

— Нам нравится. По большому счету все везде одинаково. Разница только в школах. В нашем районе хорошие школы.

Судя по фотографиям, Родриго было года три, а Лурдес уже думала о будущем.

— Моей девятнадцать, — сказал Босх. — Жизнь ее потрепала, но она справилась. Дети — это здорово. Главное, подтолкнуть их в нужном направлении.

Лурдес ничего не ответила. Лишь кивнула, и Босх почувствовал себя круглым дураком. Нет ничего глупее, чем раздавать непрошеные советы.

— Родриго болеет за «Доджерс»? — спросил он.

— Пока маловат. Пусть сперва подрастет, — ответила Лурдес.

— Выходит, это ты болельщица. Припоминаю твои слова: Беатрис замахнулась шваброй, как Адриан Гонсалес.

Гонсалес был любимцем фанатов «Доджерс». Особенно латиносов.

— Угу, Гонзо классный. Мы любим сходить на Чавес-Рэвин[1] посмотреть игру.

Кивнув, Босх вернул разговор в рабочее русло:

— Те утренние звонки... Совсем без толку?

— Совсем. Ты был прав. Вряд ли что-то проклюнется. Теперь Москиту известно, что мы за него взялись, и он не будет сидеть на месте.

— Со своей половиной я даже не начинал. Может, повезет.

Вернувшись в участок, Босх наконец взялся за телефон. Следующие шесть часов он прорабатывал свою стопку сообщений и тоже не узнал ничего интересного. Разве что еще раз убедился, как низко способен пасть человек, едва представится возможность. Полиция искала серийного насильника, который, по словам профайлера, готов был переродиться в убийцу, а горожане пользовались этой ситуацией, чтобы свести старые счеты или подгадить своим недругам.

---

[1] *Чавес-Рэвин* — каньон рядом со стадионом «Доджер», домашней ареной клуба «Доджерс».

ГЛАВА 22

Воскресное утро ничем не отличалось от субботнего. В участке Босха дожидалась новая пачка сообщений. Он просмотрел ее у себя в секции, собрал записки на испанском в отдельную стопку и положил ее на стол Лурдес: подождут до понедельника. После этого занялся сообщениями на английском — или перезванивал, или сразу отправлял листок в мусорную корзину. К полудню стопка закончилась. За все это время Босх сумел найти лишь одну потенциальную зацепку.

Звонила женщина. Похоже, с сотового: номер был помечен как скрытый. Женщина, пожелавшая остаться неизвестной, видела, как в пятницу вскоре после полудня мужчина в маске бежал по Седьмой улице в сторону Маклей-стрит. Она сказала диспетчеру, что в тот момент ехала на восток по другой полосе дороги, а мужчина бежал на запад. Остановился, подергал дверцы трех автомобилей, припаркованных на Седьмой. Все они оказались заперты, и мужчина побежал дальше к Маклей-стрит. Женщина добавила, что проехала мимо и потеряла человека в маске из виду.

Босх был заинтригован: Москит пытался напасть на Беатрис Саагун примерно в это же время и всего лишь в нескольких кварталах от места, где был замечен подозрительный мужчина в черной маске с красно-зеленым рисунком. Когда Саагун описывала человека, который собрался ее изнасиловать, она говорила о маске такого же цвета, и этой подробности не было в новостях.

Босх не мог понять, почему подозреваемый не снял маски, когда выскочил из дома. Бегущий человек в маске неминуемо привлечет больше внимания, чем просто бегущий человек. Может, он был не в себе после удара шваброй по физиономии? Или же в том районе его знают, и преступник не хотел показывать своего лица?

Женщина не сказала, был ли тот человек в перчатках. Босх предположил, что если уж он не снял маски, то и перчаток снимать не стал.

Встав из-за стола, Гарри принялся расхаживать по клетушке сыскного отдела, размышляя, что бы все это значило. Если верить рассказу безымянной женщины, Москит пытался найти незапертый автомобиль, чтобы угнать его и скрыться. Следовательно, его собственной машины рядом не было. Или же была, но преступник по некой причине не рискнул к ней подойти. Эта подробность показалась Босху наиболее интересной. Все свои прошлые нападения Москит планировал, и весьма тщательно. А бегство с места преступления — ключевой пункт любого плана. Что случилось с его машиной? Может, у Москита был сообщник? Увидел, что все пошло наперекосяк, ударился в панику и пустился наутек? Или же у преступника была иная причина для бегства на своих двоих?

Второй вопрос — маска. По словам женщины, преступник бежал в сторону Маклей-стрит, торговой улицы с магазинчиками и семейными ресторанами. В пятницу днем на Маклей полно автомобилистов и пешеходов. Человек в маске мексиканского рестлера неминуемо привлек бы всеобщее внимание. Однако других сообщений о бегущем мужчине в полицию не поступало. Босх решил, что Москит, оказавшись на перекрестке, сорвал маску с лица. А потом или свернул на Маклей-стрит, или побежал прямо.

Гарри понимал, что ходьба из угла в угол не лучший способ искать ответы на подобные вопросы. Вернувшись к себе в секцию, он взял со стола ключи и темные очки.

На выходе он едва не столкнулся с капитаном Тревино. Тот стоял в коридоре.

— Здрасте, кэп.

— Гарри, куда собрался?

— На обед, — не останавливаясь, бросил Босх.

Да, заодно он пообедает, но делиться своими мыслями с капитаном желания у него не было. Если анонимная наводка превратится в реальную зацепку для следствия — дело другое. Тогда Гарри расскажет начальству, что к чему. Он ускорил шаг, чтобы выскользнуть в боковую дверь, пока Тревино не проверил доску. Босх снова на ней не отметился — ни на входе, ни на выходе.

Через три минуты он приехал на перекресток Седьмой и Маклей. Припарковал арендованный «чероки», вышел на тротуар и посмотрел по сторонам. Здесь жилой район пересекался с коммерческим. На Маклей-стрит располагались мелкие компании, магазины и ресторанчики. На Седьмой улице стояли обнесенные заборами односемейки. Босх, однако, знал, что в таких домах зачастую живет несколько семей, — и это не считая гаражей, незаконно переоборудованных под жилплощадь.

На углу он увидел мусорный бак. Допустим, выбежав на Маклей-стрит, Москит снял маску и перчатки. Неужели он сунул их в карман или побежал дальше, держа их в руках? Может, выбросил? Известно было, что он не впервые пользовался маской. Было бы разумно избавиться от нее, оказавшись на оживленной улице.

Босх подошел к мусорному баку. Заглянул под крышку. С того момента, как Москит пытался напасть на Беатрис Саагун, прошло чуть больше сорока восьми часов. Босх решил, что городская служба еще не вывозила мусор, и оказался прав. В эти выходные на Маклей царило оживление, и бак оказался полон. Босх достал из кармана латексные перчатки, снял куртку и повесил ее на спинку лавочки на автобусной остановке. Надел перчатки и, засучив рукава, приступил к работе.

Работа была мерзопакостная. В баке по большей части были тухлые объедки вперемешку с использованными подгузниками и свежей блевотиной. Чтобы докопаться до дна, Босх потратил не меньше десяти минут. Ни маски, ни перчаток он не обнаружил.

Не утратив мужества, Босх прошагал по Маклей двадцать ярдов, остановился у следующего бака и вновь занялся раскопками. Он был без куртки, на ремне его сверкал полицейский жетон. Должно быть, поэтому прохожие и владельцы магазинов не задавали ему никаких вопросов. Копаясь во втором баке, он привлек внимание семьи, обедавшей в такерии — та была в десяти футах от Босха, а их столик располагался у самого окна. Гарри постарался встать так, чтобы из такерии не было видно, чем он занимается. Во втором баке был все тот же полусгнивший мусор. Разворошив его, Босх наконец-то нашел золотую жилу. Перед ним была черная кожаная маска с красно-зеленым узором.

Выпрямившись, он сорвал перчатки и бросил их на землю. Достал телефон и сделал несколько фотографий маски, не вынимая ее из бака. Заручившись документальным подтверждением своей находки, он позвонил в диспетчерскую УПСФ и сообщил, что ему нужна группа криминалистов из управления шерифа, чтобы забрать маску из мусорного контейнера.

— А сами не можете? — спросил дежурный.

— Нет, сам не могу, — ответил Босх. — На внутренней стороне маски — а возможно, что и на внешней, — остался генетический материал. Нужно прикрыться со всех сторон, чтобы адвокат не заявил присяжным, будто я действовал не по правилам и все запорол. Понял?

— Понял, понял. Просто любопытно. Скажу капитану. Как только даст отмашку, буду звонить шерифу. Так что дело небыстрое.

— Я подожду.

Небыстрое дело заняло три часа. Босх терпеливо ждал. Часть этого времени он провел за разговором с Лурдес — та позвонила ему, как только получила фотографию маски. Находка и впрямь была золотая. Теперь у полиции появилась еще одна улика против Москита. Босх с Беллой были уверены, что генетический материал на маске свяжет ее с насильником. И маска, и анализы спермы преступника — первоклассные улики, но только в том случае, если полиция найдет подозреваемого. Босх добавил, что с этой находкой у него связаны большие надежды: надевая и поправляя маску, насильник мог оставить на кожаной поверхности свои отпечатки, а это принципиально новая улика. ДНК Москита не было ни в одной базе, но весьма вероятно, что у него снимали отпечатки пальцев. В Калифорнии, к примеру, не дают водительских прав без оттиска большого пальца. Если такой обнаружится на маске, дело закрутится с новой скоростью. В УПЛА Босх, бывало, раскрывал преступления благодаря отпечаткам на кожаных куртках и ботинках. Поэтому он точно знал: возможно, у полиции появится реальный шанс взять Москита.

— Молодец, Гарри, — похвалила Лурдес. — Даже жалко, что сегодня у меня выходной.

— А ты не жалей, — сказал Босх. — Мы ведем это дело вместе. Мои находки — твои находки. И наоборот.

— Что ж, такая позиция придется капитану по душе.

— Ради того и вкалываем.

Босх нажал кнопку отбоя, не дождавшись, пока Лурдес отсмеется.

Он стоял в карауле, время от времени отгоняя прохожих, когда те намеревались воспользоваться мусорным баком по назначению. Оплошал он лишь однажды: вспомнил, что оставил куртку на автобусной остановке, и сбегал на перекресток, чтобы ее забрать. На обратном пути Босх увидел, как женщина с коляской бросает что-то в мусорный бак. Женщина возникла из ниоткуда, и Гарри не успел ничего сделать. Он заглянул в контейнер, ожидая увидеть очередной грязный подгузник, но вместо него обнаружил недоеденный рожок мороженого. Тот, как водится, упал прямо на маску.

Матерясь себе под нос, Босх снова надел латексные перчатки и соскреб с маски липкую шоколадную массу. В процессе он заметил под маской перчатку — такую же, что были у него на руках. Босху полегчало, но ненамного.

Когда на место явились два криминалиста из управления шерифа, было почти четыре часа дня. Похоже, перспектива провести остаток воскресенья за копанием в мусорном баке не вызвала у них особенного восторга. Босх же был неумолим. Он велел криминалистам сфотографировать, описать и упаковать улику самым надлежащим образом. Процесс занял два часа. Бак опустошили, выложив все содержимое на целлофановую пленку. Каждый предмет внимательно изучали, после чего перекладывали на вторую пленку, разостланную рядом с первой.

Наконец маска и обе перчатки были оформлены надлежащим образом и отправились в лабораторию шерифа для всестороннего анализа. Босх просил сделать все побыстрее, но один из криминалистов — наверное, старший в паре — лишь улыбнулся и кивнул, словно перед ним был наивный ребенок, считающий, что все кругом ему обязаны.

В семь вечера Босх вернулся в сыскной отдел. Тревино не было на месте. Дверь его кабинета была закрыта, и в окошке не горел свет. Босх сел за стол и составил рапорт о том, как после анонимного звонка обнаружил в мусорном баке маску и перчатки, после чего отправил на принтер две копии — одну для себя, другую для капитана.

Забрав бумаги, он вернулся к себе в секцию и заполнил форму запроса лабораторных исследований. Ее он собирался отправить в лабораторию шерифа в Университете штата Калифорния, чтобы удвоить шансы на срочный анализ маски и перчаток. Время было самое подходящее. По понедельникам курьер лаборатории заезжал в УПСФ — привозил старые вещдоки и забирал новые. К вечеру запрос Босха окажется в лаборатории, даже если криминалисты не передадут его просьбу на словах. В своей петиции Босх просил проанализировать поверхность маски — и наружную, и внутреннюю — на предмет отпечатков, волосков и другого генетического материала, а потом проделать то же самое с перчатками. Он подчеркнул, что дело нельзя откладывать в долгий ящик, ибо улики эти оставлены серийным насильником, и для верности добавил: «Злоумышленник будет терроризировать женщин, пока мы его не остановим. Прошу провести анализ как можно быстрее».

На этот раз Босх распечатал три экземпляра: один для себя, другой для Тревино, третий для курьера. Отнес копию запроса на склад улик и решил, что пора домой: он честно отпахал с утра до вечера и нашел превосходную улику. Но тут же передумал, вернулся к себе в секцию и еще какое-то время корпел над делом Вэнса. Судя по надписи на доске, Тревино давно уже ушел. Можно было не волноваться, что он явится в самый неподходящий момент.

Босха заинтриговал рассказ Хэлли Льюиса о Сан-Диего и связи Доминика Сантанелло с движением «Чикано-прайд». Важнее всего было найти тот парк под эстакадой. Покопавшись в Гугл-картах, Босх довольно быстро обнаружил несколько фотографий местечка под названием Чикано-парк. Оно располагалось под шоссе 5, рядом с мостом через залив Сан-Диего, ведущим к острову Коронадо.

Все бетонные столбы эстакады и опоры моста были разрисованы десятками фресок религиозного и промексиканского толка, а также портретами лидеров «Чикано-прайд». Один из рисунков был посвящен основанию парка в апреле 1970 года. В то время Сантанелло был во Вьетнаме. Значит, он познакомился с женщиной, которую Льюис называл Габриелой, еще до того, как городские власти официально разрешили открыть Чикано-парк.

Под рисунком были перечислены имена художников, приложивших руку к оформлению парка. Список был длинный, краска выцвела. Нижние строчки скрывались за клумбой с циннииями — та венком окружала опору моста. Имени «Габриела» Босх не увидел. Не исключено, что оно значилось в строке, которую Гарри не сумел разобрать.

Закрыв вкладку с фотографией, он провел следующие двадцать минут за поиском снимка, сделанного под другим углом, — желательно раннего, когда надписи еще не исчезли за циннииями. Ничего не нашел и расстроился. Нет никаких гарантий, что на фреске упоминается имя Габриелы. Но Босх уже решил, что съездит в этот парк, рассмотрит рисунок с именами, а потом отправится в Сан-Диего искать свидетельство о рождении, датированное 1970 годом. Свидетельство, выданное дочери Доминика Сантанелло.

Пообедав, а заодно и поужинав в «Артс деликатессен», что в Студио-Сити, Босх поздно вечером приехал на Вудро-Вильсон-драйв. Как обычно, оставил машину за поворотом и пошел к дому пешком. Достал из ящика почту за всю неделю — множество конвертов и картонную коробочку — и вошел в дом.

Решив, что письма могут подождать, Босх бросил конверты на стол и открыл коробочку. В ней был детектор джи-пи-эс-маячков с глушилкой.

Сняв куртку, Босх взял из холодильника бутылку пива и сел в кресло-трансформер перед телевизором. В иной день он включил бы музыку, но сейчас хотел посмотреть, не муссируют ли в новостях историю про Москита.

На пятой кнопке был местный независимый канал, освещавший события за пределами Голливуда. В пятницу Босх видел возле участка фургон с цифрой 5 на двери. Стало быть, репортеры канала присутствовали на пресс-конференции.

Новостной выпуск был в самом разгаре. Босх стал читать инструкцию к джи-пи-эс-устройству, краем уха слушая, что говорят по телевизору.

Он уже почти разобрался, как найти маячок и заглушить сигнал, когда внимание его привлек монотонный бубнеж диктора:

— ...Вэнс стоял у истоков стелс-технологий...

Подняв глаза, Босх увидел на экране фото Уитни Вэнса, но не в нынешней ипостаси, а гораздо моложе.

Затем фото исчезло, и диктор перешел к следующему сюжету.

Босх встревоженно сдвинулся на краешек кресла. Схватил пульт, переключил телевизор на канал 9, но там про Вэнса не было ни слова. Босх встал, подошел к ноутбуку на обеденном столе, открыл сайт «Лос-Анджелес таймс» и увидел заголовок:

МОЛНИЯ! СКОНЧАЛСЯ МИЛЛИАРДЕР УИТНИ ВЭНС — СТАЛЬНОЙ МАГНАТ, ОСТАВИВШИЙ СВОЙ СЛЕД В АВИАЦИИ

Статья оказалась короткой, ибо расписывать было нечего. В ней говорилось, что на сайте «Авиэйшн уик» опубликовали сообщение о том, что Уитни Вэнс умер после непродолжительной болезни. Ни имен, ни подробностей. Лишь пара строк: Вэнс тихо скончался в своем пасаденском имении.

— Проклятье! — прорычал Босх, захлопнув ноутбук.

Подтверждения в заметке не было: «Таймс» лишь давала ссылку на сообщение, опубликованное на «Авиэйшн уик». Задумавшись, как быть дальше, Босх вскочил и прошелся по комнате. Почему-то ему не верилось, что Вэнс тихо скончался у себя дома. Его кольнуло чувство вины.

Проходя мимо обеденного стола, он заметил визитку Вэнса. Достал телефон, набрал номер. На сей раз на звонок ответили.

— Алло?

Голос этот не был голосом Уитни Вэнса, поэтому Босх промолчал.

— Мистер Босх?

Помедлив, Босх спросил:

— С кем я говорю?

— Это Слоун.

— Он и правда умер?

— Да, мистер Вэнс перешел в лучший мир. В ваших услугах больше нет необходимости. Прощайте, мистер Босх.

— Что, сволочи, приморили старика?!

Не успел он договорить, как Слоун повесил трубку. Босх собирался нажать кнопку повторного набора, но понял, что на звонок никто не ответит. Вскоре этот номер будет отключен, и связь Босха с империей Вэнса оборвется окончательно.

— Проклятье! — повторил он.

Пустой дом отозвался эхом.

ГЛАВА 23

Полночи Босх не спал: смотрел то «Си-эн-эн», то «Фокс-ньюс». Время от времени заходил на сайт «Таймс», не видел ничего нового и закрывал браузер. Суточный цикл новостей как будто отменили: нигде не говорилось ни о причине, ни о других обстоятельствах смерти Вэнса. Никаких подробностей не было, разве что по телевизору время от времени показывали старые фотографии и крутили видеоролики с Вэнсом. Короче говоря, событие это освещалось весьма скудно. Часа в два ночи по «Си-эн-эн» пустили интервью Вэнса в передаче Ларри Кинга, приуроченное к выходу книги. Босх посмотрел запись с интересом, отметив, что в те времена Вэнс был человеком энергичным и весьма обаятельным.

Через какое-то время Босх уснул прямо в кожаном кресле перед телевизором, рядом со столиком, на котором стояли четыре пустые бутылки. Когда он проснулся, телевизор все еще был включен. Открыв глаза, Босх увидел на экране фургон коронера: тот выехал из ворот поместья Вэнса и свернул на Сан-Рафаэль. Затем оператор нацелил камеру на черные металлические ворота. Те закрывались.

Временно́й метки на экране не было, но запись сделали в темное время суток. Вэнс, разумеется, был особо важной персоной, а посему коронерская служба забрала тело лишь ночью, после тщательного расследования обстоятельств смерти. Должно быть, на месте присутствовали детективы из Управления полиции Пасадены.

В Лос-Анджелесе было семь утра, а это значило, что СМИ Западного побережья уже знали о смерти Вэнса все, что только можно. По «Си-эн-эн» показали финансового аналитика — тот говорил, что Вэнс владел контрольным пакетом акций компании, основанной его отцом, и строил предположения о том, что будет после его смерти. Он заявил, что о наследниках Вэнса «ничего не известно» и имущество покойного будет распределено в соответствии с завещанием. И добавил, что душеприказчик Вэнса — некий Сесил Доббс, адвокат из Сенчури-Сити, — пока что не выходил на связь, поскольку в Лос-Анджелесе раннее утро.

Нужно было вставать и ехать в Сан-Фернандо, проверять новые сообщения по Москиту. Босх осторожно встал, чувствуя, как вся его спина выражает решительный протест против ночевок в кресле, и ушел в спальню, чтобы принять душ и привести себя в порядок перед рабочим днем.

После душа он почувствовал прилив бодрости, хоть и знал, что это ненадолго. Оделся и понял, что страшно голоден.

На кухне он сварил полкофейника кофе, после чего принялся шарить по полкам в поисках чего-нибудь съестного. Когда дочь уехала на учебу, Босх перестал следить за запасами продуктов. Ему удалось найти лишь упаковку вафель «Эгго». Та лежала в морозилке и была почти пуста: в отряде осталось лишь двое бойцов, и на обоих заметны были следы глубокого обморожения. Босх сунул их в тостер и решил надеяться на лучшее. Еще раз прошелся по шкафчикам, заглянул в холодильник, но не нашел ни сиропа, ни масла, ни даже арахисовой пасты.

Выходит, ему предстояло сражаться с вафлями в одиночку.

Он налил кофе в чашку, оставшуюся со времен его работы в убойном отделе УПЛА. На ней была надпись: «Когда ваш день закончился, наш только начинается». Вафли без сиропа или других добавок оказались вполне транспортабельны. Босх унес их в гостиную и съел за разбором вчерашней почты. Дело нехитрое: в четырех из каждых пяти конвертов была реклама, и Босх даже не стал их открывать. Такие письма он складывал в стопку слева от себя, а остальные, заслуживающие внимания, отправлялись направо. Среди них были конверты, адресованные соседям и по ошибке угодившие в его почтовый ящик.

Наконец он взял в руки пухлый желтый конверт формата А5. Внутри было что-то тяжелое. Адрес Босха был нацарапан дрожащей рукой, а обратного адреса не было. На письме стоял штамп почтового отделения Южной Пасадены. Открыв конверт, Босх вытряхнул на стол золотую ручку и тут же узнал ее, хотя на этот раз она была закрыта колпачком. Это была ручка Уитни Вэнса. Кроме нее, в конверте было два отдельно сложенных листка писчей бумаги, судя по светло-желтому цвету — высочайшего качества. На первом было письмо, написанное Уитни Вэнсом от руки и адресованное Босху. Внизу шел печатный колонтитул с именем Вэнса и адресом на Сан-Рафаэль-авеню.

Письмо было датировано прошлой средой. Стало быть, Вэнс написал его на следующий день после встречи с Босхом.

Детектив Босх!

Если Вы читаете эти строки, моя верная Ида сумела доставить Вам этот конверт. Я доверяю ей уже много десятилетий. Теперь же я доверяю и Вам.

Познакомиться с Вами было весьма приятно. Вы достойный человек, способный сделать верный выбор под давлением любых обстоятельств, и я полагаюсь на Вашу честность. Что бы со мной ни случилось, я хочу, чтобы Вы продолжали поиски. Если на свете существует мой наследник, я хочу, чтобы ему досталось все, что принадлежит мне. Найдите этого человека. Верю, что Вам это по плечу. Старику важно знать, что в конце пути он исполнил свой долг.

Берегите себя. Будьте бдительны и настойчивы.

Уитни П. Вэнс
5 октября 2016 г.

Дважды перечитав письмо, Босх развернул второй листок. Текст на нем был написан все тем же неровным, но разборчивым почерком.

Завещание и последняя воля Уитни Вэнса
5 октября 2016 г.

Я, Уитни Вэнс, проживающий в городе Пасадена, округе Лос-Анджелес, штате Калифорния, пишу это Завещание собственной рукой, чтобы распорядиться имуществом, оставшимся после моей смерти. В момент написания данного Завещания я нахожусь в здравом уме, твердой памяти и ясном сознании, действую добровольно и понимаю значение собственных действий. Я не женат. Данным Завещанием я аннулирую все предшествующие Завещания и Добавления к ним, объявляя их недействительными и не имеющими законной силы.

В настоящее время мною нанят частный детектив Иероним Босх. Ему поручено выявить и найти моего потомка и наследника, зачатого весной 1950 года мною и Вибианой Дуарте и рожденного последней в должный срок. Мистер Босх обязан представить все необходимые генеалогические и научные доказательства родства, по-

сле чего наследник вступит в право владения моим имуществом.

Назначаю Иеронима Босха моим единственным душеприказчиком и исполнителем данного Завещания без каких-либо обязательств или дополнительных условий. Также мистер Босх погасит все мои долги, оставив себе разумную компенсацию за свои услуги.

Иде Таунс Форсайт, моей секретарше, подруге и наперснице в течение последних 35 лет, я завещаю, передаю и отписываю $ 10 000 000.00 (десять миллионов долларов США) вкупе с благодарностью за дружеские советы и верную службу.

Моему отпрыску, потомку и наследнику, последнему из рода Вэнс, я завещаю, передаю и отписываю в безусловное владение все остальное свое имущество, целиком и полностью, во всем его многообразии, включая банковские счета, акции, облигации, деловые предприятия, дома и прочую недвижимость, а также все мои личные вещи и движимое имущество. В отдельном порядке я завещаю моему наследнику золотую ручку, коей написано данное Завещание. Ручка эта была сделана из золота, добытого моими предками, и передавалась из поколения в поколение — с назиданием хранить ее и передать своим потомкам.

Данное Завещание написано и подписано моей собственной рукой.

Уитни П. Вэнс
5 октября 2016 г.,
11:30 по тихоокеанскому времени

Сказать, что Босх был ошарашен, значит ничего не сказать. Он перечитал текст, но изумление его не уменьшилось. В руках у него был документ стоимостью в миллиарды долларов. Этот листок способен был изменить курс развития огромной корпорации и целой промышленной отрасли, не говоря уже о судьбе ничего не подозревающей женщины, рожденной сорок шесть лет назад. Женщины, которая даже не помнила своего отца.

Конечно, если она еще жива. И если Босх сумеет ее найти.

Перечитав письмо в третий раз, он почувствовал, что слова Вэнса задели его за живое. Да, Босх будет настойчив и бдителен.

Сложив оба документа, он убрал их назад в конверт. Повертел в пальцах тяжелую ручку и отправил ее туда же. Босх понимал, что однажды ему предстоит доказать подлинность завещания. Он и без того усложнил ситуацию, когда вскрыл конверт и ознакомился с его содержимым. Босх отнес письмо на кухню, где спрятал его в большой пластиковый зип-пакет.

Теперь нужно было обеспечить сохранность завещания. Ясно, что многим захочется уничтожить этот документ. После смерти Говарда Хьюза, к примеру, всплыло сразу несколько завещаний. Босх не помнил, какое из них признали истинным, но претендентов на его состояние оказалось немало. Так же, пожалуй, будет и в случае с Вэнсом. Нужно было сделать копии документов, а оригиналы и конверт отвезти в банк и спрятать в депозитной ячейке.

Вернувшись в гостиную, Босх выключил телевизор, чтобы тот не мешал звонку, после чего нажал кнопку быстрого набора, привязанную к номеру Микки Холлера. Единокровный брат Босха ответил после первого гудка:

— Что стряслось, брателло?

— Скажи, я могу обращаться к тебе как к своему адвокату?

— Чего? А, ну да. Конечно можешь. Опять что-то натворил?

— Ха-ха! Сейчас ты сильно удивишься. Если стоишь, присядь.

— Уже сижу. На заднем сиденье «линкольна». Еду в гости к подружке Кларе Фольц.

Холлер имел в виду, что направляется в суд Даунтауна. Официально тот назывался Центром уголовного правосудия имени Клары Шортридж Фольц.

— Ты в курсе, что умер Уитни Вэнс? — спросил Босх.

— Ага, слышал что-то по радио, — ответил Холлер. — Ну да, миллиардер сыграл в ящик. Мне-то какое дело?

— У меня в руках его завещание. Вэнс прислал его на мой домашний адрес. Здесь говорится, что я его душеприказчик. И я понятия не имею, что мне с этим делать.

— Братик, ты прикалываешься?

— Нет, брат. Не прикалываюсь.

— Ты где сейчас?

— Дома.

— Секундочку.

Гарри услышал, как Холлер велел водителю свернуть в сторону Кауэнга-Пэсс, к дому Босха, после чего спросил:

— И с какого перепуга он прислал тебе завещание?

Босх вкратце рассказал ему про дело Вэнса и добавил, что именно по этой причине искал частную лабораторию для анализа ДНК.

— Ну ладно. Кто еще об этом знает? — спросил Холлер.

— Никто, — ответил Босх. — Хотя точно сказать не могу. Конверт принесли с почтой. Еще там записка. В ней сказано, что письмо должна была отправить секретарша Вэнса. Может, она и знала, что в конверте. Кстати, по завещанию ей полагается десять миллионов.

— Ну, это весомая причина устроить так, чтобы письмо пришло по адресу. Говоришь, принесли с почтой? Заказное? Ты за него расписывался?

— Нет, его бросили в почтовый ящик вместе с рекламой.

— Рискованно. Но пожалуй, это лучший способ доставить его и не засветиться. Отдать секретарше, чтобы отнесла на почту. В общем, слушай. Сегодня моему клиенту предъявляют обвинение, и я должен присутствовать. Но найду себе замену. А ты сиди и не дергайся. Скоро приеду.

— Помню, у тебя в машине был копировальный аппарат. Он все еще на месте?

— А как же.

— Отлично. Нужно будет сделать копии.

— Однозначно.

— Ты хоть в курсе, как работать с завещаниями, Мик?

— Брат, ты же меня знаешь. Дай мне дело — без разницы какое, — и я разберусь. Если чего-то не знаю, спрошу у того, кто знает. В общем, жди. Буду через полчаса, а то и раньше.

Завершив звонок, Босх задумался, стоило ли подключать к делу адвоката на «линкольне». Может, он только что сделал большую ошибку? Однако в глубине души Гарри был уверен: даже если Холлеру не хватает опыта в работе с завещаниями, смекалки ему не занимать. К тому же он разбирался в юридических тонкостях как никто другой. Босх видел его за работой и понимал, что в университете такому не научишься. Да, у него были глубокие пробелы в знаниях, но Холлер всякий раз умудрялся их заполнить. Подобно Давиду, он раз за разом побеждал Голиафа, в чьей роли выступал то всемогущий государственный аппарат, то корпорация стоимостью в миллиард долларов. К тому же Босх доверял Холлеру и не сомневался, что в случае чего брат его прикроет. Он все острее чувствовал, что события вот-вот примут крутой оборот, и поддержка со стороны Холлера будет, пожалуй, самым ценным его активом.

Взглянув на часы, он увидел, что уже девять. Должно быть, Белла Лурдес уже в участке. Гарри позвонил ей, но она не ответила — наверное, уже начала разбирать стопку записок на столе и разговаривала с кем-то по городской линии. Босх начал набирать эсэмэску с просьбой перезвонить, но увидел на экране значок входящего вызова: Лурдес его опередила.

— Доброе утро, — сказал Босх.

— Доброе утро, — ответила Лурдес. — Ты где?

— Все еще дома. Сегодня тебе придется поработать в одиночку.

Белла со стоном поинтересовалась почему.

— Я веду одно частное дело, и в нем появились новые подробности, — объяснил Босх. — Отложить не получится.

— Ты про те свидетельства о рождении? — спросила она.

— Откуда... — Он вспомнил, что Лурдес видела пачку распечаток на столе. — Ладно, проехали. Главное, никому ни слова. Через пару дней объявлюсь.

— Через пару дней?! — воскликнула Лурдес. — Гарри, ты же помнишь пословицу: «Куй железо, пока горячо»? Москит засветился впервые за восемь месяцев. У нас есть маска. Лед тронулся, и без тебя здесь как без рук.

— Знаю, знаю. Но поделать ничего не могу. Нужно съездить в Сан-Диего.

— Гарри, ты смерти моей хочешь. Что у тебя за расследование?

— Пока не могу сказать. Как только смогу, скажу.

— Бальзам на душу. Ну да, конечно, дело неотложное. Не то что Москит, который бегает по городу и насилует юных мексиканок.

— Ничего подобного. К тому же мы оба знаем, что Москит сейчас нигде не бегает. Он затаился, чтобы не привлекать внимания. А может, уже свалил из Сан-Фернандо. Если так, нам все равно ничего не светит.

— Ну ладно, скажу кэпу. Он, наверное, порадуется. Ему совсем не нужно, чтобы дело раскрыл ты.

— Вот и умница.

— Нет, это ты у нас умница. Взял и все бросил.

— Ничего я не бросил. Скоро закончу со своими делами. Только и осталось что одна поездка. Кстати, сегодня я хотел кое-что сделать. Но вместо меня это сделаешь ты.

— Поясни.

— Та женщина, что звонила по поводу парня в маске, сказала, что по пути он проверял дверцы автомобилей.

— И?..

— И это значит, что-то у него пошло не так.

— Конечно. Беатрис врезала ему шваброй по роже.

— Что-то еще. Он лишился своей тачки.

— То есть ты думаешь, что он приехал на место с водителем? Подозреваемых двое или больше? Разные маски, разные насильники, но действуют сообща — ты об этом?

— Нет. Образцы ДНК оставил один человек.

— Точно, я и забыла. Значит, ты считаешь, что насильника поджидал водитель?

— Я думал на эту тему, но такая версия мне не нравится. Серийные насильники, как правило, действуют в одиночку. Бывают исключения, но крайне редко. Если смотреть в процентном соотношении, число таких случаев стремится к нулю.

— Поняла. И что с того?

— Тебе нужно еще раз обыскать дом Беатрис. В участке есть металлоискатель?

— Металлоискатель? Зачем?

— Чтобы проверить задний двор. То место, куда выпрыгнул Москит. Не исключено, что он потерял ключи от машины. Под окном виноградные лозы, а под ними — густая трава.

— Да, я видела.

— Москит был в панике. Оглушенный. Выронил нож, выпрыгнул в окно, упал на землю. Ключи могли выпасть из кармана. И что ему делать? Не шарить же по кустам. Ему нужно было уматывать, да побыстрее. Вот он и убежал.

— Если ты и прав, то с большой натяжкой.

— Может, и так. Но у Москита всегда есть план. И вдруг он бежит по улице и проверяет дверцы автомобилей. Видимо, хочет угнать машину.

— Похоже на то, — согласилась Лурдес.

— В любом случае чем тебе еще заниматься? Весь день сидеть на телефоне?

— Гарри, я помню, что ты всегда был против этой идеи с горячей линией. Но спору нет, мысль интересная. В департаменте общественных работ, по-моему, был металлоискатель. Чтобы искать трубы, кабели и всякое такое. Мы его как-то одалживали. Нашли пистолет. Стрелок сунул его в целлофановый пакет и прикопал во дворе. В итоге сел за ограбление и убийство. Если Доквейлер на месте, он не откажет. При условии, что у него хорошее настроение.

— Значит, бери в руки металлоискатель и обшаривай землю под окном.

— Его не берут в руки, — усмехнулась Лурдес. — Он на колесиках, как газонокосилка.

— Тогда захвати с собой Систо. Пусть вернет себе доброе имя.

— А он чем тебе не угодил?

— Видишь ли, он работает спустя рукава. Ему поручили охранять место преступления, а он вместо этого игрался с телефоном. Типа не мое дело, гори оно синим пламенем. И с обыском он не особенно напрягался. Но это между нами. Хорошо хоть не порезался, когда нашел нож.

— Ну не нам его судить.

— Знаешь, что мы говорили про таких парней в старые времена? Дай ему расческу, в собственных усах вшей не найдет.

— Хватит на него наезжать!

— Ну, я видел все своими глазами. Хорошо, что работаю не с ним, а с тобой.

Лурдес молчала. Босх знал, что она улыбается.

— Думаю, где-то в твоих словах скрыт комплимент, — наконец сказала она. — От великого сыщика Гарри Босха. Ладно, задача ясна. Буду держать тебя в курсе.

— И помни, если что-нибудь найдешь, с тебя пиво. Спроси у Систо, не было ли в пятницу угонов во второй зоне, неподалеку от Маклей-стрит. Может, Москит нашел там незапертую машину.

— У тебя сегодня идей хоть отбавляй.

— Точно, — сказал Босх. — Потому-то я и заколачиваю такие бабки.

— И только благодаря звонку на горячую линию. А кто-то, помню, клялся и божился, что это пустая трата времени.

— Ну что тут сказать — признаю, был не прав.

— А я тебе говорила.

— Ладно, Белла, мне пора. Береги себя.

— И ты тоже. Каким бы суперсекретным делом ни занимался.

— Вас понял.

И они завершили разговор.

ГЛАВА 24

Босх, надев перчатки, разложил листки на столе в гостиной. Пока Холлер читал письмо и завещание, Гарри сидел за компьютером, пытаясь получить доступ к списку родившихся в округе Сан-Диего в 1970 году. После смерти Уитни Вэнса правила игры изменились. Босх чувствовал, что нужно поскорее найти наследника, вернее, наследницу, дочь Доминика Сантанелло, и подтвердить ее родство с Вэнсом через анализ ДНК.

К несчастью, в общедоступной базе Бюро статистики и актов гражданского состояния были записи лишь за последние двадцать четыре года. Как и в случае с Домиником Сантанелло, придется вручную смотреть микропленки, чтобы найти нужное свидетельство о рождении. Когда Босх записывал адрес — офис бюро располагался на Роузкранс-стрит, — Холлер сделал первые выводы насчет обоих документов.

— Не подкопаешься, — сказал он.

Взглянув на него, Босх спросил:

— К чему?

— Черт возьми, да ни к чему, — ответил Холлер. — Перед нами собственноручно составленное завещание. То есть написанное от руки. По дороге я все выяснил.

В Калифорнии такие завещания имеют юридическую силу. Конечно, после надлежащей проверки.

— Думаю, Вэнс об этом знал.

— О да, он много о чем знал. Потому-то и положил в конверт ручку, а вовсе не из-за той белиберды, что написана в завещании. Он прислал тебе эту ручку, чтобы было чем заверить подлинность документа. Говоришь, на той неделе, когда ты был у него в особняке, старик был в здравом уме и твердой памяти? Как здесь и написано?

— Да, верно, — кивнул Босх.

— И по нему не было видно, что он болен или что здоровье его пошатнулось? — спросил Холлер.

— Нет, — покачал головой Босх. — Разве что он был дряхлым стариком.

— Любопытно, что найдет коронер.

— А мне любопытно, станет ли коронер хоть что-то искать. Вэнсу было восемьдесят пять лет. Вряд ли его тело будут внимательно осматривать. В таком возрасте смерть — обычное явление. И думать нечего.

— Хочешь сказать, вскрытия не будет?

— Теоретически должны сделать, но по факту вряд ли. Если полицейские Пасадены записали смерть как естественную, могут обойтись и без вскрытия. Разве что судмедэксперт заметит при осмотре что-нибудь подозрительное.

— Ну, поживем — увидим, — сказал Холлер. — У тебя есть связи в полиции Пасадены?

— Не-а. А у тебя?

— Не-а.

Вместе с Холлером в дом вошел его водитель: принес копировальный аппарат и вернулся в машину. Теперь же Холлер взял пару перчаток из картонной коробки, которую Босх заблаговременно поставил на стол. Натянул перчатки и приступил к копированию документов.

— Почему себе такой не купишь? — не отрываясь от работы, спросил он.

— У меня был, — сказал Босх. — Но Мэдди забрала его с собой. А новый поставить руки не дошли.

— Как у нее дела?

— Нормально. А у Хейли?

— Тоже ничего. Вся в учебе.

— Это хорошо.

Наступила неловкая пауза. Мэдди и Хейли были одногодки и двоюродные сестры — единственные дети Босха и Холлера. Обе поступили в Университет Чепмена, но интересы и специальности у них были разные, и девочки, вопреки надеждам отцов, так и не сдружились. На первом году они жили в одной комнате, но на втором разъехались. Хейли осталась в общежитии, а Мэдди и ее подружки с факультета психологии сняли дом.

Сделав с десяток копий завещания, Холлер занялся письмом Вэнса, адресованным Босху. Его он тоже скопировал раз десять.

— Зачем так много? — спросил Босх.

— Затем, что всякое бывает, — ответил Холлер.

Босха эта отговорка не устроила.

— И что будем делать дальше? — спросил он.

— Ничего, — сказал Холлер.

— Не понял?

— Ничего. До поры до времени. Никакой огласки, никаких судов. Сядем ровно и будем ждать.

— Почему это?

— Продолжай вести расследование. Убедись, что у Вэнса есть наследница. После этого посмотрим, кто сделает первый шаг. Как отреагирует корпорация. А когда противники раскроют свои планы, мы вступим в игру. Уже понимая, что у них на уме.

— У них? — удивился Босх. — Мы ведь даже не знаем, кто эти «они».

— Еще как знаем. Корпорация, совет директоров, служба безопасности — все без исключения. Вот кто эти «они».

— Ну, не исключено, что прямо сейчас «они» следят за нами.

— Всегда нужно исходить из того, что следят. Но им неизвестно, что́ у нас в руках. В ином случае этот конверт не пролежал бы в твоем почтовом ящике целых четыре дня.

Это было дельное замечание, и Босх кивнул. Холлер указал на документы на столе.

— Нужно сохранить их, — сказал он, имея в виду оригиналы. — Любой ценой.

— У меня есть депозитная ячейка, — сообщил Босх. — В Студио-Сити.

— Поверь, они уже в курсе. Скорее всего, им все про тебя известно. Поэтому берем копии и прячем их в твоей ячейке. Пусть думают, что там лежит оригинал.

— А где он будет на самом деле?

— Что-нибудь придумаешь. Только мне не говори.

— Почему? — удивился Босх.

— На тот случай, если судья выпишет ордер и я обязан буду предъявить завещание. Но завещания у меня нет, и я не знаю, где оно. Поэтому с меня взятки гладки.

— Неглупо.

— Еще нужно связаться с Идой Форсайт, — сказал Холлер. — Если ты прав и это она тайком отнесла письмо на почту, нужно взять у нее письменное заявление. Будет еще одно доказательство, что завещание подлинное. У каждого нашего шага должно быть материальное подтверждение. Когда я наконец пойду с этим делом в суд, не хочется, чтобы меня там порвали в клочья.

— Если у нее есть водительские права, я найду адрес.

Не снимая перчаток, Холлер взял золотую ручку.

— Еще и эта штука... — проговорил он. — Уверен, что на той неделе у старика была именно она?

— Абсолютно. К тому же я видел ее на фотографии на стене — Вэнс подписывал ей книжку для Ларри Кинга.

— Круто. Может, вызовем Ларри в суд как свидетеля. Получим пару лишних заголовков в газетах. Еще нам понадобится заявление Иды. Не забывай: подтверждения нужны на каждом шагу. Ручка, его подпись, сделанная теми же чернилами. Все должно сойтись. Есть у меня на примете одна лаборатория. В нужный момент там все проверят.

Закончив с документами, Холлер разложил все двадцать копий попарно.

— Скрепки есть? — спросил он.

— Нет, — ответил Босх.

— У меня есть, в машине. Бери половину копий, а я возьму вторую. Один комплект сунь под матрас, еще один отвези в банковскую ячейку. В общем, разложи по разным местам, это не повредит. Я сделаю то же самое.

— Куда ты сейчас? — спросил Босх.

— В суд. И буду притворяться, что ни хрена не знаю об этом завещании. А ты, как найдешь наследницу, подтверди ее родство с Вэнсом.

— Когда найду, говорить ей, что к чему? Или сделать все тайком?

— Тут уж думай сам. Но что бы ни решил, помни, что секретность — наш главный козырь.

— Понял, — кивнул Босх.

Холлер открыл входную дверь, свистнул и помахал водителю рукой, чтобы тот пришел за копировальным аппаратом. Выглянул на веранду, посмотрел направо-налево — нет ли кого на улице — и вернулся в дом.

Водитель вошел в комнату, отключил аппарат от сети и обернул шнур питания вокруг корпуса, чтобы тот не путался под ногами. Холлер, стоя у застекленного выхода на террасу, смотрел на Кауэнга-Пэсс.

— Тихо тут, — заметил он. — Ты глянь, сколько деревьев.

Сам он жил на противоположном склоне с видом на Сансет-Стрип и громаду мегаполиса. Босх шагнул вперед и раздвинул двери на несколько футов, впустив в комнату нескончаемый гул шоссе у подножия горы.

— Не так уж и тихо, — заметил он.

— Как будто океан шумит, — сказал Холлер.

— Все здешние себя в этом убеждают. Как по мне, больше похоже на шоссе.

— Ты много чего повидал. Столько лет в полиции, столько убийств. Жестокости, грехов человеческих. — Холлер задумчиво смотрел на перевал. Над хребтом по другую сторону от шоссе парил, раскинув крылья, краснохвостый сарыч. — Но с таким ты еще не сталкивался. На кону миллиарды долларов. И эти люди пойдут на все — повторяю, на все, — чтобы оставить их себе. Будь к этому готов.

— Ты тоже, — сказал Босх.

ГЛАВА 25

Двадцать минут спустя Босх вышел из дома. Возле арендованного «чероки» он впервые включил джи-пи-эс-детектор и обошел вокруг машины, направив антенну устройства к раме шасси и колесным аркам, но не обнаружил ничего подозрительного. Подняв капот, Босх повторил те же действия, строго следуя инструкции. Снова ничего. На всякий случай Гарри переключил устройство в режим глушилки и сел за руль.

По Райтвуд-драйв он спустился в Вентуру, после чего свернул на запад и поехал к банку. Тот располагался в коммерческом районе неподалеку от бульвара Лорел-Каньон. Босх вот уже два года не открывал свою депозитную ячейку. В ней по большей части хранились бумаги — свидетельства о рождении, браке и разводе, а также документы, что остались после службы в армии. Там же лежали обе медали «Пурпурное сердце» и почетная грамота за спасение беременной женщины из горящего автомобиля. Ее Босх получил от начальника полиции, когда был еще новобранцем. Убрав в ячейку копии документов Вэнса, Босх вернул ее банковскому клерку.

Возвращаясь к машине, он посматривал по сторонам. Поначалу он ничего не заметил, но, свернув с парковки банка на Лорел-Каньон, увидел в зеркале заднего вида автомобиль с тонированными стеклами: тот вырулил с той же парковки, но через другой выезд, после чего пристроился в сотне ярдов за «чероки».

Район был оживленный, и делать выводы о слежке было преждевременно. Вместо того чтобы выехать на шоссе, Босх остался на бульваре, чтобы было удобнее следить за идущими позади него машинами. Продолжая двигаться на север, он на каждом перекрестке поглядывал в зеркало заднего вида. Да, его действительно преследовал темно-зеленый седан «БМВ». Босх опознал марку машины по характерной решетке радиатора.

Он проехал по бульвару две мили, и все это время «БМВ» не отставал. Время от времени Босх притормаживал, а иной раз ускорялся. «Бумер» то и дело перемещался с одной полосы на другую, но держался на прежнем расстоянии от «чероки».

Босх постепенно приходил к выводу, что за ним следят. Чтобы окончательно в этом увериться, он решил провернуть маневр, известный под названием «квадратный узел». Свернул направо, вдавил педаль в пол, промчался до знака «стоп» в конце квартала, снова свернул направо, а потом — еще раз, у следующего знака «стоп», после чего, не сбавляя скорости, вылетел на бульвар Лорел-Каньон и глянул в зеркало. «Бумера» не было видно.

Босх вновь направился на север. Одно из двух: или то была не слежка и «бумер» теперь далеко впереди, или по маневру Босха водитель седана понял, что его заметили.

Через десять минут Босх остановился на служебной парковке полицейского участка Сан-Фернандо. Вошел через боковую дверь и обнаружил, что в сыскном отделе никого нет. Наверное, Систо и Лурдес отправились повторно обыскивать дом Саагун. Может, Белла рассказала

Систо о претензиях Босха по поводу первого обыска, и тот решил реабилитировать себя.

Босх сел за стол, достал телефон и позвонил Лурдес, чтобы узнать, как дела. Звонок, однако, был переадресован на голосовую почту. Босх попросил Беллу перезвонить, как появится свободная минутка.

Поскольку Тревино рядом не было, Гарри пробил имя «Ида Таунс Форсайт» по базе транспортной системы и нашел адрес на Арройо-драйв в Южной Пасадене. Он вспомнил, что на конверте Вэнса стоял штамп этого района. Открыл Гугл-карты, вбил адрес и, переключившись в режим просмотра улиц, увидел, что Форсайт живет в милом домике с видом на Арройо-Секо-Уош. Похоже, Вэнс неплохо заботился о своей самой давней и верной помощнице.

Оставалось сделать еще кое-что. Босх достал из стола папку с нераскрытым делом об убийстве и заполнил формуляр вещественных доказательств, сделав на нем пометку «Личные вещи жертвы». Положил конверт Вэнса с золотой ручкой и оригиналами документов в пластиковый пакет для улик, запечатал его и убрал в картонную коробку для хранения вещдоков. Ее он тоже заклеил красным скотчем. Теперь, если кто-то попытается открыть коробку, Босх об этом узнает.

Коробку он отнес на склад вещественных доказательств и убрал в шкафчик, где хранились остальные улики по делу. Теперь оригинал завещания был спрятан в самом что ни на есть надежном месте. Дежурный по складу распечатал квитанцию, Босх отнес ее в сыскной отдел и убрал в папку с делом. Когда он закрывал ящик стола на ключ, на столе пискнул интерком.

— Детектив Босх, к вам пришли, — сообщили из приемной.

Наверное, кто-то явился с информацией по Москиту, но сегодня Босху было не до этого. Он нажал кнопку интеркома:

— Если это по поводу Москита, попроси вернуться после обеда и спросить детектива Лурдес. Хорошо?

Ответа не последовало. Наверное, дежурный узнавал у посетителя, по какому делу тот пришел. Босх знал: если это женщина и она скажет, что на нее тоже напал Москит, все другие дела придется отложить. Нельзя, чтобы предполагаемая жертва насильника, тем более шестая по счету, ушла из участка, не поговорив с детективом.

Он вернулся к компьютеру, снова открыл страничку Иды Форсайт в базе транспортных средств и отправил ее на печать, чтобы адрес был под рукой во время поездки в Южную Пасадену. Босх уже собирался забрать распечатку из общего принтера, когда из интеркома донесся голос дежурного:

— Он спрашивает именно вас, детектив Босх. Говорит, он по делу Вэнса.

Прежде чем ответить, Босх какое-то время смотрел на интерком.

— Скажи, что я сейчас подойду. Одну минутку.

Выключив компьютер, Босх вышел из отдела, но направился не в главное фойе, а к боковой двери. Обогнул здание участка, остановился на углу у входа и осмотрел улицу, пытаясь понять, пришел ли посетитель в одиночку.

Никаких подозрительных лиц он не заметил. Однако возле департамента общественных работ стоял темно-зеленый «БМВ» с наглухо тонированными стеклами. Машина была почти такой же длины, как «линкольн» Холлера. За рулем ждал водитель.

Босх быстренько вернулся к боковой двери, вошел в участок и направился к главному фойе. Он ожидал увидеть Слоуна, но оказалось, что метить нужно было повыше. К нему явился сам Крейтон — человек, который свел его с Вэнсом.

— Сбились со следа? — спросил Босх вместо приветствия. — Заехали уточнить мой маршрут?

Крейтон кивнул, признавая, что следил за Босхом.

— Ну да, как же я сразу не догадался, — произнес он. — Наверное, вы заметили нас еще возле банка.

— Что вам нужно, Крейтон?

Крейтон нахмурился. Босх назвал его по фамилии. Это значило, что говорить о полицейском братстве и поминать старые деньки в УПЛА бессмысленно.

— Мне нужно, чтобы вы отступились.

— Не понимаю, о чем вы, — сказал Босх. — От чего отступился?

— Ваш наниматель умер. Ваша с ним договоренность аннулирована. Осталась лишь корпорация, и я говорю от лица ее руководства. Чем бы вы ни занимались, прекращайте.

— С чего вы решили, что я чем-то занимаюсь?

— Нам известно, что́ вы затеяли. И зачем. Известно даже, чем занят ваш адвокатишко. Мы следили за вами.

Прежде чем выйти из дома, Босх тщательно осмотрел улицу. Теперь же он понял: нужно было высматривать не людей, не автомобили. Нужно было искать камеры. Может, их поставили даже в доме. Что же касается Холлера, тот, наверное, попал под наблюдение, когда приехал к Босху.

Гарри смотрел на Крейтона, стараясь не показывать, что ему стало не по себе.

— Что ж, приму эту информацию к сведению, — проговорил он. — Выход из участка найдете сами.

Он пошел было прочь, но бывший заместитель начальника полиции опять подал голос:

— Похоже, вы не понимаете, в каком положении оказались.

Развернувшись, Босх снова подошел к нему и встал напротив, лицом к лицу:

— И в каком я положении?

— Вы ступаете по очень тонкому льду. Вам нужно принимать взвешенные решения. Люди, которых я представляю, щедры к тем, кто поступает осмотрительно.

— Вы мне угрожаете? Или предлагаете взятку? Или и то и другое?

— Расценивайте мои слова, как вам угодно.

— Вот и славно. Стало быть, и взятка, и угроза. И вы арестованы.

Босх схватил его за локоть и одним стремительным движением прижал Крейтона лицом к кафельной стенке фойе. Одной рукой надавил ему на спину, а другой полез под куртку, чтобы достать наручники.

— Что за чертовщина?! — рявкнул Крейтон, пытаясь повернуться к Босху.

— Вы арестованы за угрозу в адрес сотрудника полиции и попытку подкупа, — объяснил Босх. — Ноги шире, стоять лицом к стене.

Крейтон не послушался. Наверное, до него еще не дошло, что происходит. Босх пнул его по пятке. Нога Крейтона скользнула вбок по кафельному полу. Защелкнув наручники, Босх обыскал его и снял с правого бедра кобуру с пистолетом.

— Вы совершаете большую ошибку! — предупредил Крейтон.

— Вполне возможно, — согласился Босх. — И делаю это с большим удовольствием. Вы не представляете, Кретин, как приятно арестовать такого напыщенного засранца.

— Я выйду отсюда через пятнадцать минут.

— Вы же знаете, как вас прозвали в УПЛА? Пошли, Кретин.

Босх кивнул полицейскому за плексигласовой перегородкой. Тот нажал кнопку, и дверь открылась. Босх проводил Крейтона в обезьянник и передал в руки дежурного по тюрьме.

Заполнив бланк рапорта об аресте и убрав пистолет в шкафчик для личных вещей, он отвел дежурного в сторонку и велел не торопиться, когда Крейтон изъявит желание позвонить адвокату.

Последний взгляд он бросил на Крейтона, когда того закрывали в одиночной камере. Дверь камеры была хорошая, железная. Конечно, Крейтон пробудет там недолго, но Босху хватит времени, чтобы отправиться на юг, не волнуясь о слежке.

Он решил отложить разговор с Идой Форсайт на завтра. Выехал на шоссе 5, ведущее к Сан-Диего, и задумался, не сделать ли остановку в Ориндже.

Взглянул на часы, произвел в уме некоторые подсчеты и позвонил дочери. Звонок, как обычно, тут же переключился на голосовую почту. Босх сказал, что будет проезжать мимо где-то между половиной первого и часом дня, после чего предложил пообедать или выпить кофе, если у Мэдди будет время и настроение. И добавил, что им нужно кое-что обсудить.

Через полчаса, когда Босх проезжал Даунтаун, Мэдди перезвонила.

— Едешь по шоссе пять? — спросила она.

— И тебе привет, — ответил Босх. — Да, так. Пробок почти нет, так что буду в твоем районе ближе к четверти первого.

— Да, я не прочь пообедать. Что ты хотел обсудить?

— Поговорим за едой. Где-то встретимся или мне тебя забрать?

От шоссе до студгородка было пятнадцать минут езды.

— Я сегодня так удачно припарковалась... Может, заберешь?

— Конечно, я же только что предложил. Где будем обедать?

— Есть одно местечко на Болса-авеню. Давно хотела попробовать тамошнюю кухню.

Босх знал, что улица эта находится вдали от студгородка, в центре района под названием Маленький Сайгон.

— Ого! — ответил он. — Далековато от университета. Ехать за тобой, потом туда, потом обратно... Долго получается. Мне нужно...

— Ладно, сама приеду. Встретимся на месте.

— Может, сядем где-нибудь поближе, Мэдс? Там, наверное, вьетнамская кухня. Ты же знаешь, что я...

— Пап, уже полвека прошло. Просто сядь и съешь, что принесут. Не будь таким расистом.

На какое-то время Босх задумался, формулируя ответ. Наконец заговорил: спокойно, хотя внутри весь кипел. Крейтон, Москит, остальное... Слова Мэдди стали последней каплей.

— Мэдди, расизм тут ни при чем. И очень не советую разбрасываться такими обвинениями, — произнес он. — Во Вьетнаме я был в твоем возрасте. Воевал, чтобы защитить вьетнамцев. Пошел добровольцем. Ну что, я расист?

— Все не так однозначно, пап. Правильнее сказать, ты воевал против коммунизма. В любом случае незачем делать из мухи слона. Это всего лишь еда.

Босх молчал. В жизни его бывали времена, о которых он не хотел рассказывать дочери. Например, все четыре года в армии. Мэдди знала, что он воевал, но Босх никогда не говорил с ней о подробностях службы в Юго-Восточной Азии.

— Видишь ли, во Вьетнаме я целых два года питался такой едой, — сказал он. — Каждый день на завтрак, обед и ужин.

— Почему? На базу не привозили обычных американских продуктов или что?

— Привозили, но мне нельзя было их есть. Иначе меня бы учуяли в подземном ходу. Нужно было пахнуть так же, как они.

Теперь настала ее очередь молчать.

— Я не... то есть... что ты имеешь в виду? — наконец спросила Мэдди.

— Ты пахнешь тем, что съел. В замкнутом пространстве. Запах исходит от кожных пор. По службе мне нужно было забираться в подземные ходы. И мне не хотелось, чтобы враг узнал, что я рядом. Поэтому я питался их едой, ежедневно, три раза в день. И больше не могу. Вспоминается всякое, понимаешь?

Мэдди ничего не говорила. Положив руки на рулевое колесо, Босх барабанил пальцами по кожуху приборной доски и жалел, что позволил себе выговориться.

— Давай-ка отложим обед до следующего раза, — сказал он. — Приеду в Сан-Диего пораньше, сделаю свои дела, а завтра поеду обратно. Может, пообедаем или поужинаем. Или даже позавтракаем, если повезет и успею сделать все до вечера.

Завтракать Мэдди любила даже больше, чем обедать или ужинать. А в Старом городе рядом с университетом было полно мест, где подавали отличный завтрак.

— Утром у меня занятия, — сказала Мэдди. — Попробуем пообедать или поужинать.

— Тебя это устроит? — спросил Босх.

— Да, конечно. Но о чем ты хотел поговорить?

Босх решил не пугать ее предупреждением, что дело, над которым он работает, может зацепить и ее уютный мирок. Скажет это завтра, при личной встрече.

— Это не к спеху, — произнес он. — Утром позвоню. Посмотрим, что у нас получится.

Закончив разговор, Босх думал о нем еще целый час, пока не выехал из округа Ориндж. Неприятно было грузить Мэдди подробностями своей прошлой жизни. И нынешней тоже. Как-то несправедливо.

ГЛАВА 26

Босх медленно, но неуклонно продвигался в сторону Сан-Диего, когда ему позвонил шеф Вальдес. Гарри ждал этого звонка.

— Вы упрятали за решетку Крейтона? Заместителя начальника полиции?

Судя по тону, Вальдес был в шоке. Вопрос его прозвучал как крик души.

— Он больше не заместитель, — сказал Босх. — Он даже не коп.

— Какая разница? Представляете, как это скажется на наших отношениях с УПЛА?

— Да. Самым наилучшим образом. В УПЛА он никому не нравился. Вы же сами там служили. Все знаете.

— Нет, не знаю. И по-прежнему не вижу разницы. В общем, я только что его отпустил.

Босх не удивился, но все равно спросил:

— Почему?

— Потому что ему нечего предъявить, — ответил Вальдес. — Лопес слышал, как вы с ним повздорили. Вы говорите, что он вам угрожал. Он может заявить, что это вы ему угрожали. А на деле вы выясняли, кто кого круче. Ваша версия не подтверждается свидетельскими показаниями. В прокуратуре к этому делу никто и близко не подойдет.

Босх догадался, что Лопес — это фамилия дежурного. Приятно было знать, что Вальдес хотя бы взглянул на заявление Босха, прежде чем отпустить Крейтона.

— Когда вы выставили его за дверь? — спросил он.

— Только что, — ответил Вальдес. — И он был весьма недоволен. Черт возьми, где вы и почему не здесь?

— Я веду дело, шеф, и оно не имеет отношения к Сан-Фернандо. Пришлось уехать.

— Что ж, теперь ваше дело имеет к нам самое прямое отношение. Кретин сказал, что засудит и вас, и управление.

Еще один хороший знак: Вальдес назвал Крейтона так же, как окрестил его личный состав. Босх понял, что шеф полностью на его стороне, и вспомнил про Митчелла Мэрона. Тот тоже грозился подать в суд.

— Ну, скажите ему, чтобы занимал очередь. Шеф, мне бы на дорогу смотреть...

— Не знаю, что вы затеяли, но давайте-ка поосторожнее, — сказал Вальдес. — От парней вроде Кретина сплошные неприятности.

— Вас понял, — ответил Босх.

Когда он наконец въехал в округ Сан-Диего, полос на шоссе прибавилось, и вести машину стало проще. В половине третьего Босх, оставив «чероки» под эстакадой шоссе 5, проходящей над Баррио-Логан, оказался в Чикано-парке.

Фотографии, что он нашел в Интернете, не передавали всей красоты настенных рисунков. Вживую цвета были сочнее, а образы ярче. Рисунков было не счесть — колонна за колонной, стена за стеной. Куда ни глянь, повсюду фрески. Минут пятнадцать Босх искал рисунок с именами художников. Циннии заметно разрослись. Теперь они закрывали не только перечень имен, но и нижнюю часть фрески. Присев на корточки, Босх раздвинул цветы и стал вчитываться в имена.

Казалось, многие фрески созданы совсем недавно. Очевидно, их подкрашивали. Но список за клумбой совсем выцвел, и буквы почти не читались. Босх достал блокнот, решив, что запишет все имена, которые сможет разобрать, — в надежде, что кто-нибудь из этих художников поможет ему найти Габриелу. Тут он увидел, что нижние строчки уходят под почвенный слой клумбы. Отложил блокнот и принялся разгребать землю, с корнем вырывая циннии.

Так он, перепачкав руки влажной землей, обнаружил первое имя: Лукас Ортис. Сдвинулся вправо, продолжил раскопки и вскоре нашел имя «Габриела». Разволновался и начал копать быстрее. Как только он счистил грязь с фамилии «Лида», за спиной у него громыхнул голос:

— Cabrón![1]

Вздрогнув, Босх глянул через плечо и увидел мужчину в зеленом рабочем комбинезоне. Мужчина стоял, разведя руки в стороны. В такой позе обычно стоят люди, желающие узнать, что за хрень тут творится.

Босх вскочил на ноги.

— Э-э-э... прошу прощения, — сказал он. — Lo siento[2].

Он попробовал отряхнуть руки, но безуспешно: лишь размазал по ладоням жирную землю. Мужчине было за пятьдесят. У него были седеющие волосы и густые широкие усы под стать плотной коренастой фигуре. Над карманом рубашки у него была овальная нашивка с именем Хавьер. На мужчине были солнцезащитные очки, не скрывавшие гневного взгляда.

[1] Козел! *(исп.)*
[2] Сожалею *(исп.)*.

— Я хотел взглянуть... — начал Босх. Повернувшись, он указал на нижний край колонны и продолжил: — Э-э-э... los nombres? Под, э-э-э... debajo la tierra?

— Дурень, я знаю английский. Говоришь, хотел взглянуть на имена под землей? Всю клумбу мне испоганил. Сам хоть понимаешь, что творишь?

— Простите, я искал имя. Имя художника, одного из тех, кто основал этот парк.

— Их много было.

Хавьер подошел к колонне, присел на корточки — там же, где только что был Босх, — и принялся прикапывать вырванные циннии, действуя гораздо аккуратнее, чем Гарри.

— Лукас Ортис? — спросил он.

— Нет, второе. Это женщина, Габриела Лида. Она еще жива?

— А кто интересуется?

— Я частный сы...

— Кто, спрашиваю, интересуется?

Со второго раза до Босха дошло.

— Если поможете, я заплачу за вашу клумбу.

— Сколько дашь?

Пора было лезть в карман за деньгами, но Босху не хотелось пачкать одежду. Глянув по сторонам, он увидел в центре парка фонтан, выложенный кафельной плиткой, и сказал:

— Погодите.

Подошел к фонтану, сунул руки в воду и смыл грязь. Стряхнул капли, залез в карман, пересчитал наличность и решил, что оставит одну двадцатку себе, а остальные три отдаст Хавьеру. Возвращаясь к нему, Босх надеялся, что купит за шестьдесят долларов что-нибудь посущественнее, чем слова «Она умерла». Было бы весьма неприятно узнать, что Габриела Лида давно покоится в земле, как и ее имя на колонне.

Когда Босх подошел к Хавьеру, тот покачал головой и сказал:

— Ну вот, теперь и фонтан испортил. Земля попадет в фильтр, тот забьется, а чистить кто будет?

— У меня тут шестьдесят баксов, — сказал Босх. — Хватит и на клумбу, и на фонтан. Где найти Габриелу Лиду?

Он протянул Хавьеру деньги, и тот схватил их грязной рукой:

— Она тут работала. Руководила всем коллективом. Но теперь на пенсии. Говорят, по-прежнему живет в «Ринко».

— Где-где, на рынке? — не понял Босх.

— В «Ринко», cabrón. Это жилой комплекс, чувак. Вон там, на Ньютон-Хилл.

— Фамилия у нее прежняя? Лида?

— Да, прежняя.

Это Босх и хотел услышать. Он вернулся к машине и через десять минут стоял у главного входа в огромный и неплохо ухоженный жилой комплекс с бюджетными квартирами. Все здания были выдержаны в старинном стиле и напоминали глинобитные домики. Босх прочел список жильцов у входа и вскоре уже стучался в свежевыкрашенную зеленую дверь.

В одной руке у него была картонная папка — та, что ему дали в мастерской «Флэшпойнт графикс». Вторую руку он поднял, чтобы постучать снова, но не успел. Дверь открылась. За ней неподвижно, будто изваяние, стояла женщина. Босх прикинул, что ей по меньшей мере лет семьдесят, но выглядела она моложе. Кожа у нее на лице все еще была гладкой, скулы резко очерчены, глаза чернее черного, а волосы длинные и серебристые. В ушах у женщины были серьги из полированной бирюзы.

Босх медленно опустил руку. Прошло очень много лет, но он не сомневался, что перед ним та самая женщина, которую он видел на фотографии.

— Да? Вы заблудились? — спросила она.

— Не думаю, — ответил Босх. — Вы Габриела Лида?

— Да, это я. Что вы хотели?

Холлер говорил Босху, чтобы на месте тот сам решал, как себя вести. Что ж, этот момент настал, и у Босха не было ни времени, ни желания играть в игры с этой женщиной.

— Меня зовут Гарри Босх, — сказал он. — Я частный детектив из Лос-Анджелеса. Ищу дочь Доминика Санта-нелло.

Услышав это имя, женщина вздрогнула. Взгляд ее стал пронзительным. Теперь в нем читались любопытство и тревога.

— Дочь со мной не живет. Как вы узнали, что Доминик — ее отец?

— Начал собирать по нему информацию и вышел на вас. Позвольте, я вам кое-что покажу.

Босх поднял папку, снял с нее резинку, раскрыл и повернул к Габриеле. Он держал папку, как нотную запись, а сам застыл, словно пюпитр, чтобы женщина могла рассмотреть фотографии одну за другой. Наконец она взяла снимок, на котором была запечатлена с ребенком на руках. У нее перехватило дух. В глазах у нее стояли слезы.

— Их сделал Ник, — прошептала она. — Я вижу их впервые.

Босх кивнул.

— Пленка была спрятана у него в фотоаппарате, а тот много лет пролежал на чердаке, — сказал он. — Как зовут вашу дочь?

— Мы назвали ее Вибианой, — ответила Габриела. — Ник так захотел.

— Потому что так звали его мать.

Она отвлеклась от фотографии, посмотрела ему в глаза и спросила:

— Кто вы?

— Если позволите войти, я вам все расскажу, — сказал Босх. — Это долгая история.

Замешкавшись на мгновение, Габриела отступила в сторону, чтобы впустить его в дом.

Босх начал с объяснений. Рассказал, что его нанял человек, пожелавший перед смертью узнать, был ли у него ребенок. Этим ребенком оказался Доминик Сантанелло. Габриела понимающе кивнула. Следующий час они просидели в маленькой гостиной, и Босх выслушал историю недолгой любви Доминика и Габриелы.

Эту же историю, но под другим углом рассказал ему Хэлли Льюис из Таллахасси. Габриела познакомилась с Домиником в оушенсайдском баре. Поначалу она хотела пробудить в нем интерес к собственным культурным корням, воскресить его национальную гордость. Но вскоре эта цель отошла на второй план. Между Габриелой и Домиником вспыхнула страсть, и они стали встречаться.

— Мы всё думали, как будем жить, когда он вернется с войны, — говорила Габриела. — Строили планы. Ник хотел стать фотографом. Мы собирались устроить совместный проект на границе с Мексикой. Он отвечал бы за фотографии, я — за рисунки.

Она узнала, что беременна, когда Доминик заканчивал учебу в Пендлтоне и ждал отправки во Вьетнам. Время было нервное. Он то и дело говорил, что сбежит из ВМС и останется с Габриелой. Всякий раз Габриела его отговаривала. И страшно пожалела об этом, узнав, что Доминик погиб в чужой стране.

Она подтвердила, что Сантанелло дважды тайком прилетал в США, когда во Вьетнаме ему давали увольнение.

В первый раз — чтобы присутствовать на открытии Чикано-парка, во второй — чтобы взглянуть на малышку-дочь. Те четыре дня в «Дель Коронадо» были единственными, что семья провела вместе. Снимки, которые Босх показал Габриеле, были сделаны после импровизированной «свадьбы» на пляже. Церемонию провел их знакомый художник: он имел духовный сан в мексиканской секте под названием «Брухерия».

— Смеха ради, — пояснила она. — Мы думали, что поженимся по-настоящему в конце года, когда Ник вернется с войны.

Босх спросил, почему Габриела после смерти Сантанелло не пробовала связаться с его семьей. Она сказала, что боялась, как бы родители Доминика не отобрали у нее ребенка.

— Я жила в barrio, латинском квартале, — объяснила Габриела. — Денег у меня не было. Они бы выиграли суд и забрали у меня Вибиану. Такого я не пережила бы.

Босх вспомнил историю другой Вибианы — той, что приходилась бабушкой дочери Габриелы. Но говорить об этом он не стал. Вместо этого разговор плавно перешел к вопросам о младшей Вибиане: как сложилась ее жизнь и где ее искать. Габриела сообщила, что дочь ее пошла по стопам матери, но стала не художником, а скульптором и сейчас живет и работает в Лос-Анджелесе, в Даунтауне, в так называемом районе Искусств. Когда-то, но не теперь Вибиана была замужем. А главное, у нее подрастал девятилетний сынишка от первого брака. Мальчика звали Хильберто Веракрус.

Тут-то Босх и понял, что нашел еще одного наследника. У Вэнса был правнук, но старик даже не подозревал о его существовании.

ГЛАВА 27

Бюро статистики и актов гражданского состояния округа Сан-Диего закрывалось в пять часов. Босх вбежал в его двери в 4:35. К счастью, у окошка с надписью «Свидетельства о рождении, смерти и смене имени» не было очереди. Босху требовался один-единственный документ. Если успеть до закрытия, не придется ночевать в Сан-Диего.

Выходя из жилого комплекса «Ринко», Босх был на сто процентов уверен, что Вибиана и Хильберто Веракрус — прямые потомки Уитни Вэнса. Если удастся это доказать, они будут первыми в очереди на наследство. Разумеется, ключом ко всему будет генетический анализ, но в дополнение Босх хотел собрать юридические документы, чтобы судья охотнее пришел к верному выводу. Габриела сказала, что в свидетельстве о рождении ее дочери указано имя Доминика Сантанелло. Такие подробности прекрасно дополнят пакет доказательств.

Встав у окошка, Босх назвал имя Вибианы Сантанелло, дату рождения и запросил заверенную копию свидетельства. Дожидаясь, пока все найдут и распечатают, он думал о других открытиях, сделанных во время разговора с Габриелой.

Босх спросил, как она узнала, что Сантанелло погиб во Вьетнаме. Габриела ответила, что не получала от него писем целую неделю — такое случилось впервые за всю его службу — и сердцем поняла, что Ник мертв. Ее предчувствия подтвердились самым печальным образом, когда она увидела заметку в газете — о том, как при крушении вертолета во Вьетнаме Южная Калифорния понесла тяжелейшую утрату. Все морпехи на том вертолете были калифорнийцами и до отбытия на войну размещались на военно-воздушной базе ВМС «Эль-Торо» в округе Ориндж. Единственный санитар, также погибший, вырос в Окснарде, а позже проходил подготовку в лагере «Пендлтон» в Сан-Диего.

Еще Габриела рассказала, что на одной из фресок в Чикано-парке есть и Доминик. Она сделала этот рисунок много лет назад. Фреска называлась «Лицо героев» — одно лицо, составленное из черт нескольких мужчин и женщин. Босх вспомнил, что видел этот рисунок, когда бродил по парку.

— Вот, пожалуйста, сэр, — сказала работница архива. — Платить в окошке слева от вас.

Забрав документ, Босх направился к кассе. По пути он просмотрел свидетельство. В графе «Отец» значилось имя «Доминик Сантанелло». Босх понял, что близок к концу путешествия, в которое отправился по велению Уитни Вэнса. Жаль, конечно, что старик не встретит его на финише.

Вскоре Гарри уже мчался на север по шоссе 5. Он сказал Габриеле, что в ее интересах никому ничего не рассказывать. Связаться с Вибианой не получилось: по словам Габриелы, дочь ее старалась избегать ловушки цифровых технологий. Мобильника у нее не было, а к городскому телефону у себя в студии она подходила нечасто.

Завтра утром Босх планировал наведаться к Вибиане. Теперь же, то и дело простаивая в ужасных пробках — был час пик, — он вел обстоятельную беседу с Микки Холлером. Тот сказал, что тайком навел некоторые справки.

— В Пасадене смерть записали как естественную, но вскрытие все же будет. Думаю, Капуру нужны газетные заголовки. Будет доить причину смерти, пока не выдоит досуха.

Бхавин Капур был главным судебно-медицинским экспертом округа Лос-Анджелес, и репутация его катилась под откос. За последние несколько месяцев его не раз упрекали в непрофессионализме и задержках со вскрытиями, коих в его учреждении проводилось больше восьми тысяч в год. Силовики, а также близкие убитых и погибших при разнообразных несчастных случаях жаловались, что некоторые тела месяцами дожидаются вскрытия, а следствие топчется на месте. Невозможно ни дело закрыть, ни похоронить жертву по-человечески. Масла в огонь подлили средства массовой информации. Оказалось, что в «Большом склепе» — гигантском холодильнике на сотню трупов — то и дело случается неразбериха с покойниками. Мощный вентилятор охлаждающей турбины сдувает с пальцев бирки, после чего их вешают на совсем другие пальцы.

Капуру не нужны были новые скандалы. Ему требовались обычные газетные заголовки, а вскрытие Вэнса позволило бы ему провести пресс-конференцию, не опасаясь очередных нападок со стороны репортеров.

— Но увидишь, как дело будет, — продолжал Холлер. — Какой-нибудь умник непременно скажет, что Вэнса приняли без очереди. Даже после смерти богачам достается все самое лучшее. Да-да, прямо вижу такой заголовок.

Босх знал, что Холлер совершенно прав. Странно, что консультанты Капура не отговорили его от такого шага.

После этого Холлер спросил, удалось ли Босху откопать что-то в Сан-Диего. Гарри сообщил, что в игре теперь, похоже, два прямых потомка Вэнса. Пересказал разговор с Габриелой и добавил, что со дня на день нужно будет провести анализ ДНК. Перечислил все, что у него было: запечатанный образец ДНК Вэнса — хоть он и не видел, как его брали у старика; несколько вещей Доминика Сантанелло, в том числе бритва, на лезвии которой может оказаться кровь; мазок, на всякий случай взятый у Габриелы Лиды. И еще мазок, который он планировал взять завтра у Вибианы. Пока что Босх не хотел вмешивать в дело Хильберто Веракруса — сына Вибианы и, предположительно, правнука Вэнса.

— Значение имеет лишь ДНК Вибианы, — сказал Холлер. — Нужно будет представить судье ее родословную. Ну, она у тебя и так под рукой. Теперь все зависит от анализа ДНК. Только он способен подтвердить прямое родство Вэнса и твоей Вибианы.

— Можно, чтобы анализ провели вслепую? — спросил Босх. — В лаборатории не должны знать, что имеют дело с мазком Вэнса. Просто сдадим его и мазок Вибианы и посмотрим, что нам скажут.

— Договорились. Нам совсем не нужно, чтобы в лаборатории стало известно, чьи это образцы. Этот вопрос я решу. Договорюсь с какой-нибудь лабораторией из моего списка. С той, что готова будет поскорее сделать анализ. А ты возьмешь кровь у Вибианы, и приступим к делу.

— Надеюсь, образец будет уже завтра.

— Было бы неплохо. Куда ты дел мазок Вэнса?

— В холодильник, — ответил Босх.

— Не самое надежное место. И я не уверен, что такие штуки обязательно хранить в холодильнике.

— Не обязательно. Я его так спрятал.

— Хорошо, что он лежит отдельно от ручки и завещания. Нельзя держать все в одном месте. Но вот то, что он у тебя дома... Там они будут искать в первую очередь.

— Ну вот, снова «они».

— Знаю, знаю, — кивнул Холлер. — Но как есть, так есть. Ты подумай. Может, перепрячешь куда.

Босх рассказал Холлеру о стычке с Крейтоном и о том, что в доме могут быть спрятаны камеры.

— Завтра же утром все обыщу, — сказал Гарри. — Когда приеду, будет уже темно. Дело в том, что, когда я сегодня уезжал, на улице никого не было. Я проверил машину — все чисто, никаких «жучков». Но Крейтон каким-то образом выследил меня на бульваре Лорел-Каньон.

— Может, беспилотник? — предположил Холлер. — Эти проклятые штуки теперь повсюду, куда ни плюнь.

— Значит, нужно поглядывать на небо. И мне, и тебе. Крейтон сказал, им известно, что ты тоже занимаешься делом Вэнса.

— Неудивительно.

Впереди показались огни Даунтауна. Наконец-то Босх подъезжал к дому. Он почувствовал, что по телу разливается усталость, — как-никак целый день за рулем. Босх до смерти вымотался и хотел отдохнуть. Пожалуй, вместо ужина стоит поспать пару лишних часов.

Подумав о еде, он отвлекся от разговора с Холлером: вспомнил, что нужно написать эсэмэску Мэдди. Сообщить, что он уже вернулся домой и завтра не будет проезжать мимо студгородка. Встречу придется отложить.

Может, оно и к лучшему. После сегодняшнего разговора им стоит повременить с общением.

— Гарри, ты меня слышишь? — спросил Холлер.

Босх вновь переключился на беседу с братом:

— Теперь слышу. Ты на секунду пропал. Здесь зона неуверенного приема. Говори.

Холлер хотел обсудить стратегию, то есть где и когда обращаться в суд. Босх возразил, что выбирать подходящего судью как-то некрасиво, но Холлер объяснил, что они, подав документы в правильный суд, будут иметь преимущество. Скорее всего, официальное утверждение завещания пройдет в Пасадене, ибо там Вэнс жил и скончался, но подать претензию на наследство можно где угодно. Если Вибиана Веракрус решит заявить о себе как о наследнице Вэнса, она может обратиться в любой удобный для нее суд.

Босх сказал Холлеру, что решение таких вопросов не входит в его обязанности. Он обещал Вэнсу лишь найти наследника, если такой существует, и собрать доказательства родства. Что касается юридических тонкостей насчет получения наследства, пускай Холлер думает сам.

Наконец он озвучил мысль, которая вертелась у него в голове с тех пор, как он расстался с Габриелой:

— Что, если они откажутся?

— Кто откажется? И от чего? — переспросил Холлер.

— От денег, — сказал Босх. — А если Вибиана откажется от денег? Она же человек искусства. Если она не захочет рулить корпорацией, сидеть в совете директоров, вращаться в этих кругах? Когда я сказал Габриеле, что ее дочери и внуку может перепасть целое состояние, она лишь пожала плечами. Сказала, что она семьдесят лет не была богатой и не видит смысла начинать.

— Это вряд ли, — покачал головой Холлер. — С такими деньгами можно изменить весь мир. Не откажется она. Об этом мечтает любой художник.

— Как правило, художники хотят изменить мир с помощью творчества, а не денег.

И тут Босх заметил, что ему звонят с номера УПСФ. Наверное, Белла Лурдес хочет сообщить о результатах повторного обыска в доме Саагун. Он сказал Холлеру, что пора закругляться, завтра он найдет Вибиану, поговорит с ней, а потом перезвонит.

Завершив разговор, он переключился на входящий. Но звонила не Лурдес.

— Босх, это шеф Вальдес. Где вы?

— Направляюсь на север, проезжаю Даунтаун. Что случилось?

— Белла с вами?

— Белла? Нет. С чего бы ей быть со мной?

Не обратив внимания на фразу Босха, Вальдес задал следующий вопрос — таким серьезным тоном, что Босх насторожился:

— Вы с ней сегодня общались?

— Утром, по телефону. После этого нет. А что? Что происходит, шеф?

— Мы не можем ее найти. Она не отвечает ни на звонки, ни на вызовы по рации. Утром она записалась на доске в эс-отделе, но время ухода так и не проставила. На нее это не похоже. Мы с Тревино сегодня сидели над бюджетом, так что он в эс-отдел не заглядывал. И не видел Лурдес.

— Машина на парковке?

— И личная, и служебная. Звонила ее сожительница. Говорит, Лурдес не вернулась домой.

В груди у Босха стало пусто.

— Вы говорили с Систо? — спросил он.

— Говорил. Он тоже ее не видел, — ответил Вальдес. — Сказал, утром она звонила. Спрашивала, готов ли он выехать на дело. Но он работал по взлому магазина.

Босх надавил на педаль газа.

— Шеф, отправьте патруль к дому Саагун. Белла туда собиралась.

— Погоди, его же...

— Просто отправьте патруль, шеф. Прямо сейчас. Пусть обыщут дом и двор. Особенно двор. Потом поговорим. Я уже еду. Буду через полчаса. Может, раньше. А вы отправьте патруль.

— Сейчас все сделаю.

Нажав кнопку отбоя, Босх позвонил на номер Беллы, хоть и знал, что вряд ли она ответит. Шефу же не ответила.

Включилась голосовая почта, и Босх завершил звонок. Пустота в груди разрасталась.

ГЛАВА 28

Проехав Даунтаун, Босх вырвался из вечернего потока машин. Превышая скорость и незаконно пользуясь полосой для автомобилей с пассажирами, он через двадцать минут добрался до Сан-Фернандо. Хорошо, что он был на арендованной машине. Его старичок-«чероки» вряд ли был способен на такую прыть.

Оказавшись в участке, Босх стремительно прошагал по заднему коридору к кабинету шефа, но тот оказался пуст. Игрушечный вертолет вращался по кругу под струей воздуха из кондиционера.

Переместившись в сыскной отдел, Босх увидел Вальдеса, Тревино, Систо и начальника ночной смены сержанта Розенберга. Все они сгрудились у секции Лурдес. Судя по озабоченным лицам, пропавшего детектива найти пока не удалось.

— Дом Саагун осмотрели? — спросил Босх.

— Отправили туда патруль, — ответил Вальдес. — Ее там нет. Похоже, что и не было.

— Проклятье! — выругался Босх. — Где еще искали?

— Вопрос не в этом, — встрял Тревино. — Вопрос в том, где сегодня был ты.

Он произнес это таким обвинительным тоном, словно Босху было известно, где находится пропавший детектив.

— Нужно было съездить в Сан-Диего, — ответил Босх. — По частному делу. Вот съездил и вернулся.

— И кто такая Ида Таунс Форсайт?

Босх взглянул на Тревино:

— Что?

— Ты не глухой. Кто такая Ида Таунс Форсайт?

Он поднял руку с распечаткой карточки Форсайт из базы транспортных средств. Босх понял, что утром забыл забрать ее из принтера. Отвлекся, когда его вызвали в фойе на встречу с Крейтоном.

— Ах да, забыл. Утром заезжал сюда минут на двадцать, — сказал он. — Да, это моя распечатка. Но какое отношение она имеет к Белле?

— Мы не знаем, — произнес Тревино. — Пытаемся понять, что за бред тут происходит. Я нашел эту бумажку в принтере. Потом проверил логи базы транспортных средств. Думал, это Белла занималась. А оказалось, что ты. Так кто она такая?

— Слушайте, это распечатка для моего частного расследования. Ида Форсайт вообще не при делах, ясно?

Босх понимал, что сболтнул лишнего, но был не в настроении пререкаться с капитаном. Нужно было поскорее вернуться к вопросу о Белле.

На мгновение Тревино изменился в лице. Просто расцвел, когда понял, что одолел Босха на глазах у Вальдеса — человека, пригласившего Гарри в УПСФ.

— Нет, не ясно, — сказал он. — За такое полагается увольнение. И пожалуй, уголовное преследование.

Произнося эти слова, Тревино смотрел на Вальдеса, — дескать, я же говорил, что ему нужен только наш компьютер.

— Знаете что, кэп... Увольняйте! — сказал Босх. — И предъявляйте обвинение. Но только когда найдем Беллу. — Повернувшись, он обратился к Вальдесу: — Что еще вы сделали?

— Подняли весь личный состав, — ответил шеф. — Ее ищут. Также поставили в известность УПЛА и департамент шерифа. Почему вы сказали, что нужно проверить дом Саагун?

— Потому что утром Белла собиралась обыскать его снова, — ответил Босх.

— Зачем?

Босх вкратце пересказал утреннюю беседу с Лурдес, когда он предположил, что Москит потерял ключ от машины и потому сбежал с места преступления, по пути проверяя дверцы автомобилей.

— Ключа там не было, — сказал Систо. — Я бы его нашел.

— Свежий взгляд никогда не повредит, — заметил Босх. — Значит, она звала тебя с собой? Не спрашивала, не было ли в пятницу угонов во второй зоне?

Систо понял, что не сообщил об этой подробности ни шефу, ни капитану.

— Да, точно, спрашивала. Я сказал, что пока не было времени разбирать пятничные угоны.

Тревино подбежал к стене за столом Систо. На ней рядком висели планшеты с рапортами, отсортированными по типам преступлений. Схватив планшет с надписью «АВТО», капитан взглянул на верхний рапорт, а потом пролистал несколько следующих.

— В пятницу был угон в третьей зоне, — сказал он. — И еще один в субботу.

Вальдес взглянул на Розенберга:

— Ирвин, забирайте бумаги. Отправьте по машине на оба адреса. Пусть проверят, не появлялась ли там Лурдес.

— Вас понял, — сказал Розенберг. — По одному из адресов съезжу сам. — Забрав у Тревино планшет, он скорым шагом вышел из отдела.

— В департаменте общественных работ кто-нибудь есть? — спросил Босх.

— Время позднее, у них уже закрыто, — ответил Вальдес. — А что?

— Войти сможем? Утром Белла собиралась одолжить там металлоискатель. Проверить траву под окном у Саагун.

— Во двор точно попадем, — кивнул Тревино. — Мы там машины заправляем.

— В таком случае пойдемте, — сказал Вальдес.

Все четверо вышли через центральную дверь участка, перешли дорогу и направились к зданию департамента общественных работ. Слева от него находился двор с парковкой и складскими помещениями. Вальдес достал из бумажника ключ и открыл калитку.

Во дворе мужчины, разделившись, принялись искать Лурдес среди многочисленных фургонов и дорожной техники. Босх направился к стене здания, где был навес, а под ним — что-то вроде мастерской с верстаками и ящиками для инструментов. За спиной у него открывались и закрывались дверцы машин. Шеф взволнованно выкрикивал имя Беллы.

Но ему никто не отвечал.

Включив фонарик на телефоне, Босх нашел выключатель люминесцентного светильника в мастерской. Перпендикулярно к стене стояли три раздельных верстака. Под ними были ящики с инструментами, а на столешницах — различные приспособления и агрегаты: труборезы, шлифовальные станки, сверла и циркулярные пилы. Похоже, днем на этих верстаках кипела работа.

Над третьим верстаком была навесная полка с восьмифутовыми отрезками трубы из нержавейки. Босх вспомнил слова Лурдес: металлоискателем пользуются, чтобы искать трубы под землей. Он решил, что третий верстак предназначен для работ, связанных с трубопроводами и канализационными системами. Скорее всего, металлоискатель будет где-то здесь.

Лурдес говорила, что он похож на газонокосилку с колесиками, — то есть прибор не из тех, с какими ходят пляжные охотники за сокровищами.

Не приметив ничего, хоть отдаленно напоминающего газонокосилку, Босх обвел взглядом все пространство мастерской, осмотрел все инструменты и заглянул под верстаки. Наконец он увидел под одним из них ручку с распоркой. Подошел ближе и выкатил из-под верстака оранжевую штуковину на колесиках. Та была вдвое меньше газонокосилки.

Чтобы понять, что это такое, пришлось как следует осмотреть прибор. На ручке была панель управления. Босх нажал кнопку «ВКЛ». На светодиодном экране появился треугольный значок радара и цифры настроек: глубина и радиус поиска.

— Вот он, — сказал Босх.

Услышав его слова, остальные трое отвлеклись от бесплодных стараний.

— Что ж, если она его и брала, то привезла обратно. — Очередная ниточка ни к чему не привела, и Вальдес расстроенно топнул ботинком по бетонному полу.

Взявшись за ручку, Босх приподнял металлоискатель. Чтобы оторвать задние колесики от пола, пришлось приложить значительное усилие.

— Тяжелый, — заметил он. — Без помощи Белла не смогла бы отвезти его к дому Саагун. К тому же он не влез бы в служебную машину.

— Поищем внутри? — предложил Систо.

Шеф взглянул на дверь, ведущую в здание департамента общественных работ. Все трое направились к ней. Босх, закатив металлоискатель на место, последовал за ними. Вальдес подергал дверь, но та была закрыта на замок. Он повернулся к Систо: тот был моложе всех.

— Вышибай, — велел он.

— Шеф, это железная дверь, — возразил Систо.

— Попробуй, — сказал Вальдес. — Ты парень молодой, крепкий.

Систо трижды пнул дверь каблуком, каждый следующий раз сильнее прежнего, но та не поддавалась. Коричневая физиономия Систо побагровела от усилий. Сделав глубокий вдох, он собирался напасть на дверь в четвертый раз, но шеф остановил его, подняв руку:

— Ладно, хватит. Ничего не выйдет. Нужно найти человека с ключом.

Тревино взглянул на Босха:

— Ну что, герой, отмычки при тебе?

Тревино впервые назвал его «героем» в лицо — должно быть, ссылаясь на послужной список Гарри в УПЛА.

— Не-а, — ответил Босх и ушел к ближайшему грузовику. Сунул руку под капот, оттянул стеклоочиститель от ветрового стекла, повернул вправо-влево, резко дернул и сорвал щетку с крепления.

— Гарри, что вы творите? — осведомился Вальдес.

— Минуточку, — ответил Босх.

Положив щетку на верстак, он взял плоскогубцы и снял резинку с тонкой металлической полоски каркаса. Ножницами по металлу он отрезал от полоски два трехдюймовых кусочка. Снова взял плоскогубцы и соорудил из одного отрезка некое подобие отмычки, а из другого — плоский крючок. На все про все ушло меньше двух минут.

Вернувшись к двери, Босх присел перед замком на корточки и приступил к делу.

— Вижу, вам такое не впервой, — заметил Вальдес.

— Было дело, открыл пару дверей, — сказал Босх. — Есть у кого телефон? Посветите.

Все трое, достав телефоны, направили фонарики на замок. Босх возился минуты три. Потом замок щелкнул, и дверь открылась.

— Белла? — позвал Вальдес, когда все вошли.

Ответа не было. Систо включил свет. Замигали люминесцентные лампы. Мужчины пошли вперед по коридору, по пути заглядывая в каждый кабинет. Вальдес время от времени выкликал Беллу, но в кабинетах было тихо, как в церкви, если зайти в нее в понедельник вечером. Босх замыкал шествие. Он свернул в отдел надзора за городским хозяйством — такой же тесный, как сыскной отдел в полицейском участке. Там было три секции с рабочими столами. Босх прошелся по комнате, заглядывая в каждую секцию, но не обнаружил никаких следов Лурдес.

Вскоре явился Систо.

— Ну что?

— Ничего.

— Черт!

Заметив на столе табличку с именем, Босх вспомнил еще одну подробность утреннего разговора с Лурдес:

— Систо, у Беллы были проблемы с Доквейлером?

— То есть?

— Утром она сказала, что попробует одолжить металлоискатель и попросит Доквейлера о помощи. И добавила, что все зависит от его настроения. Скажи, у них были какие-то разногласия?

— Разве что она осталась в полиции, а ему пришлось перейти сюда.

— Нет, там что-то другое. По тону было ясно.

Прежде чем ответить еще раз, Систо задумался:

— Ну, была одна мелочь — когда Доквейлер работал в отделе, они с Беллой иной раз цапались. По-моему, Док не сразу понял, что она «играет за другую команду».

Однажды высказался насчет одной лесбиянки. Не помню какой. Ковырялкой ее обозвал, что ли. Белла вся взвилась, и какое-то время обстановка была напряженная.

Босх смотрел на Систо, ожидая продолжения.

— Это все? — подсказал он.

— Ну, наверное, — ответил Систо. — То есть я не знаю...

— А ты? Были у тебя проблемы с Доквейлером?

— У меня? Нет, мы с ним нормально общались.

— Вы с ним разговаривали? Ну, трепались о всяком?

— Ну, бывало. Но нечасто.

— Он только лесбиянок не любит или это касается всех женщин?

— Нет, он не голубой, если ты об этом.

— Не об этом. Ну давай, Систо, выкладывай — что он за человек?

— Слушай, чувак, да я не знаю. Как-то он рассказал, что, когда работал на шерифа в Вэйсайде, они там голубых кошмарили.

Босх даже вздрогнул. Вэйсайд-Хонор-Ранчо: так называлась окружная тюрьма в долине Санта-Кларита. Сразу после академии помощники шерифа проходили там стажировку. Босх вспомнил, что Лурдес рассказывала ему, как поняла, что может просидеть в тюремщиках несколько лет, дожидаясь перевода в другое отделение. Начала рассылать заявления по разным управлениям полиции и в итоге поступила на службу в Сан-Фернандо.

— Кошмарили? Как именно?

— Ну типа ставили их в неудобное положение. Расселяли так, чтобы сокамерники над ними издевались — били и всякое такое. И делали ставки, кто сколько продержится.

— Он познакомился с Беллой, когда она работала в тюрьме?

— Не знаю. Не спрашивал.

— Кто первым приехал в Сан-Фернандо?

— Док. Точно, Док.

Босх кивнул. Доквейлер прослужил дольше Беллы, но во время бюджетного кризиса ему пришлось уйти, а она осталась. Такое дружбе не способствует.

— Как он отреагировал на сокращение? Разозлился?

— Ну да, а ты не разозлился бы? — сказал Систо. — Но все прошло гладко. Ему нашлось тут место, так что он, можно сказать, перевелся. Даже в зарплате не потерял.

— Зато лишился пистолета и жетона.

— По-моему, в отделе надзора за городским хозяйством дают жетон.

— Это не одно и то же, Систо. Слышал когда-нибудь фразу «Ты или коп, или мелкая сошка»?

— Вроде нет.

Замолчав, Босх стал рассматривать рабочий стол Доквейлера, но не увидел ничего подозрительного. На телефоне у Систо пиликнул сигнал эсэмэски.

К перегородке между секцией Доквейлера и соседским столом была приколота карта города, разделенная на четыре сектора для инспекции. Все они соответствовали патрульным зонам управления полиции. Рядом висел список признаков незаконного использования гаража с поясняющими фотографиями:

- Удлинитель, кабель или шланг, ведущий от дома к гаражу.
- Клейкая лента на стыках гаражных ворот.
- Наружный блок кондиционера на стене гаража.
- Гриль стоит возле гаража, а не возле дома.
- Лодки, велосипеды и прочие транспортные средства находятся не в гараже, а на улице.

Изучая этот список, Босх вспоминал дома, где орудовал Москит. Всего лишь три дня назад он объехал все четыре дома и теперь заметил то, чего не видел раньше. В каждом дворе был гараж. Все дома находились в районах, где остро стояла проблема незаконного использования гаражей. Следовательно, все они представляли интерес для инспектора городского хозяйства. У Беатрис Саагун тоже был гараж.

— Это он, — тихо сказал Босх.

Систо его не услышал. Босх продолжал соединять детали головоломки воедино. Доквейлер рыскал по городу, стучался в двери, представлялся инспектором, осматривал жилища и выбирал себе жертв. Поэтому он совершал преступления, надев маску.

И еще Босх понял, где второй ключ от его стола. Увольняясь, Доквейлер оставил его себе. Теперь же, когда Босх объединил четыре дела в одно, бывший детектив прокрался в отдел. Просмотрел папку и узнал, чем Гарри занимался на всех этапах расследования. Что самое страшное, Босх отправил Беллу прямиком к нему в лапы. Его охватил страх, а потом — чувство вины. Отвернувшись от стола, он увидел, как Систо набирает эсэмэску.

— Это Доквейлер? — осведомился Босх. — Ты пишешь Доквейлеру?

— Нет, чувак, это моя подружка, — сказал Систо. — Спрашивает, куда я запропастился. С какой стати мне писать...

Выхватив у него телефон, Босх взглянул на экран.

— Эй, какого хрена! — воскликнул Систо.

Убедившись, что в послании значится безобидное «Скоро буду», Гарри бросил телефон молодому детективу, но бросок вышел чересчур энергичным для такой короткой дистанции. Пролетев сквозь руки Систо, телефон ударил его в грудь и грохнулся на пол.

— Придурок! — крикнул Систо, нагнулся и поднял телефон. — Молись, чтобы он...

Когда он выпрямился, Босх сделал шаг вперед, схватил Систо за грудки, отволок к выходу и прижал спиной к двери кабинета так, что парень стукнулся о панель затылком. Приблизил лицо к его лицу и сказал:

— Ты, лодырь, чтоб тебя! Ты должен был поехать с ней. Теперь она неизвестно где, и нам придется ее искать. Это ты понимаешь?! — И Босх снова стукнул его спиной об дверь. — Где живет Доквейлер?

— Не знаю! Отцепись, черт!

Систо оттолкнул Босха — так сильно, что Гарри едва не отлетел к стене напротив. Задев бедром стол, он сбил с него пустой кофейник. Тот упал с подставки и разбился.

Привлеченные криками и звоном разбитого стекла, в кабинет вломились Вальдес и Тревино. Дверь, распахнувшись, сбила Систо с ног.

— Что за чертовщина? — осведомился Вальдес.

Держась одной рукой за затылок, Систо показал пальцем на Босха:

— Он рехнулся! Не подпускайте ко мне этого придурка.

Босх указал на него в ответ:

— Ты обязан был поехать с ней. Но отбрехался, и она пришла сюда в одиночку.

— Ну а ты, дед? Это твое дело, не мое. Это ты должен был ей помочь.

Отвернувшись от него, Босх взглянул на Вальдеса:

— Доквейлер. Где он живет?

— По-моему, в Санта-Кларите, — сказал Вальдес. — По крайней мере, жил там, когда работал у меня. А что? Что здесь происходит?

Он придержал Босха за плечо, чтобы тот снова не накинулся на Систо. Сбросив его руку, Босх ткнул пальцем в сторону секции Доквейлера — так, словно в ней были неопровержимые доказательства, которые видел только он.

— Это он. Доквейлер — это Москит. И Белла у него.

ГЛАВА 29

Два полицейских автомобиля с включенными «люст-
рами» и сиренами неслись по шоссе 5. За рулем первой
машины был Вальдес, рядом с ним расположился Босх.
Шеф, как человек неглупый, решил, что Босху и Систо
нечего делать в одной машине. Поэтому Систо рулил вторым автомобилем, а Тревино, надувшись, сидел на месте пассажира. Похоже, он обиделся, что из-за перепалки
между Босхом и Систо его разлучили с шефом.

Вальдес говорил по телефону — отдавал отрывистые
приказы кому-то в диспетчерской.

— Меня это не волнует, — говорил он. — Звони кому угодно, но найди мне этот треклятый адрес. Если
нужно, разошли патрульных по домам, но чтобы адрес
был у меня.

Завершив разговор, он выругался. Диспетчер до сих
пор не сумел связаться ни с начальником департамента
общественных работ, ни с представителем администрации, чтобы поднять городские платежные ведомости
и узнать адрес Доквейлера. Его пытались найти в базе
транспортных средств, но Доквейлер каким-то образом
стер оттуда все упоминания о своей персоне. Или же то
был бюрократический сбой, и адрес полицейского остал-

ся заблокирован даже спустя пять лет после увольнения из УПСФ.

Теперь же они мчались в долину Санта-Кларита на одном лишь основании: Вальдес помнил, что лет пять назад Доквейлер жил где-то в тех краях.

— Вот приедем, и что дальше? Куда? — спросил Вальдес. Стукнул раскрытой ладонью по рулевому колесу и сменил тему: — Так что за дела у вас с Систо? Никогда вас таким не видел.

— Извините, шеф, — сказал Босх. — Вышел из себя. Если бы мог, выломал бы дверь. Но вместо этого выместил злобу на Систо.

— Что за злобу?

— Сегодня я не должен был бросать Беллу. Это мое дело, моя обязанность. Вместо этого я сказал, чтобы она взяла с собой Систо. И должен был знать, что если она до него не достучится, то поедет одна.

— Неизвестно даже, правы ли мы насчет Доквейлера. Так что хватит себя накручивать. Поберегите силы. — И Вальдес ткнул пальцем в ветровое стекло, указывая на север.

Босх задумался, где бы узнать адрес. Если Доквейлер все еще проходит по базам как полицейский, найти его будет нелегко. Может, позвонить в тюрьму Вэйсайд? Вдруг кто-то из тамошних помощников шерифа помнит Доквейлера и знает, где он живет. Конечно, вероятность невелика: Доквейлер давно уже не работал в управлении шерифа.

— Когда он перевелся в Сан-Фернандо? — спросил Босх.

— По-моему, в пятом или шестом году, — ответил Вальдес. — Когда я стал шефом, он уже был здесь. Да, точно, в шестом. Помню, он служил уже шестой год, когда пришлось его сократить.

— Систо сказал, что в Вэйсайде Доквейлер и другие помощники шерифа манипулировали заключенными. Подстраивали стычки между ними.

— Да, было дело. Тогда многих помощников уволили. «Снежки из Вэйсайда», помните?

Босх что-то помнил, но смутно. За последние десять лет в управлении шерифа постоянно случались скандалы. Воскресить в памяти какой-то конкретный было невозможно. Прежний шериф с позором ушел в отставку, когда ФБР взялось расследовать тюремные махинации. Вскоре он должен был предстать перед судом по обвинению в коррупции, а несколько его помощников уже сидели за решеткой. Белла рассказывала Босху, что перевелась в крошечное управление Сан-Фернандо в том числе и по этой причине.

— Так почему вы сократили его, а не Беллу? — спросил Босх. — Он же служил дольше ее?

— Да, верно. Но я сделал то, что должен был сделать на благо управления, — ответил Вальдес.

— Вы говорите как политик, — сказал Босх.

— Я говорю правду. Вы же знаете Беллу, она пробивная. Обожает свою работу, отдается делу целиком. Доквейлер же... ну, он в каком-то смысле забияка. В общем, когда Марвин сказал, что может взять одного из моих в отдел надзора за городским хозяйством, я оставил Лурдес и сократил Доквейлера. Решил, что ему подойдет такая должность — ну, ходить по домам и говорить людям, чтобы подстригли газон и подровняли живую изгородь.

Марвин Ходж был представитель городской администрации. Босх покачал головой. Ответ шефа напомнил ему о собственных промашках в деле Москита.

— Что? — спросил Вальдес. — Я считаю, что сделал верный выбор.

— Дело не в этом, — вздохнул Босх. — С Беллой выбор был верный. А вот со мной — вряд ли. Слишком уж много я упустил в деле Москита. Наверное, сказался перерыв в работе, и я слегка заржавел.

— Что вы упустили?

— Ну, в прошлую пятницу я объехал дома четырех жертв — тех, о ком нам известно. Все сразу, в порядке хронологии преступлений. Такого я раньше не делал и решил дать себе шанс — мало ли, вдруг осенит. Может, наконец-то найду что-то общее. Но не нашел. А ниточка была прямо у меня перед носом. Возле каждого из этих домов есть гараж.

— Но это вполне обычное дело. Если дом построен после Второй мировой, возле него будет гараж. Ну, как правило. В нашем городе гаражи есть почти у всех.

— Это не важно. Я должен был догадаться. Спорю на следующую зарплату: мы выясним, что Доквейлер проверял эти дома и гаражи на предмет незаконного использования и наличия жильцов. У него целый список к перегородке приколот. Так он и выбирал своих жертв. Потому-то и нападал на них в маске. Женщины могли запомнить лицо инспектора.

— Гарри, вы же не получаете никакой зарплаты.

— После такого я ее и не заслуживаю.

— Послушайте. Весь этот разговор про Доквейлера... Пока что это лишь версия. У нас нет ни единого доказательства, что Москит — это он. Не спорю, звучит складно, но, чтобы посадить его, одной версии будет маловато.

— Это он.

— Сколько ни говори «халва», во рту слаще не станет.

— Лучше бы я оказался прав. Иначе мы ищем Беллу не там, где надо.

Следующие несколько миль они проехали молча, обдумывая последнюю фразу. Через некоторое время Босх, чтобы отвлечься от мрачных мыслей, стал задавать новые вопросы:

— Ну и как Доквейлер отнесся к тому, что его вышвырнули на помойку?

— Если говорить такими словами, картина рисуется печальная, — ответил Вальдес. — Но всякий раз, когда проходит сокращение, мы стараемся устроить своих людей или даем им приличное выходное пособие. Как я и говорил, Марвин выделил мне место в городском хозяйстве, и я предложил его Доквейлеру. Он согласился, но без особенного энтузиазма. Просил, чтобы эту должность закрепили за управлением полиции, но это невозможно.

— Он не возмущался, что сократили его, а не Систо или Лурдес?

— Не знаю, в курсе ли вы, но папаша Систо давно уже работает в городском совете. И он там не последний человек. Поэтому Систо сокращение не грозило, и Доквейлер это знал. Поэтому излил негодование на Беллу. Сказал, что он уходит, а она остается из-за национальности. И еще потому, что я не хочу увольнять лесбиянку, — мол, меньшинства и все такое.

У шефа зазвонил телефон, и он тут же ответил:

— Говори.

Выслушал адрес и повторил его вслух, чтобы Босх запомнил: Согус, Стонингтон-драйв. Адрес был знакомый, и Босх почувствовал всплеск адреналина: еще одна деталь головоломки встала на свое место.

— Любопытно, — сказал Вальдес в телефон. — Второй адрес? Сбрось мне ссылку на карту. И начинай собирать спецгруппу. Посмотрим, что там, на месте, и я позвоню. Когда все будут готовы, пришли мне эсэмэску.

Спецгруппа УПСФ была аналогом лос-анджелесского спецназа. В нее входили полицейские из всех отделов управления, прошедшие надлежащую стрелковую подготовку и умеющие действовать в чрезвычайных ситуациях.

Закончив разговор, Вальдес спросил:

— Вбили адрес в навигатор?

— Нет, — ответил Босх. — Я и без того знаю, как туда добраться. Это рядом с Хаскелл-Каньоном. В воскресенье мы с Беллой были неподалеку. Проверяли нож Москита.

— Вы что, шутите?

— Не-а. Доквейлер точно наш парень. Владелец сообщил, что нож украли из машины прямо на подъездной дорожке. По его словам, в то время через дорогу от него жил помощник шерифа. Наверное, Доквейлер водил с ним дружбу. Бывал в этом районе. Может, видел нож в руках у владельца. Точно сказать не могу, но думаю, что совпадение из разряда невероятных. Таких совпадений не бывает. Нож украл Доквейлер.

Вальдес кивнул. Он начинал верить Босху.

— Все сходится, Гарри, — согласился он.

— Осталось надеяться, что мы успеем спасти Беллу, — сказал Босх.

ГЛАВА 30

Босх показал Вальдесу, как проехать в Согус, в район по ту сторону Хаскелл-Каньона — напротив места, где Москит украл нож у законного владельца.

По пути шеф пересказал последний разговор с диспетчером. В городе было правило: человек, желающий устроиться на вторую работу, должен получить разрешение властей, чтобы избежать конфликта интересов или неловких ситуаций. Это правило появилось десять лет назад, после статьи, опубликованной в «Лос-Анджелес таймс». В ней сообщалось, что помощник представителя администрации Сан-Фернандо в свободное от основной работы время снимается в порнофильмах под псевдонимом Страстный Тори.

— В общем, два года назад Доквейлер подал заявление. Хотел устроиться ночным сторожем на киноранчо Харриса в Каньон-Кантри, — сказал Вальдес. — Вот вам и второй адрес. Бывали в тех местах?

— Никогда, — ответил Босх.

— Там очень интересно. Пару раз ездил туда с шурином, он сценарист. Огромное ранчо, акров двести. Чего там только не снимают: вестерны, детективы, даже фантастику. В лесу множество разных строений, чтобы ставить перестрелки и прочие трюки. Не хочется этого говорить, но, если у Доквейлера есть доступ к этому месту, можем проискать Беллу до самого рассвета. Потому-то я и поднял спецгруппу. Пока неясно, понадобится она или нет. Приедем домой к Доквейлеру и разберемся.

Босх кивнул. План был неплохой.

— Как будем входить? — спросил он. — Сразу или в обход?

— То есть? — не понял Вальдес.

— Неужели не помните жаргон УПЛА? В обход. Потихоньку осмотрим место, составим план действий. Или же наоборот — просто постучим в дверь.

— Понял. Думаю, лучше в обход. Вы?

— Согласен.

Вальдес позвонил Тревино и ввел его в курс дела. Рассказал про киноранчо и добавил: не исключено, что придется отработать и эту версию. Продиктовал адрес Доквейлера, после чего оба составили план действий. Обе машины заезжают в квартал с разных сторон, паркуются где-нибудь у перекрестков, после чего все четверо подходят к дому пешком, проверяют обстановку и встречаются на заднем дворе, если удастся в него проникнуть.

— Не забывайте, он полицейский, — предупредил Вальдес. — Исходим из того, что он будет вооружен.

Когда шеф договорил, они уже подъезжали к месту. Пора было разделяться. Вальдес, выключив фары, свернул в квартал с северной стороны и остановился в трех домах от нужного адреса. Прежде чем выйти из машины, они с Босхом достали оружие. Проверили, есть ли патроны в патронниках, и снова убрали пистолеты.

Босх, не спрашивая разрешения, пошел первым, ибо предположил, что смыслит в тактике побольше, чем шеф полиции. Вальдес последовал за ним. Улица не была похожа на городскую. Машин на ней не оказалось, если не считать пары штук на подъездных дорожках у домов. Укрыться было негде, и Босх без труда увидел Систо и Тревино: те шли ему навстречу с другой стороны квартала.

Босх свернул к соседнему дому и замер за углом гаража. Через пару секунд Вальдес догнал его, и оба стали рассматривать жилище Доквейлера — небольшой домик в стиле ранчо, без ограды вокруг заднего двора. Над входной дверью горел фонарь, но в окнах света не было.

Босх кивнул Вальдесу. Обогнув дом сбоку, оба направились к заднему двору Доквейлера. По пути Босх заглядывал в каждое окно, но шторы были задернуты, лампы в комнатах выключены, и ему не удалось ничего разглядеть.

На заднем дворе обнаружился гриль, возле которого уже стояли Систо и Тревино. Над задней дверью тоже горел фонарь, но маломощный, и почти весь двор был погружен во тьму.

Все четверо собрались возле гриля. Босх осмотрелся. Сразу за задним двором начинался овраг. В нем было темно, хоть глаз выколи. У задней стены дома, чуть справа, стояла пристройка — небольшая комната с огромными, чуть ли не в пол, окнами. Выглядела она весьма неуместно, и Босх решил, что инспектор городского хозяйства сделал ее без согласования с городским архитектором.

— Похоже, дома никого, — заметил Систо.

— Нужно в этом убедиться, — сказал Босх. — В общем, так. Вы двое стойте у задней двери, а мы с шефом пойдем стучать в переднюю.

— Отличная мысль, — тут же заявил Вальдес, чтобы Систо и Тревино не успели спросить, почему им достались роли второго плана.

Босх направился к переднему входу вдоль стены. Вальдес, наказав группе поддержки смотреть в оба, пошел следом. Когда они добрались до угла дома, лужайку залило светом фар. На подъездную дорожку свернул автомобиль.

Босх вжался в стену. Вальдес замер. Что-то громыхнуло, — наверное, открывались ворота гаража. Но вместо того чтобы загнать в него машину, водитель заглушил мотор. Открылась и захлопнулась дверца. Через несколько секунд что-то громко стукнуло, словно одной железкой ударили о другую. Босх не сумел понять, что это за звук.

Он оглянулся на Вальдеса и кивнул. Подкрался к углу дома, выглянул на лужайку и рассмотрел машину: белый грузовичок с закрытым металлическим кузовом. У откидного борта — должно быть, только что открытого, — склонившись над кузовом, стоял мужчина. Босх не видел, чем он занят. Других людей рядом не было. Повернувшись к Вальдесу, Босх прошептал:

— Встаньте на мое место и посмотрите — это он?

Сменив позицию, Вальдес выглянул из-за угла. Дождался, пока человек выпрямится, и поднял большой палец. Да, это был Доквейлер.

— Не видите, что он делает? — спросил Босх. — Белла в кузове?

Вальдес помотал головой, но Босх не понял, был ли это ответ на оба вопроса или только на первый.

Вдруг что-то громко чирикнуло. Шеф схватился за телефон и выключил звук.

Разумеется, было уже слишком поздно.

— Стоять! — рявкнул человек на лужайке. — Замри! — И добавил пару нехороших слов.

Босх стоял за спиной у Вальдеса и не видел Доквейлера. Он снова вжался в стену: пусть Доквейлер думает, что имеет дело с одним противником, чтобы у Босха оставалось пространство для маневра.

— У меня пистолет, и я отлично стреляю! — крикнул Доквейлер. — Подними руки и выйди на свет!

Он направил фонарик на угол дома. В луче света Вальдес был похож на ростовую мишень. Он видел то, чего не видел Босх, а именно оружие и человека, готового открыть огонь. Подняв руки, он вышел на лужайку. Это был отважный поступок. Босх понял, что Вальдес хочет отвлечь внимание Доквейлера на себя.

— Эй, Док, не нервничай, — сказал он. — Это шеф Вальдес. Опусти пистолет.

— Шеф? Что вы здесь делаете? — спросил Доквейлер с искренним удивлением в голосе.

Вальдес, не останавливаясь, медленно шагал к дороге, в сторону от дома. Босх тихонько вынул пистолет из кобуры и сжал его в обеих руках. Если Доквейлер хотя бы щелкнет курком, Босх выскочит из-за угла и пристрелит его на месте.

— Я ищу Беллу, — сказал Вальдес.

— Беллу? — переспросил Доквейлер. — То есть Лурдес? А почему здесь? Если не ошибаюсь, она живет в городе.

— Ну же, Док, опусти пистолет. Ты меня знаешь. Тебе ничего не грозит. Я стою на самом видном месте. Давай спрячь оружие.

Босх подумал, слышат ли Систо и Тревино этот разговор и что будут делать, если слышат. Оглянувшись на задний двор, он никого не увидел. Если они идут к лужайке, то обходят дом с другой стороны. Неплохо. Можно будет взять вооруженного противника в клещи.

Он снова придвинулся к самому углу. Вальдес прошагал уже футов тридцать, добрую половину лужайки. Руки его все еще были подняты. В луче фонарика видно было, что черная рубашка поло сидит на нем как влитая. Еще бы, ведь бронежилета под ней не было. Гарри знал, что действовать придется с учетом этой мелочи. Не исключено, что нужно будет открыть огонь первым, чтобы Доквейлер не успел выстрелить.

— Так зачем вы здесь, шеф? — осведомился Доквейлер.

— Я же сказал, — спокойно ответил Вальдес, — ищу Беллу.

— С чего вы взяли, что она здесь? Босх нашептал?

— Почему ты о нем вспомнил?

Не успел Доквейлер ответить, как Систо и Тревино хором гаркнули у него за спиной:

— Брось пистолет!

— Доквейлер, брось пистолет!

Босх выступил из-за угла. Доквейлер, развернувшись, направил фонарик с пистолетом на Систо и Тревино — те стояли в боевых стойках, готовые стрелять.

Гарри оказался в выгодном положении: Доквейлер был слишком занят тремя людьми на лужайке и не ожидал четвертого. Расстояние между домом и грузовичком Босх преодолел меньше чем за три секунды.

Увидев его, Вальдес понял: прежде чем Гарри набросится на Доквейлера, нужно отвлечь его внимание от Систо и Тревино.

— Курт, сюда! — завопил он.

Доквейлер, как в замедленной съемке, начал поворачиваться к шефу. Луч фонарика и дуло пистолета поворачивались вместе с ним. Босх бросился на противника всем телом, угодив грудью ему в плечо и левую руку. Доквейлер охнул, выпустив воздух из легких, и тяжело рухнул на землю. Он был здоровенным парнем, и Босх, мячиком отскочив от его тела, упал рядом с ним.

Обошлось без стрельбы. Прежде чем Доквейлер оправился от столкновения с Босхом, Систо наскочил на него, схватил за правую руку, вырвал пистолет и зашвырнул его подальше на лужайку. Затем к схватке присоединился Вальдес, и Доквейлер — самый крупный из пятерых — был наконец обезврежен. Босх подполз ближе и всем своим весом налег ему на ноги, а Тревино заломил руки Доквейлера за спину, чтобы надеть наручники.

— Что за чертовщина?! — крикнул Доквейлер.

— Где она?! — крикнул в ответ Вальдес. — Где Белла?

— Не понимаю, о чем вы, — сумел выговорить Доквейлер, хотя Систо прижимал его лицом к газону. — Я с ней два года не общался. Даже не видел ее, эту гадину.

Вальдес встал и попятился.

— Поднимайте его, — приказал он. — И в дом. Гляньте, ключи у него?

Схватив фонарик — тот в пылу сражения упал на траву и теперь светил в сторону, — Босх принялся шарить лучом по лужайке в поисках пистолета. Наконец увидел его, поднялся на ноги и пошел поднимать.

Пользуясь случаем, Доквейлер еще раз попытался вскочить, но эта попытка была последней. Тревино врезал ему коленом в бок, и Доквейлер понял, что лучше не дергаться.

— Ладно-ладно, — проговорил он. — Сдаюсь. Что это вообще такое?! Четверо на одного? Козлы придурочные!

Тревино и Систо ощупывали его карманы в поисках ключей.

— Сам козел! — рявкнул Систо. — Говори, где Белла. Мы знаем, это ты ее похитил.

— Да вы, черти, совсем рехнулись! — отозвался Доквейлер.

Босх посветил в открытый кузов грузовичка, содрогаясь при мысли о том, что сейчас увидит.

Но в кузове не было ничего, кроме инструментов. Босх понять не мог, с чем возился Доквейлер, когда за ним следили из-за угла.

На откидном борту он заметил кольцо с ключами. Схватив их, Босх сообщил остальным:

— Ключи у меня.

Пока Систо и Тревино приводили Доквейлера в вертикальное положение, Вальдес подошел к кузову грузовичка.

— Я бы не сказал, что задержание прошло в полном соответствии с правилами, — заметил Босх. — Как действуем дальше? Ордера у нас нет, и приглашать в дом нас, похоже, не собираются.

— ВП нет, но СО, по-моему, предостаточно, — сказал Вальдес. — Нужно попасть в дом. Давайте открывать.

Босх был того же мнения, но всегда лучше, чтобы решение принял начальник. Для ордера на обыск нужна была вероятная причина и распоряжение судьи, но все это перекрывали срочные обстоятельства. Закон не давал четкого определения, в каких именно экстренных случаях разрешается пренебречь конституционными правами граждан. Исчезла сотрудница полиции, а ее бывший коллега размахивает пистолетом? Босх знал, что такое объяснение прокатит в любом суде.

Шагая к входной двери, он заглянул в открытый гараж. Тот был забит коробками и деревянными поддонами. Места для грузовичка не было. Босх задумался, зачем Доквейлер открыл ворота.

Оказавшись на крыльце, он посветил на связку ключей. Их было несколько. Среди них Босх узнал универсальный ключ от всех автомобилей полиции и муниципальных служб, а также еще один, поменьше и бронзового цвета, от небольшого замка. Достав из кармана свою связку, он сравнил маленький ключ от рабочего стола в сыскном отделе с ключом на кольце Доквейлера. Один в один.

Сомнений у Босха не осталось. Перед уходом в департамент общественных работ Доквейлер оставил себе ключ от стола. Именно он тайком проверял папку с делом Москита.

Босх начал подбирать ключ к входной двери. Со второй попытки он открыл замок и придержал дверь, чтобы Систо и Тревино ввели Доквейлера в дом.

Последним вошел Вальдес. Босх показал ему маленький ключ.

— От чего он? — спросил Вальдес.

— От ящика в моем столе, — ответил Босх. — На той неделе я понял, что кто-то шарит по моим папкам. Читает дело Москита. Я, грешным делом, подумал на кое-кого из сотрудников. Но это был Доквейлер.

Вальдес кивнул. Еще одна деталь головоломки встала на место.

— Куда его? — спросил Систо.

— На кухню, если там есть стол со стульями, — сказал Тревино. — Пристегни его к стулу.

Вслед за шефом Босх прошагал по прихожей, свернул налево и оказался на кухне — как раз в тот момент, когда Систо и Тревино приковывали Доквейлера к стулу двумя парами наручников. Стул со столом, заставленным кухонной утварью, располагались в маленькой нише с огромными окнами, от потолка до пола, — той самой пристройке, что Босх приметил еще во дворе. На всех трех окнах были подъемные жалюзи, чтобы оградить помещение от солнечного жара. Должно быть, Доквейлер просчитался, когда решил сделать такие огромные окна.

— Чушь какая-то! — заявил бывший детектив, когда его пристегнули к стулу. — Ни ордера, ни доказательств, просто взяли и вломились к человеку в дом. Это никуда не годится. Любой судья так решит, а уж я вас, гаденышей, поимею, не сомневайтесь! И вас, и славный город Сан-Фернандо.

Во время борьбы на лужайке физиономия его перепачкалась, но в резком свете люминесцентной лампы Босх видел, что под глазами у него синяки, а переносица распухла. Такое бывает после сильного удара по лицу. И еще Босх заметил, что Доквейлер пытался скрыть багрово-желтые кровоподтеки с помощью грима.

На кухонном столе Доквейлер вел домашнюю бухгалтерию. Слева неряшливой кипой лежали выписки по кредиткам и две чековые книжки. Справа — корешки квитанций, финансовые записи и нераспечатанные конверты. В центре была кофейная кружка с ручками и карандашами, а рядом с ней — пепельница, битком набитая сигаретными окурками. В доме стоял отчетливый запах курильщика. С каждым вдохом Босх чувствовал его все сильнее.

Он подошел к окну над раковиной, открыл его, чтобы впустить свежий воздух, и вернулся к столу. Передвинул кружку влево, чтобы во время разговора между ним и Доквейлером не было никаких преград. Придвинул стул и поставил его напротив Доквейлера. У предстоящего допроса было сразу две темы: Белла Лурдес и дело Москита.

Босх собирался было сесть, но Тревино его остановил:

— Погоди-ка. — Указав на прихожую, он добавил: — Шеф, нужно выйти. Поговорить. Босх, ты с нами. Систо, побудь здесь.

— Ага, сходите поговорите, — насмешливо бросил Доквейлер. — О том, как вы обгадились и как теперь отстирывать штаны.

Босх повернулся к арке, ведущей из кухни в прихожую. Взглянул на Доквейлера, на Систо. Кивнул. Несмотря на разногласия, Систо и Тревино отлично все разыграли, когда выскочили из-за угла. Если бы не они, шеф мог получить пулю.

Систо кивнул в ответ.

Тревино вышел в прихожую и остановился у входной двери. Босх и Вальдес последовали за ним. Тревино сразу взял быка за рога.

— Допрос буду вести я, — тихо произнес он.

Босх посмотрел на него, перевел взгляд на Вальдеса и пару секунд помолчал, дожидаясь возражений шефа. Но Вальдес ничего не сказал. Босх снова взглянул на Тревино.

— Минуточку, — произнес он. — Я занимаюсь этим делом с самого начала. И знаю его лучше всех. Это я должен вести допрос.

— Сейчас в приоритете Белла, а не дело Москита, — сказал Тревино. — А ее я знаю лучше, чем ты.

Босх непонимающе помотал головой.

— Это же глупость, — сказал он. — Какая разница, насколько хорошо вы знаете Беллу? Здесь важно видеть всю картину целиком. Мы имеем дело с Москитом. Он схватил Беллу, потому что она подобралась к нему слишком близко. Или все поняла, когда пришла к нему в отдел. Дайте мне с ним поговорить.

— Мы пока что не знаем, что Москит — это он, — возразил Тревино. — Сперва нужно...

— Вы лицо его видели? — перебил Босх. — Переносица распухла, под глазами синяки. Потому что Беатрис Саагун ударила его шваброй. Он пробовал замазать синяки тональным кремом. Не сомневайтесь, он Москит. Пусть вы этого не знаете, но я-то знаю!

Пришло время воззвать к Вальдесу. Повернувшись, Босх сказал:

— Шеф, это мой допрос.

— Гарри, — начал шеф, — мы с капитаном уже все обсудили. Еще до того, как пропала Белла. Все дело в том, что будет в суде. С поправкой на вашу биографию.

— Мою биографию? — спросил Босх. — Шутите? Имеете в виду ту сотню убийств, что я раскрыл? Сотню с хвостиком? Вы об этой биографии?

— Ты знаешь, о чем он, — сказал Тревино. — Ты личность спорная. На суде тебя разделают. Срежут на взлете.

— К тому же вы резервист, — добавил Вальдес. — Не работаете на полную ставку, и адвокат обязательно к этому прицепится. Да и присяжные будут не в восторге.

— За неделю я отрабатываю едва ли не больше часов, чем Систо, — сказал Босх.

— Это не важно, — произнес Тревино. — Ты резервист, вот и все. Я займусь допросом, а ты походи по дому. Поищи следы Беллы. Любые доказательства, что она здесь была. А когда закончишь, осмотри грузовичок.

Босх в третий раз взглянул на Вальдеса и понял, что шеф сейчас на стороне Тревино.

— Не спорьте, Гарри, — сказал Вальдес. — Просто сделайте, что сказано. Ради Беллы. Хорошо?

— Не вопрос, — буркнул Босх. — Ради Беллы. Как стану нужен, зовите.

Развернувшись, Тревино направился в сторону кухни.

Вальдес, немного подождав, кивнул Босху и ушел вслед за капитаном. Гарри жутко расстроился, что его вот так запросто отодвинули в сторону, но не собирался ставить эмоции и профессиональную гордость выше общей цели. Особенно теперь, когда судьба Беллы Лурдес еще не ясна. Босх не сомневался, что допрос нужно было поручить ему. У него были необходимые навыки, чтобы расколоть Доквейлера. И он не сомневался, что в конце концов эти навыки придутся весьма кстати.

— Капитан? — окликнул он.

Тревино обернулся.

— Не забудьте зачитать ему права, — напомнил Босх.

— Ну конечно, — сказал Тревино и встал в арке между прихожей и кухней.

ГЛАВА 31

Босх заглянул в гостиную, прошел по коридору и оказался возле спален. Сейчас было не время давать волю эмоциям. Поиск улик требовал предельной концентрации внимания. Исчезновение сотрудника полиции — событие из разряда чрезвычайных, и Босх мог обыскать дом Доквейлера, не опасаясь юридических претензий. Однако для поиска улик по делу Москита ему нужен был ордер. С точки зрения закона положение оказалось весьма затруднительным. Босх должен был обыскать дом на предмет следов Лурдес или указаний на ее местонахождение, но копать глубже — искать доказательства других преступлений — не имел права.

Нужно было реально смотреть на ситуацию. Увидев Доквейлера и убедившись, что он оставил себе ключ от стола и тайно проникал в участок, чтобы просматривать папку с материалами следствия, Босх был уверен, что вышел на Москита. Отсюда следовало, что Белла, скорее всего, уже мертва. Не исключено, что ее и вовсе не смогут найти. Следовательно, в первую очередь нужно искать улики по делу Москита, но действовать так, чтобы не нарушить никаких правил.

Надев латексные перчатки, Босх приступил к обыску. Он решил начать с коридора возле спален и постепенно продвигаться к кухне. Спален было три, но Доквейлер пользовался лишь одной. Ее Гарри обыскал в первую очередь. В комнате царил беспорядок. Вокруг кровати кучками лежала одежда с обувью — по всей видимости, на тех же местах, где Доквейлер ее сбрасывал. Постель была не заправлена, на белье виднелись грязные пятна. Стены были желтыми, но не от краски. Комната провоняла чем-то кислым, — должно быть, табачный дым смешался с запахом человеческого пота. Босху пришлось работать, прикрывая рот ладонью.

Санузел был такой же неопрятный. В ванне валялась одежда, а унитаз, похоже, ни разу не чистили. Подняв с пола вешалку, Босх поворошил одежду в ванне, чтобы убедиться, что под ней ничего — и никого — нет. Эти вещи тоже были грязными, но по-иному, чем одежда на полу спальни. Ткань была покрыта зернистой серой пылью, похожей на бетонную. Наверное, Доквейлер перепачкался во время инспекции или когда возился с бетоном по поручению начальства.

В душевой было пусто. На стенах, выложенных белым кафелем, были такие же грязные пятна, что и на простынях. В сливном отверстии обнаружилась все та же серая пыль и кусочки бетона. В ванной оказался маленький чулан, на удивление чистенький и аккуратный, — наверное, вся одежда, которая должна в нем висеть, валялась в ванне или разбросана по полу спальни.

В остальных двух спальнях Доквейлер устроил кладовые. В той, что поменьше, стояли оружейные сейфы со стеклянными дверьми, а в них — винтовки и помповые ружья. Почти на каждой спусковой скобе была бирка с указанием нужного типа патронов. Босх предположил, что все оружие заряжено. Гостевая спальня была побольше. В ней хранились запасы всего, что нужно для жизнеобеспечения: поддоны с бутилированной водой и энергетическими напитками, а также ящики с консервами и питательными порошками — скорее всего, с длительным сроком годности.

В чуланах обеих комнат также громоздились ящики со всевозможными припасами. Следов Беллы в этой части дома не обнаружилось. Работая в спальнях, Босх слышал, что из кухни доносятся приглушенные голоса. Слов он разобрать не мог, но ясно было, кто и каким тоном говорит. Как ни распинался Тревино, Доквейлер был ему не по зубам.

В коридоре возле спален Босх нашел люк, ведущий на чердак. На нем были отпечатки грязных пальцев, но понять, как давно Доквейлер туда забирался, было невозможно.

Оглядевшись, Босх заметил в углу четырехфутовую палку с крюком на конце. Взял ее, зацепил крюком за металлическое ушко люка и потянул на себя. Вход на чердак оказался таким же, как в доме Оливии Макдоналд. Раздвинув лестницу, Босх взобрался наверх.

Нашел шнурок выключателя и вскоре уже осматривал помещение. Тесное пространство было забито припасами до самых стропил. Заглянув во все углы, Босх убедился, что Беллы на чердаке нет, и спустился в коридор. Люк он оставил открытым и лестницу складывать не стал — на тот случай, если получит ордер и вернется для более тщательного обыска.

Переместившись в следующую комнату — нечто среднее между гостиной и столовой, — Босх начал различать, о чем говорят на кухне. Доквейлер напрочь отказывался что-либо признавать, и Тревино принялся сыпать угрозами. Босх знал, что обычно такая тактика не ведет ни к чему хорошему.

— Тебе конец, друг мой, — говорил Тревино. — Все упирается в анализ ДНК. Осталось подтвердить, что твоя

ДНК совпадает с теми образцами, что взяли у жертв, — и все, пиши пропало. Никаких шансов. Получишь сразу несколько сроков и сядешь на всю оставшуюся жизнь. Но сейчас у тебя есть последний шанс. Скажи, где Белла, и мы замолвим за тебя словечко. Перед прокурором, перед судьей, да перед кем угодно.

Ответом на увещевания Тревино была тишина. Капитан говорил правду, но преподносил ее как угрозу, а подозреваемый с психологическим профилем Москита вряд ли расколется под давлением. Босх знал, что правильнее было бы строить допрос, исходя из склонности преступника к самолюбованию, и всячески подчеркивать его гениальность. Нужно было внушить Доквейлеру, что он сам направляет разговор в нужное русло, и вытягивать из него информацию по крохам.

Осмотрев гостиную, Босх вышел в прихожую. Вальдес стоял, прислонившись к кухонной арке, и смотрел, как Тревино терпит полный крах. Взглянув на Босха, шеф повел подбородком, словно спрашивал, удалось ли что-нибудь найти. Гарри лишь покачал головой.

Прямо перед кухонной аркой была дверь, ведущая в гараж. Босх прошел в нее, включил свет и закрыл дверь у себя за спиной. Гараж тоже был заставлен ящиками с провиантом: водой, консервами, питательными порошками. Доквейлер ухитрился раздобыть даже армейские сухие пайки. Здесь же хранились несъедобные запасы: коробки с батарейками, фонарики, аптечки первой помощи, газоочистители, фильтры и ферменты для очистки воды и биотуалетов, ящики с химическими светильниками — так называемыми световыми палками — и медицинские препараты вроде бетадина и йодида калия. О них Босх помнил еще с учебки, когда вероятность ядерного конфликта с Советским Союзом считалась весьма высокой. Оба препарата призваны были обеспечить защиту от радиоактивного йода, вызывающего рак щитовидной железы. Доквейлер, похоже, был готов к чему угодно: от теракта до ядерного взрыва.

Вернувшись к двери, Босх высунулся в коридор, привлек внимание Вальдеса и поманил его к себе.

Шеф вошел в гараж и уставился на штабеля ящиков.

— Это еще что? — спросил он.

— Он выживальщик, — ответил Босх. — Похоже, вложил все деньги в припасы на случай какой-нибудь катастрофы. Чердак и две спальни забиты оружием и провиантом. В одной из спален целый арсенал. Думаю, в случае чего он смог бы продержаться месяца три-четыре. При условии, что тушенка не перестанет лезть в горло.

— Главное, не забыть про консервный нож.

— В какой-то степени это объясняет мотивацию его поступков. Когда конец света не за горами, люди ведут себя импульсивно. Творят что хотят. Как там Тревино? Делает успехи?

— Нет, забуксовал. Доквейлер играет с ним как кошка с мышкой. То уходит в несознанку, то намекает, что ему кое-что известно.

Босх кивнул. Он решил, что попробует сменить капитана, как только закончит с обыском.

— Пойду взгляну на грузовик, а потом позвоню судье. Хочу перевернуть здесь все вверх дном, но для этого нужен ордер.

Вальдес, человек неглупый, понял, что у Босха на уме:

— Думаете, Белла мертва?

Помедлив, Босх мрачно кивнул:

— С какой стати он оставил бы ее в живых? В отчете профайлера сказано, что рано или поздно Москит решится на убийство. Белла могла его опознать. Нет, ну правда, с какой стати?

Вальдес понурил голову.

— Простите, шеф, — сказал Босх. — Просто я реалист.

— Знаю, — произнес Вальдес. — Но мы будем искать ее, пока не найдем. Живую или мертвую.

— Правильное решение.

Похлопав его по плечу, Вальдес вернулся в дом.

Пробравшись между ящиками, Босх вышел на подъездную дорожку и направился к грузовичку Доквейлера. Тот был не заперт. Босх открыл пассажирскую дверцу: если Белла Лурдес была в кабине, то сидела рядом с водителем. На сиденье стоял большой пакет с логотипом «Макдоналдс». Он был закрыт. Сняв перчатку, Босх коснулся его тыльной стороной пальцев. Еще теплый. Должно быть, Доквейлер купил еду незадолго до приезда домой.

Снова надев перчатку, Босх раскрыл пакет. Фонарик, что он поднял с лужайки, все еще был у него в заднем кармане. Босх достал его, посветил в пакет и увидел две картонные коробки с гамбургерами и две большие порции картошки фри.

Он знал, что здоровяк вроде Доквейлера запросто может умять такую гору еды за один присест. Но еще он знал, что этот ужин, скорее всего, рассчитан на двоих. Впервые с тех пор, как полицейские вошли в дом Доквейлера, в душе у Босха затеплилась надежда, что Белла все еще жива. Он задумался, зачем Доквейлер заехал домой, прежде чем отвезти еду своей жертве. Неужели Белла где-то здесь и Босх просто не сумел ее найти? Он вспомнил про овраг за домом Доквейлера. Быть может, Белла там?

Оставив пакет с едой на месте, Босх поводил лучом фонарика по черному коврику и боковинам пассажирского сиденья, но не увидел ничего примечательного. Никаких следов Беллы.

Не выключая фонарика, он перешел к кузову. Посветил в дальние углы, осмотрел металлический кожух и снова не увидел ничего подозрительного. Ни следов Беллы Лурдес, ни улик против Москита. Но все же Доквейлер стоял над кузовом, когда у Вальдеса чирикнул телефон. И еще он открыл гараж, хотя не собирался ставить в него свой грузовичок. Босх никак не мог понять, что все это значит.

В кузове была перевернутая тачка, двухколесная транспортировочная тележка, несколько инструментов с длинными черенками: три лопаты, мотыга, кирка и щетка для подметания, а еще пара чехлов для защиты рабочего места от пыли. Все лопаты были разные: одна штыковая и две совковые — первая поуже, вторая пошире. Похоже, они предназначались для уборки строительного мусора. Все лопаты были грязные. На штыковой осталась темно-красная глина, а на совковых — та же серая бетонная пыль, что и на одежде в ванне.

Посветив на резиновое колесо тачки, Босх увидел застрявшие в протекторе кусочки бетона. Очевидно, Доквейлер совсем недавно работал с бетоном, но вряд ли замуровал тело Беллы Лурдес. На тряпках в ванной была такая же пыль, а комплектов одежды там было несколько. Пожалуй, Доквейлер возился с бетоном уже не раз и явно начал раньше чем восемь часов назад — то есть когда Белла еще не пропала.

Однако, взглянув на глину на штыковой лопате, Босх призадумался. Яму Доквейлер мог выкопать когда угодно.

Босх подтянул ручную тележку поближе к откидному борту, чтобы рассмотреть ее как следует. На колесной оси была бирка с надписью:

«Инвентарь департамента общественных работ, г. Сан-Фернандо».

Доквейлер то ли стащил, то ли позаимствовал тележку в личных целях. Наверняка при ближайшем рассмотрении окажется, что многие инструменты в грузовике и гараже были украдены из мастерской во дворе департамента общественных работ. Но Босх по-прежнему не понимал, зачем Доквейлер склонился над кузовом и для чего ему в тот день понадобилась транспортировочная тележка.

Для дальнейшего обыска нужна была причина посерьезнее, чем срочные обстоятельства. Босх отошел от грузовичка и достал телефон. Пролистал список контактов до буквы «С»: под ней были записаны телефоны судей, с которыми у Босха были достаточно теплые отношения — настолько, что он сумел выпросить у них номера мобильников.

Для начала он позвонил судье Роберту О'Ниллу. Тот однажды вел четырехмесячное разбирательство по делу об убийстве, где Босх выступал в роли старшего детектива. Уже коснувшись иконки звонка, Гарри спохватился и взглянул на часы. Одиннадцати — того самого часа, когда судья превращается в тыкву, — еще не было. Если же позвонить судье после одиннадцати, добра не жди, будь ситуация хоть дважды чрезвычайной.

О'Нилл ответил почти сразу. Судя по голосу, он не спал и не был пьян. Что ж, это неплохо. Однажды у Гарри был случай, когда адвокат поставил под вопрос законность ордера, потому что судья дал разрешение на обыск в три часа ночи, когда Босх его разбудил.

— Судья О'Нилл? Это Гарри Босх. Надеюсь, не потревожил.

— Гарри, добрый вечер. Нет, не потревожили. В последнее время я ложусь поздно, а засыпаю и того позже.

Босх не понял, что он имеет в виду.

— Вы в отпуске, сэр? Вы не могли бы заверить аффидевит[1] по телефону? У нас тут пропала...

— Гарри, позвольте вас перебить. Вы, наверное, не слышали, что я уже три месяца как ушел в отставку?

Новость была неожиданной, и на мгновение Босх даже растерялся. Уволившись из УПЛА, он перестал следить за перипетиями в здании суда Клары Фольц.

— В отставку? — переспросил он.

— Вот именно, — сказал О'Нилл. — И вы, насколько мне известно, тоже. Это какой-то розыгрыш?

— О нет, сэр! Это не розыгрыш. Сейчас я представляю Управление полиции Сан-Фернандо. И мне пора. У нас тут ЧП. Простите, что побеспокоил.

И Босх, не дожидаясь новых вопросов, завершил звонок. У него не было времени на пустые разговоры. Вернувшись в раздел контактов, он стер номер О'Нилла, после чего позвонил Джону Хоутону: тот был следующим в списке дружелюбно настроенных судей. Среди местных копов и юристов он был известен как Пострел Хоутон. Он имел разрешение на скрытое ношение оружия, и однажды, когда во время процесса по делу о мексиканской мафии обе стороны затеяли нешуточную перебранку, Хоутон, призывая к порядку в зале суда, выстрелил в потолок. После этого судебный комитет округа и Калифорнийская ассоциация адвокатов вынесли ему порицание, а городской прокурор обвинил Хоутона в незаконном применении огнестрельного оружия и мелком правонарушении. Несмотря на это, Хоутон раз за разом баллотировался на пост судьи, и всегда успешно.

---

[1] *Аффидевит* (от *лат.* affido — клятвенно удостоверяю) — в праве Великобритании и США письменное показание или заявление лица, выступающего в роли свидетеля, которое при невозможности (затруднительности) его личной явки дается под присягой и удостоверяется нотариусом или иным уполномоченным должностным лицом.

Он тоже не спал и не был пьян.

— Гарри Босх? Я думал, вы ушли в отставку.

— Ушел, а потом опять пришел. Сейчас работаю в полиции Сан-Фернандо — на общественных началах, разбираю нераскрытые дела. Но звоню по другому поводу. У нас тут чрезвычайная ситуация. Пропал сотрудник полиции. Я стою у дома подозреваемого, и мне нужно провести обыск. Мы надеемся, что она еще жива.

— Она? Это женщина?

— Да, сэр. Она детектив. Мы считаем, что подозреваемый — серийный насильник — похитил ее часов семь-восемь назад. Дом уже осмотрели, но по-быстрому, в рамках срочных обстоятельств. Теперь же нужно провести тщательный обыск. Найти детектива и улики по делу об изнасилованиях.

— Понял.

— Дело очень срочное, и мне некогда ехать в участок и распечатывать аффидевит. Скажите, можно изложить вероятную причину по телефону, а бумаги прислать завтра?

— Давайте, я вас слушаю.

Преодолев первый барьер, Босх следующие пять минут рассказывал, как полицейские, расследуя дело Москита, вышли на Доквейлера, — в красках и со множеством не относящихся к делу подробностей, чтобы судья проникся столь яркой картиной и выдал разрешение на обыск. Лопаты в кузове грузовичка, пакет с ужином на две персоны, ужасная грязь в доме, полицейское прошлое Доквейлера — все эти детали пришлись весьма кстати, и Хоутон дал добро на обыск дома и машины подозреваемого.

Не скупясь на благодарности, Босх пообещал завтра же прислать судье аффидевит в письменном виде.

— Ловлю на слове, — сказал Хоутон.

ГЛАВА 32

Окончив разговор, Босх вернулся в дом и опять поманил Вальдеса — тот стоял на прежнем месте, в кухонной арке.

Шеф тут же вышел в прихожую и остановился у входной двери, рядом с Босхом. Из кухни доносился голос, но на сей раз говорил не Тревино. Говорил Доквейлер.

Босх хотел сказать, что получил устное разрешение на обыск, но Вальдес его опередил.

— Тревино его расколол, — взволнованно зашептал он. — Доквейлер вот-вот расскажет, где она. Говорит, еще жива.

— Расколол? — оторопело повторил Босх.

Вальдес кивнул:

— Поначалу отнекивался, а потом такой «ну ладно, вы меня прищучили».

Босху нужно было это видеть. Он направился к кухонной арке, задаваясь вопросом, почему ему не верится в успех Тревино. Неужели это глас тщеславия и уязвленной гордости? Или же дело в чем-то другом?

Он вошел на кухню. Доквейлер по-прежнему сидел за столом, руки его были заведены за спину и пристегнуты к стулу. Он поднял взгляд, ожидая увидеть Вальдеса, но вместо этого увидел Босха, и лицо его на мгновение изменилось — на нем мелькнуло то ли разочарование, то ли что-то еще. До этого вечера Босх не был знаком с Доквейлером и не знал, как читать его мимику. Но вскоре он понял, в чем дело.

Кивнув в его сторону, Доквейлер произнес:

— Он здесь не нужен. Пока не уйдет, я ничего не скажу.

Тревино, обернувшись, увидел, что подозреваемого смутил не Вальдес, а Босх.

— Детектив Босх, — сказал он, — почему бы вам...

— Почему бы? — перебил его Босх. — Боитесь, как бы я не увидел, что у вас здесь не допрос, а профанация?

— Босх! — рявкнул Тревино. — Выйдите из комнаты, сейчас же! Этот человек готов сотрудничать с полицией. Если он хочет, чтобы вас здесь не было, вас здесь не будет.

Босх не двинулся с места. Ситуация была весьма нелепой.

— Воздуха ей осталось всего ничего, — сказал Доквейлер. — Надумал играть в игрушки, Босх? Если что случится, это будет на твоей совести.

Босх почувствовал, как Вальдес схватил его за плечо, собираясь вывести из кухни. Он взглянул на Систо. Тот стоял возле раковины за спиной у Тревино. Глупо улыбнувшись, он покачал головой, словно перед ним был не Босх, а жалкое недоразумение, от которого никак нельзя отделаться.

— Гарри, давайте выйдем, — сказал Вальдес.

Босх в последний раз посмотрел на Доквейлера, пытаясь понять, что у него на уме, но глаза его были пустыми и безжизненными. Это были глаза психопата. В этот момент Босх догадался: Доквейлер задумал что-то нехорошее. Еще бы понять, что именно.

Вальдес потянул Босха за руку, и тот наконец повернулся к арке. Вышел из кухни и направился к двери.

Вальдес следовал за ним, чтобы Босх не надумал вернуться.

— Выйдем, — повторил он.

Они вышли на крыльцо. Вальдес закрыл дверь:

— Гарри, придется играть по его правилам. Он разговорился. Сказал, что отведет нас к Белле. У нас нет выбора.

— Это уловка, — сказал Босх. — Он ищет возможности сбежать.

— Ясное дело. Мы же не дураки, все понимаем. Никто не выпустит его на улицу среди ночи. Если он и правда готов рассказать, где Белла, пусть рисует карту. Но со стула он не встанет, это без вариантов.

— Знаете, шеф, что-то здесь не то. Все, что я видел в доме, в машине, в гараже... Сплошные нестыковки. Нужно...

— Нестыковки? О чем вы?

— Сам пока не знаю, — покачал головой Босх. — Меня на кухне не было, разговора я не слышал, вопросов не задавал. Иначе сообразил бы, что к чему. Но...

— Гарри, мне нужно вернуться. Просто подождите. Скоро он все расскажет, и вы подключитесь к делу. Возглавите операцию по спасению Беллы.

— Да не в этом дело, я не стремлюсь выставить себя героем. Просто думаю, что он врет. Вы же читали отчет профайлера. Там все написано. Такие люди никогда не сознаются. Им попросту нечего признавать, у них нет чувства вины за свои поступки. Они думают только о себе, а остальных ни в грош не ставят.

— Гарри, сейчас не время спорить. Мне нужно идти. А вы побудьте снаружи.

Развернувшись, Вальдес вошел в дом. На какое-то время Босх задумался, пытаясь понять, почему Доквейлер, увидев его, изменился в лице.

Через несколько секунд он решил обойти дом, встать у окна кухни и посмотреть, что там происходит. Да, Вальдес велел ему оставаться снаружи, но «снаружи» — понятие растяжимое.

Босх по-быстрому обошел дом и оказался на заднем дворе. Доквейлер и Тревино сидели друг напротив друга в застекленной пристройке. Жалюзи закрывали окна лишь на четверть высоты, в помещении горел яркий свет. Босх понимал, что останется незамеченным: случись кому-нибудь выглянуть в окно, этот человек увидит лишь собственное отражение.

Форточка над раковиной была открыта, и Босх отчетливо слышал каждое слово. По большей части говорил Доквейлер. Одна рука его была уже свободна. В ней был карандаш, а на столе лежал большой лист бумаги.

— Это место называют «Сороковка Джона Форда», — сказал Доквейлер. — По-моему, там Форд снимал один из шедевров с Джоном Уэйном. Ну, частично. Теперь же там в основном делают вестерны и ужастики типа «заброшенная хижина в лесу» — из тех, что не крутят в кинотеатрах, а сразу выкладывают в Интернет. Там штук шестнадцать разных домиков, и все годятся для съемок.

— В котором из них Белла? — перебил его Тревино.

— Вот в этом.

Доквейлер нарисовал что-то на листе бумаги, но спина его закрывала обзор, и Босх ничего не увидел. Положив карандаш на стол, Доквейлер провел по карте пальцем.

— Вот здесь вход, — сказал он. — Скажете сторожу, что вам нужно в домик Бонни. Он вас проводит. Там ее и найдете. В этих домиках полно тайников — в полу, в стенах. Ну, чтобы оператору было куда спрятаться. Ваша девчонка в тайнике под полом. Нужно лишь поднять доски.

— Ты, главное, не ври нам, Доквейлер, — предупредил Вальдес.

— А я и не вру, — ответил Доквейлер. — Если хотите, могу сам вас туда отвести.

И взмахнул рукой, словно хотел показать: почему бы и нет? Задел локтем карандаш, тот скатился со стола, отскочил от ноги Доквейлера и упал на пол.

— Ой, — сказал Доквейлер.

Наклонился и потянулся за карандашом. Маневр был непростой, ибо левая рука Доквейлера все еще была заведена за спину и прикована к спинке стула.

Окно было у Доквейлера за спиной, и Босх прекрасно видел, что случилось дальше. Все произошло словно в замедленной съемке. Доквейлер нагнулся за карандашом, но не смог дотянуться до него, поскольку был прикован к стулу. Рука его, однако, на мгновение скрылась под столешницей и тут же вновь появилась над столом.

Теперь в ней был полуавтоматический пистолет, направленный на Тревино.

— Стоять, суки!

Все трое, застыв, смотрели на Доквейлера.

Босх осторожно, не издав ни звука, достал пистолет из кобуры, взял его в двуручный хват и направил на спину подозреваемого. По закону он имел полное право пристрелить Доквейлера на месте, но загвоздка была в том, что напротив него сидел Тревино.

Доквейлер повел дулом пистолета, приказывая Вальдесу войти в кухню. Шеф подчинился, выставив ладони перед грудью.

Теперь все три копа собрались между кухонными шкафами, стоявшими буквой «П». Доквейлер велел капитану встать и подойти к остальным.

— Полегче, — пятясь, пробормотал Тревино. — Я-то думал, у нас тут серьезный разговор и мы вот-вот все решим.

— Это у тебя был разговор, — произнес Доквейлер. — А сейчас самое время захлопнуть пасть.

— Ладно-ладно, как скажешь.

Затем Доквейлер приказал каждому по очереди достать оружие из кобуры, положить на пол и подтолкнуть в его сторону. Он встал и выпрямил левую руку с прикованным к ней стулом. Оперся ею на стол и велел Систо подойти и снять наручники. Систо послушался, после чего вернулся в загончик между кухонными шкафами.

Теперь, стоя в полный рост, Доквейлер являл собой идеальную мишень для Босха, но стрелять по-прежнему было небезопасно. Гарри недостаточно хорошо разбирался в баллистике, чтобы предугадать, как поведет себя пуля, пробив стекло. Знал он лишь одно: если понадобится сделать несколько выстрелов, первый окажется проблемным.

К тому же была вероятность, что Доквейлер успеет нажать на спусковой крючок, если первая пуля Босха, пробив стекло, не попадет в цель.

Он глянул вниз, чтобы убедиться, что твердо стоит на бетонной отмостке, и решил отступить на шаг ближе к траве. Между Доквейлером и окном не было и восьми футов, но толщина стекла оставалась для Босха загадкой. Он решил, что будет стрелять лишь в случае крайней необходимости.

— Где Босх? — спросил Доквейлер.

— Перед домом, — ответил Вальдес. — Обыскивает твой грузовичок.

— Нужно, чтобы он пришел сюда.

— Могу привести.

Вальдес сделал шаг в сторону кухонной арки. Доквейлер тут же направил на него пистолет:

— Не тупи. Позвони ему, пусть сам придет. Не говори зачем. Просто скажи, чтобы шел сюда.

Вальдес медленно достал телефон из чехла на ремне. Босх понял, что звонок вот-вот выдаст его позицию. Он сунул руку в карман, чтобы перевести телефон в беззвучный режим, но тут до него дошло: обозначить свое местоположение будет, пожалуй, наилучшим вариантом.

Босх сдвинулся на шаг вправо — так, чтобы Доквейлер оказался между его пистолетом и Вальдесом. Тревино и Систо остались в стороне от линии огня. Оставалось надеяться, что подготовка, которую Вальдес прошел в УПЛА, стала его второй натурой и шеф сумеет понять, что вот-вот начнется стрельба.

Босх ждал, сжимая пистолет обеими руками. Сперва телефон предупредил о звонке вибрацией. Затем раздался пронзительный щебечущий звук — этот рингтон давным-давно выбрала Мэдди. Босх целил в крупную мишень — спину Доквейлера, — но внимание сосредоточил на его затылке.

Он видел, как Доквейлер вздрогнул. Значит, услышал звонок. Он на несколько сантиметров приподнял голову и повернул ее чуть влево, чтобы понять, откуда идет звук. Помедлив долю секунды, чтобы Вальдес успел среагировать, Босх открыл огонь.

Он выпустил шесть пуль меньше чем за три секунды. От грохота выстрелов, отраженного от стекол и потолка, зазвенело в ушах. Стекло разлетелось вдребезги, деревянные планки жалюзи раскололись в щепки. Босх старался стрелять параллельно потолку, чтобы пули не ушли вниз и не задели Вальдеса, который — хотелось бы надеяться — распластался на полу.

Доквейлер завалился на стол, откатился влево и шлепнулся на пол. Босх поднял пистолет. Тревино и Систо, которые не додумались даже пригнуться, бросились к телу.

— Не стрелять! — крикнул Тревино. — Он готов!

Стекла в оконной раме не осталось, обломки жалюзи болтались на тросиках. Пороховая вонь опаляла ноздри.

Босх сорвал жалюзи и вошел в кухню сквозь окно высотой с дверь.

Сперва он взглянул на Вальдеса. Тот, вытянув ноги и прислонившись спиной к кухонному шкафу, сидел на полу. Телефон все еще был у него в руке, но звонок уже переключился на голосовую почту. Вальдес не отрываясь смотрел на Доквейлера. Тот лежал в пяти футах от шефа. Наконец Вальдес поднял глаза на Босха.

— Все целы? — спросил Гарри.

Вальдес кивнул. В дверце шкафа, в паре футов от его головы, Босх заметил пулевое отверстие.

Затем он взглянул на Доквейлера. Здоровяк лежал на животе, голова его была повернута влево. Он не двигался, но глаза его были открыты, и он еще дышал, издавая свистящий звук с каждым тяжелым вдохом. Три из шести пуль попали в цель. Одна чуть левее позвоночника, между лопатками и поясницей, вторая в левую ягодицу, третья в левый локоть.

Присев на корточки рядом с подозреваемым, Босх взглянул на Тревино — тот сидел по другую сторону от тела.

— Неплохо стреляешь, — сказал капитан.

Босх кивнул. Пригнулся и заглянул под стол. Под столешницей была закреплена кобура. Проследив за его взглядом, Тревино тоже посмотрел на кобуру.

— Сукин сын! — буркнул он.

— Настоящий выживальщик готов к чему угодно, — заметил Босх. — Думаю, здесь повсюду тайники с оружием.

Он вытащил из кармана пару латексных перчаток. Надевая их, всмотрелся в лицо Доквейлера.

— Слышишь меня, Доквейлер? — спросил он. — Говорить можешь?

Прежде чем ответить, Доквейлер с трудом сглотнул:

— Мне надо в бо... больницу.

— Угу, — кивнул Босх. — Как только, так сразу. Для начала скажи нам, где Белла. Скажешь, и мы вызовем «скорую».

— Гарри... — вмешался Вальдес.

Босх поднял голову:

— Парни, вам лучше не лезть. Я сам разберусь.

— Гарри, — повторил Вальдес, — так нельзя.

— Хотите найти Беллу живой? — спросил Босх.

— Совсем недавно вы сомневались, что она жива.

— А потом нашел в грузовичке горячую еду. Белла жива. И этот скажет нам, где ее искать.

Систо подошел к столу и схватил лист бумаги с рисунком Доквейлера:

— Смотри, что у нас есть.

— Угу. Пиратская карта сокровищ, — сказал Босх. — Если думаешь, что Белла там, давай, вперед. Флаг тебе в руки.

Систо посмотрел на Вальдеса и опустил глаза на Тревино. Он до сих пор не понимал, что Доквейлер все это время играл с ними, дожидаясь удобного момента, чтобы выхватить спрятанный пистолет.

Вальдес, подняв руку с телефоном, наконец-то нажал кнопку отбоя, а потом кнопку быстрого набора.

— Высылайте сюда «скорую помощь», — сказал он. — У подозреваемого несколько пулевых ранений. И еще известите департамент шерифа. Скажите, чтобы прислали группу внутренних расследований.

Завершив звонок, он посмотрел на Босха. Послание было ясным: все нужно делать по правилам.

Наклонившись к Доквейлеру, Босх сделал еще одну попытку.

— Где Белла, Доквейлер? — спросил он. — Говори давай, или живым до больницы не доедешь.

— Гарри, — сказал Вальдес, — встаньте и выйдите во двор.

Босх не обратил на него внимания. Наклонившись еще ниже, он сказал Доквейлеру в ухо:

— Говори, где она.

— Пошел... ты, — выдавил Доквейлер между глотками воздуха. — Если скажу, для меня ничего не изменится. Но ты знай... это ты ее подвел.

Он сумел сложить губы в подобие улыбки. Гарри потянулся к пулевому отверстию у него в спине.

— Босх! — крикнул Вальдес. — На выход! Это приказ!

С трудом поднявшись на ноги, шеф шагнул вперед, чтобы при необходимости оттащить Гарри от Доквейлера. Босх поднял глаза, потом выпрямился во весь рост. Какое-то время они с шефом смотрели друг на друга. Наконец Гарри нарушил молчание.

— Я знаю, Белла здесь, — сказал он.

ГЛАВА 33

Босх знал, что время поджимает: вскоре на место приедут люди из ОВР управления шерифа, после чего всех сан-фернандовских копов разведут по разным углам. Пока парамедики спасали Доквейлеру жизнь и укладывали его на каталку, Гарри, вооружившись мощным фонариком, который нашел в одном из ящиков, отправился за дом, к склону Хаскелл-Каньон-Уош.

Он прошагал уже ярдов сорок, когда его окликнули. Обернувшись, Босх увидел, что вдогонку за ним бежит Систо.

— Ты куда? — спросил он.

— Хочу обыскать овраг, — ответил Босх.

— Думаешь, Белла там? Я помогу.

— А как же Доквейлер? Кто поедет с ним больницу?

— Наверное, капитан. Но чисто для галочки. Доквейлер никуда не денется. Я слышал разговор санитаров. Похоже, пуля перебила позвоночник.

Босх задумался, но лишь на мгновение. Мысль о том, что Доквейлер, если выживет, проведет остаток жизни в инвалидном кресле, не пробудила в нем никакого сочувствия. После того, что он сделал со своими жертвами — включая Беллу, хоть Босх и не знал, что с ней стало, — о сострадании не могло быть и речи.

— Ладно. Но нужно спешить, — сказал он. — Как только приедут парни шерифа, я окажусь вне игры. Да и все остальные тоже.

— Тогда командуй. Что мне делать?

Босх полез в карман за фонариком — тем, что подобрал на лужайке. Включил его и бросил Систо:

— Иди в одну сторону, а я пойду в другую.

— Думаешь, она привязана к дереву или что-то в этом роде?

— Может быть. Как знать? Просто надеюсь, что она еще жива. Спустимся, разойдемся и поищем.

— Так точно.

И они продолжили спускаться по склону. Овраг был довольно большой, но в нем ничего не строили из-за угрозы затопления. Повсюду были предупреждения «Прогулки запрещены», чтобы детишки не бегали сюда играть. Босх понимал, что во время грозы этот овраг мигом превращается в бурную реку.

Наконец склон стал пологим, а земля мягкой. Босх заметил тропинку, а на ней — что-то вроде колеи шириной дюймов шесть, а глубиной дюйма три. Колея шла до самого ручья на дне оврага. Прежде чем разойтись с Систо, Босх присел, посветил на землю и увидел отпечатки протектора.

Подняв фонарик, Босх направил его на тропинку, потом на ручей — мелкий и совершенно прозрачный. Кое-где на дне виднелся серый песок, в других местах — довольно большие осколки серого камня. Края осколков были ровные, блестящие, и Босх все понял. На дне ручья лежал бетон — застывший, а потом раздробленный. Строительный мусор.

— Гарри, ну мы будем ее искать или как? — спросил Систо.

— Погоди секунду, — ответил Босх. — Стой, где стоишь.

Выключив фонарик, Босх задержался у воды, обдумывая все, что узнал и увидел. Бетонная крошка. Оружие и припасы. Тачка и тележка, украденные из департамента общественных работ. Горячая еда на пассажирском сиденье. Наконец он понял, зачем Доквейлер склонился над кузовом грузовичка, когда у шефа зазвонил телефон.

— Он что-то строил, — сказал Босх. — А мусор отвозил сюда на тачке и сбрасывал в ручей.

— Ну хорошо, — кивнул Систо. — И что все это значит?

— Это значит, что мы ищем не там, где надо, — объяснил Босх.

Рывком выпрямившись, он включил фонарик, повернулся и посветил на склон, ведущий к дому Доквейлера. В кухонных окнах до сих пор горел свет.

— Я ошибся, — сказал Босх. — Нужно возвращаться.

— Чего? — не понял Систо. — Я думал, мы...

Он осекся и побежал вслед за Босхом. Тот уже мчался вверх по склону.

Возле дома Босх выдохся и перешел на быстрый шаг. В окнах пристройки маячили силуэты в костюмах: на место прибыли люди шерифа. Возможно, среди них были и следователи ОВР, но Босх решил, что сейчас не время это выяснять. Рядом с «костюмами» жестикулировал Вальдес — должно быть, показывал и рассказывал, как было дело.

Босх свернул за угол и оказался на лужайке.

Перед домом стояли две патрульные машины и одна служебная. Все новоприбывшие, похоже, ушли внутрь. Босх направился прямиком к грузовичку Доквейлера и схватился за транспортировочную тележку. Когда пришло время опускать ее на землю, подоспел Систо, и очень кстати: тележка оказалась довольно тяжелой.

— Гарри, для чего нам тележка? — спросил Систо.

— Нужно вывезти ящики из гаража.

— Зачем? Что в них?

— Не в них, а под ними.

Босх покатил тележку к гаражу.

— Доквейлер собирался достать ее, чтобы передвинуть ящики, — объяснил он.

— С какой стати? — спросил Систо.

— С такой, что в машине у него была горячая еда и ее нужно было съесть, пока не остынет.

— Гарри, я не догоняю...

— Ничего страшного. Просто таскай ящики.

Босх набросился на первый штабель. Закатил тележку под нижний ящик, наклонив ручку на себя, выкатил тележку из гаража, опустил ящики на лужайку и тут же вернулся за следующим штабелем. Систо работал вручную: брал по два-три ящика зараз и выносил их к грузовичку.

Через пять минут в рядах припасов образовалось некое подобие широкого коридора. Из-под ящиков выглянул край резинового коврика — такие подкладывают на пол гаража, чтобы собирать капающее из машины масло. Выкатив еще несколько штабелей, Босх нагнулся и отбросил коврик в сторону.

Под ним обнаружилась круглая металлическая крышка люка заподлицо с бетонным полом. На ней был штамп города Сан-Фернандо. Гарри присел, запустил два пальца в отверстия для воздуха и попробовал поднять крышку, но та оказалась слишком тяжелой. Босх оглянулся на Систо:

— Помоги.

— Минутку, Гарри, — сказал Систо.

Он исчез из поля зрения и через несколько секунд вернулся с длинной железкой. Один конец ее был загнут в крюк, а другой приспособлен под рукоятку.

— А ее ты где нашел? — спросил Гарри, отступив в сторону.

— Приметил на верстаке. Еще подумал, зачем она нужна, — ответил Систо. — Теперь дошло. Как-то видел, как парни из департамента общественных работ такими люки ворочают.

Он зацепился крюком за отверстие в металлической пластине и начал ее поднимать.

— Наверное, Доквейлер стащил все это с работы, — сказал Босх. — Помощь нужна?

— Справлюсь, — ответил Систо.

Он поднял крышку, и та с грохотом упала на бетонный пол. Наклонившись, Босх заглянул в отверстие. В свете гаражной лампы видна была лестница, ведущая в темноту. Босх подошел к ящику с химическими светильниками и, откинув крышку, взял несколько штук.

— Белла? — крикнул Систо у него за спиной.

Ответа не было.

Вернувшись к люку, Босх стал вскрывать «световые палки» и бросать их вниз, предварительно ударив по руке, чтобы разбить стеклянную капсулу. Наконец он решил, что пора спускаться. Лестница оказалась невысокой, футов десять, но последней ступеньки не было. Поставив ногу в пустоту, Босх чуть не упал. Осторожно встал на пол, достал из заднего кармана фонарик, включил его и посветил на бетонные стены. Ясно было, что строительство еще не закончено: повсюду торчала арматура и стояли фанерные каркасы для заливки бетона. С самодельных лесов свисала целлофановая пленка. Воздух здесь был, но его было мало: Босх поймал себя на том, что дышит часто и рывками, чтобы организм получил достаточно кислорода. Должно быть, Доквейлер еще не установил или не включил систему вентиляции. Чистый воздух поступал лишь из отверстия над головой.

Вот она, мечта любого выживальщика. Доквейлер соорудил подземный бункер, чтобы отсидеться, если произойдет серьезное землетрясение, взорвется ядерная бомба или нагрянут террористы.

— Ну что там? — спросил сверху Систо.

— Пока смотрю, — ответил Босх.

— Сейчас спущусь.

— Осторожнее. Там нет последней ступеньки.

Пробравшись между залежами строительного мусора, Босх оказался у дальней стены бункера. За целлофановой занавеской был уже готовый участок — гладкие стены и ровный пол выше уровня земли, с черным резиновым покрытием. Босх поводил фонариком, но ничего не увидел. Беллы здесь не было.

Осмотрев все вокруг, Босх понял, что снова ошибся. Из-за целлофановой занавески высунулся Систо:

— Ее здесь нет?

— Нет.

— Черт!

— Нужно поискать в доме.

— Может, он не врал насчет киноранчо?

Отодвинув занавеску, Босх вернулся к лестнице и понял, что все ступеньки на месте: просто лестница опускалась не до земли, а до уровня будущего пола.

Развернувшись, он едва не врезался в Систо. Протиснулся мимо него и вновь ушел в готовую часть бункера. Поводил лучом фонарика по полу в поисках стыков.

— Я думал, мы уже уходим, — сказал Систо.

— Помоги-ка, — попросил Босх. — Думаю, она здесь. Давай снимем резину.

Оба встали на землю, взялись за края покрытия и потянули на себя. Коврик был цельный, от стены до стены. Пол под ним оказался не бетонным, а фанерным. Босх принялся искать петлю, щель, любой признак тайника, но ничего не нашел.

Он стукнул по полу кулаком. Судя по звуку, внизу определенно была пустота. Систо тоже принялся колотить по фанере:

— Белла? Белла?

Ответа по-прежнему не было. Босх подбежал к занавеске, дернул и сорвал ее вместе с металлическим карнизом.

— Берегись! — крикнул Систо.

Край карниза ударил Босха по плечу, но Гарри не обратил на это внимания. Сейчас его организм работал на адреналине.

Босх снова спрыгнул на землю и посветил на фундамент — туда, где бетон смыкался с фанерой. Опустившись на колени, он попробовал приподнять фанерный лист, но тщетно.

— Помоги снять, — кивнул он Систо.

Тот, присев рядом с Босхом, попробовал ухватиться за край листа, но не смог.

— Осторожнее, — сказал Босх, схватил металлическую деталь от карниза и загнал ее в щель между фанерным листом и бетоном, после чего потянул вверх.

Фанера отстала от фундамента на дюйм. Систо, сунув пальцы в отверстие, дернул изо всех сил и сорвал лист с креплений.

Отшвырнув обломок карниза, который звякнул о бетон, Босх направил луч фонарика в пространство под полом и увидел босые пятки, а под ними — одеяло. Ноги были связаны. С другой стороны фундамента было углубление. Тайник под полом оказался вместительнее, чем предполагал Босх.

— Она здесь!

Схватившись за уголки одеяла, разложенного на деревянном поддоне, он потянул на себя, и в свете фонарика появилось лицо Беллы Лурдес. Тайник был неглубоким, и Лурдес лежала почти вплотную к полу. Она была связана, окровавлена, и во рту у нее был кляп. Она была обнажена. Она была без сознания или мертва.

— Белла! — крикнул Систо.

— Вызывай еще одну «скорую», — приказал Босх. — И скажи, чтобы захватили компактные носилки. Иначе не смогут поднять ее наверх.

Систо схватился за телефон, а Босх снова повернулся к Белле. Нагнулся, приблизил ухо к ее губам и почувствовал легкое дыхание. Значит, жива.

— Нет сигнала, — разочарованно сказал Систо.

— Так поднимись! — крикнул Босх. — Наверх, живо!

Систо подбежал к лестнице и начал подниматься. Босх снял куртку и накрыл ею Беллу. Вытащил поддон и придвинул его поближе к лестнице.

Здесь воздух был посвежее, и Белла начала приходить в сознание. Открыв глаза, она изумленно посмотрела на Босха. Ее начала бить дрожь.

— Белла? Это я, Гарри, — сказал Босх. — Ты в безопасности. Сейчас мы вытащим тебя отсюда.

ГЛАВА 34

Всю ночь Босх провел в компании следователей ОВР — сперва рассказал, почему полицейские из Сан-Фернандо приехали к Доквейлеру, а потом, шаг за шагом, объяснил и показал, как все произошло и почему он вынужден был открыть огонь. То же самое он делал совсем недавно — год назад, после перестрелки в Западном Голливуде. Он знал, чего ожидать, и понимал, что все это делается лишь для соблюдения правил, но все равно слегка волновался. Нужно было, чтобы следователи четко уяснили, что решение выстрелить Доквейлеру в спину было принято в строгом соответствии с законом и других вариантов у Босха не было. Доквейлер направил оружие на троих полицейских, а это является достаточным основанием для применения смертоносной силы.

Рапорт будет готов лишь через несколько недель — сперва следователи соберут отчеты баллистиков и криминалистов, составят протоколы допросов остальных копов из Сан-Фернандо и подготовят план-схему помещения, в котором произошла стрельба. Затем рапорт передадут в окружную прокуратуру, в комиссию по применению огнестрельного оружия полицией, и там с ним будут разбираться еще несколько недель. Только после этого будет принято окончательное решение: оружие было применено в полном соответствии с полицейскими полномочиями.

Босх знал, что сделал все по правилам. И еще он знал, что спасение Беллы Лурдес из тайника под полом бункера исключит вероятность любого давления на окружную прокуратуру со стороны СМИ. Трудно ставить под вопрос тактику, выбранную для нейтрализации человека, который похитил сотрудницу полиции, изнасиловал ее и запер в подземном бункере с очевидным намерением оставить ее в живых — поскольку привез еду — для последующих изнасилований и наконец убийства.

К тому времени, как следователи закончили с Босхом, было уже утро. Ему велели ехать домой и отдохнуть. Предупредили, что в следующие два-три дня, прежде чем расследование перейдет в «бумажную фазу», к Босху могут появиться новые вопросы. Босх сказал, что с радостью на них ответит.

Во время допроса он узнал, что Лурдес отвезли в травматологическое отделение больницы Святого Креста. По пути домой он заехал туда, чтобы справиться о ее состоянии. В приемной отделения сидел Вальдес. Судя по виду, он пробыл там всю ночь — с тех самых пор, как его отпустили люди шерифа. Рядом с ним на кушетке сидела женщина. Ее Босх видел на фото в секции Лурдес. Должно быть, это была сожительница Беллы.

— Допрос окончен? — спросил Вальдес.

— Пока что да, — ответил Босх. — Меня отправили домой. Как Белла?

— Спит. Тэрин была у нее пару раз. Ей разрешили.

Босх представился, и Тэрин поблагодарила его за помощь в спасении Беллы. Босх лишь кивнул: он, конечно, был рад, что вызволил Беллу, но гораздо сильнее его мучило чувство вины, ведь это он отправил Лурдес к Доквейлеру.

Взглянув на Вальдеса, Босх едва заметно повел головой в сторону коридора. Им с шефом нужно было поговорить, но этот разговор не предназначался для ушей Тэрин. Вальдес встал, извинился и вместе с Босхом вышел из приемного покоя.

— Ну что, удалось поговорить с Беллой? Узнать, как все было? — спросил Босх.

— Вкратце, — ответил Вальдес. — Она совсем расклеилась. Не хотел, чтобы она снова переживала этот кошмар. Мы же никуда не спешим. Верно?

— Верно.

— В общем, она сказала, что пришла во двор департамента общественных работ около полудня. Был перерыв, все разбрелись на обед. Белла прошлась по кабинетам и увидела Доквейлера: тот обедал на рабочем месте. Спросила насчет металлоискателя. Доквейлер вызвался погрузить его в машину и подвезти Беллу.

— И она согласилась. Потому что меня рядом не было.

— Хватит себя казнить. Вы же сказали ей взять Систо. К тому же Доквейлер, каким бы гадом он ни был, все же бывший коп. У Беллы не было причин ему не доверять.

— Когда он ее схватил?

— Они отправились домой к Саагун, провели обыск. Металлоискатель тяжелый, и Доквейлер предложил помочь — подвезти ее на грузовичке. Вы были правы. В кустах нашлись ключи от машины. Но Белла не знала, что это ключи Доквейлера. Машину он поставил в укромном месте, возле гаража. С улицы не видно. Жертва пятничного нападения еще не вернулась домой, и поблизости никого не было. Доквейлер попросил Беллу помочь с погрузкой металлоискателя. Схватил ее сзади, придушил. Потом, наверное, вколол ей наркотик, и она надолго отключилась. Пришла в себя в подземелье, когда

Доквейлер был уже на ней. Он не церемонился... ей крепко досталось.

Босх помотал головой, отгоняя мысли о том, что пережила Лурдес. Хотя представить это было невозможно.

— Больной урод, — сказал Вальдес. — Сказал, что теперь она будет жить у него в бункере. И никогда не увидит солнца...

Босх скрепя сердце приготовился выслушивать мрачные подробности, но его спасла Тэрин. Она вышла за ним в коридор.

— Я только что сказала Белле, что вы приехали, — сообщила она. — Она пришла в себя и хочет вас видеть.

— Это лишнее, — сказал Босх. — Не хочу мешать.

— Нет, она сама хочет. Правда.

— Ну, тогда ладно.

Тэрин увела Босха в приемный покой, а из него — в новый коридор. Шагая рядом с Гарри, она то и дело шептала проклятия.

— Она крепкая, — произнес Босх. — Выдержит.

— Нет, дело не в этом, — сказала Тэрин.

— А в чем?

— Не могу поверить, что он тоже здесь.

Босх не сообразил, о чем она:

— В смысле? Шеф?

— Нет, Доквейлер! Он тоже в этой больнице.

Теперь Босх все понял:

— Белла об этом знает?

— Вряд ли.

— Вот пусть и дальше не знает.

— Я ей не скажу. А не то совсем слетит с катушек.

— Как только станет ясно, что он будет жить, его перевезут. В окружной больнице Лос-Анджелеса есть тюремное отделение. Туда он и отправится.

— Хорошо бы.

Они вошли в открытую дверь и оказались в отдельной палате. На кровати с поднятыми боковинами лежала, отвернувшись от входа, Лурдес. Она неотрывно смотрела в окно. Руки ее безвольно покоились на одеяле. Не оборачиваясь, она сказала Тэрин, что им с Босхом нужно побыть наедине.

Тэрин вышла, а Босх остался. Он видел лишь левую половину лица Беллы, но сразу заметил, что глаз ее подбит, а щека распухла. На нижней губе тоже была опухоль и след от укуса.

— Привет, Белла, — наконец произнес Босх.

— Ты говорил, с меня пиво. Похоже, так и есть, — отозвалась она.

Босх вспомнил, как сказал ей по телефону: если что-нибудь найдешь, с тебя пиво.

— Белла, я должен был поехать с тобой. Даже не знаю, что сказать... — вздохнул он. — Я тебя подвел, и ты заплатила за это страшную цену.

— Не глупи, — произнесла Белла. — Никого ты не подвел. Я сама виновата. Нельзя было ему доверять.

Наконец она взглянула на Босха. Под глазами у нее были кровоподтеки — должно быть, появились, когда Доквейлер ее душил. Она пошевелила пальцами, словно предлагая Босху взяться за руки. Шагнув вперед, Босх стиснул ее ладонь в попытке передать то, что не способен был облечь в слова.

— Спасибо, что пришел, — сказала она. — И за то, что спас меня. Шеф все рассказал. С тобой-то все ясно, но Систо... меня удивил.

Она попыталась улыбнуться. Босх вздрогнул.

— Ты раскрыла дело, — сказал он. — Больше он никого не тронет. Не забывай об этом.

Кивнув, Белла закрыла глаза. Босх увидел слезы.

— Гарри, я должна кое в чем признаться, — сказала она.

— В чем? — спросил он.

Она снова посмотрела на него:

— Он заставил меня рассказать о тебе. Он... делал мне больно, и я не стерпела. Не смогла. Он спрашивал, как мы узнали про ключи. И про тебя спрашивал. Хотел знать, есть ли у тебя жена и дети. И я не выдержала, Гарри.

Босх сжал ее руку.

— Больше ничего не говори, — произнес он. — Белла, ты умница. Мы его взяли, и теперь все кончено. Остальное не имеет значения.

Она опять закрыла глаза:

— Попробую уснуть.

— Правильно, — сказал он. — Я скоро вернусь, Белла. А ты держись.

Он вышел в коридор. Значит, Доквейлер мучил Беллу, чтобы выпытать у нее информацию про Босха. Кто знает, чем бы все закончилось, если не закончилось бы той ночью.

В приемном покое Босх застал Вальдеса, но Тэрин уже не было. Шеф объяснил, что она уехала домой за одеждой для Беллы, хотя неизвестно было, когда ее выпишут. Они поговорили о деле Москита: о том, что потребуется с их стороны для служебного расследования и для того, чтобы предъявить обвинение Доквейлеру. У них было сорок восемь часов, чтобы представить дело о насильнике в окружную прокуратуру, после чего прокурор позволит начать уголовное преследование подозреваемого. Поскольку Лурдес выбыла из строя, все вопросы придется решать Босху.

— Гарри, в этом деле не должно быть слабых мест, — сказал Вальдес. — Хочу, чтобы он за все ответил. Выдвигайте все возможные обвинения. Нужно, чтобы он сел на всю оставшуюся жизнь.

— Понял, — сказал Босх. — Это не проблема. Поеду домой, отосплюсь до полудня, а потом все сделаю.

Вальдес одобрительно похлопал его по руке:

— Если что-нибудь понадобится, держите меня в курсе.

— Вы будете здесь? — спросил Босх.

— Да, какое-то время. Систо прислал эсэмэску. Хочет приехать. Пожалуй, дождусь его. Когда все разрешится, нужно будет где-нибудь присесть. Выпить по паре кружек. Убедиться, что у всех все хорошо.

— Было бы неплохо.

В подземном гараже больницы Босх столкнулся с Систо. Тот был одет во все чистое и, судя по виду, даже успел поспать.

— Как Белла? — спросил он.

— Честно говоря, не знаю, — ответил Босх. — Ей такое довелось пережить... Лютый ад. Врагу не пожелаешь.

— Ты ее видел?

— Заходил на пару минут. Шеф сидит в приемном. Если получится, сводит тебя к ней.

— Отлично. Ну, до встречи в отделе?

— Сперва съезжу домой. Нужно отоспаться.

Систо кивнул и направился к входу в больницу. Кое-что вспомнив, Босх окликнул его:

— Эй, Систо?

Молодой детектив вернулся.

— Слушай, я хочу извиниться. За то, что разозлился, набросился на тебя, — сказал Босх. — И чуть не разбил твой телефон. Сам понимаешь, ситуация была напряженная.

— Чувак, все в норме, — ответил Систо. — Ты был прав. Мне и самому не нравится выглядеть дебилом. Хочу стать крутым детективом. Как ты, Гарри.

Босх кивнул в знак благодарности за комплимент.

— Станешь, никуда не денешься, — кивнул он. — Кстати, этой ночью ты неплохо себя показал.

— Спасибо.

— Сходи проведай Беллу. Кстати, хочешь пользу принести?

— Какую?

— Поезжай в департамент общественных работ. Опечатай стол Доквейлера. Нужно будет его обыскать. Потом найди начальника. Пусть поднимет протоколы инспекций Доквейлера за последние четыре года. Поищи записи о незаконных жилых помещениях.

— Думаешь, так он выбирал жертв?

— Не думаю, а уверен. Все, что найдешь, положи ко мне на стол. Как приеду, просмотрю. Нужно связать Доквейлера с адресами, по которым жили потерпевшие.

— Сделаю. Ордер нужен?

— Едва ли. Это общественный архив.

— О'кей, Гарри, все будет у тебя на столе.

Они стукнулись кулаками, и Босх ушел к машине.

ГЛАВА 35

Приехав домой, Босх долго простоял под душем, после чего заполз в постель, намереваясь проспать часа четыре. Он даже повязал на глаза бандану, чтобы не видеть дневного света. Однако не прошло и двух часов, как он пробудился от глубокого сна, и виной тому был ревущий гитарный рифф из песни «Black Sun» группы «Death Cab for Cutie»: звонила Мэдди. Она сама подцепила этот рингтон к своему номеру на телефоне Босха. И к номеру Босха на своем телефоне тоже.

Потянувшись за мобильником, Гарри свалил его с тумбочки на пол. Наконец нашарив его, сказал:

— Мэдди? Что стряслось?

— Э-э-э... ничего. А у тебя что стряслось? Голос какой-то странный.

— Я спал. Ну, рассказывай, что у тебя.

— Как насчет пообедать? Ты еще в гостинице?

— Черт, Мэдди, прости. Забыл позвонить. Я уже дома. Пришлось вернуться, здесь была чрезвычайная ситуация. Похитили сотрудника полиции. Мы работали всю ночь.

— Господи боже мой! Похитили? Так вы его спасли?

— Не его, а ее. Да, спасли. Но ночь выдалась долгая, вот я и решил поспать. Ближайшие несколько дней я, наверное, буду занят. Слушай, давай пообедаем или поужинаем ближе к выходным? Или в начале той недели?

— Угу, не вопрос. Но как ее похитили?

— Хм... долго рассказывать. В общем, она искала одного парня, и тот схватил ее, прежде чем она схватила его. Но мы ее нашли, преступник арестован, и все хорошо.

Объяснение было коротким. Босху не хотелось рассказывать, что произошло с Беллой Лурдес, или упоминать о том, что он стрелял в похитителя. Иначе разговор затянулся бы надолго.

— Вот и славно. Что ж, тогда не буду мешать. Отсыпайся.

— Утром занятия были?

— Психология и испанский. На сегодня все.

— Здорово.

— Э-э-э... Пап?

— Да?

— Я это... хотела извиниться за вчерашний разговор. Ну, по поводу ресторана и так далее. Я не поняла, в чем причина, вот и разошлась. Прости.

— Не переживай, милая. Ты была не в курсе. Все нормально.

— Значит, мир?

— Мир.

— Люблю тебя, пап. Спи давай. — Она рассмеялась.

— Что?

— Так и ты мне в детстве говорил: «Люблю тебя, спи давай».

— Я помню.

Положив телефон на тумбочку, Босх надвинул бандану на глаза и попытался уснуть.

И не смог.

Минут двадцать он пробовал провалиться в сон, но в голове у него крутился рифф «Death Cab». Наконец Босх сдался и выбрался из постели. Снова принял душ, чтобы взбодриться, и поехал на север, в Сан-Фернандо.

По сравнению с прошлой неделей, когда Москит был еще безымянным преступником, число новостных фургонов удвоилось. Теперь личность Москита была установлена, он похитил сотрудника полиции, а другой коп всадил в него три пули. Новость что надо. Босх, как обычно, вошел в участок через боковую дверь, чтобы не столкнуться с репортерами, которые толпились в главном фойе. Публичные заявления обычно делал капитан — в числе его расплывчатых служебных обязанностей была и работа с прессой, — но Босх предположил, что Тревино не захочет рассказывать историю, в которой сам сыграл существенную роль. Наверное, общаться с репортерами будет сержант Розенберг, человек дружелюбный и телегеничный. Он выглядел как эталонный коп и говорил так, как положено говорить эталонному копу, а СМИ только того и надо.

Босх надеялся, что в сыскном отделе никого не будет. Его надежды оправдались. После такой ночи, как вчерашняя, полицейским охота поговорить. Они собираются вокруг стола, излагают свой взгляд на события, выслушивают другие точки зрения — по большей части в терапевтических целях. Но Босх не хотел ни с кем разговаривать. Он хотел поработать. Ему нужно было составить обвинительный документ, довольно длинный и весьма подробный. Сперва этот документ будут изучать его начальники, потом — многочисленные сотрудники окружной прокуратуры, потом — адвокат. И наконец, средства массовой информации. Босху необходимо было собраться с мыслями, а для этого нужна тишина.

Систо в отделе не было, но Босх понял, что парень ушел совсем недавно. Бросив ключи от машины на свой стол, он увидел четыре аккуратные стопки инспекционных протоколов. Молодой детектив сделал все, о чем его просили.

Принявшись за работу, Босх почти сразу понял, насколько он вымотался. После вчерашних событий ему так и не удалось отдохнуть. Болело плечо, по которому ударил, падая, карниз в бункере Доквейлера, но сильнее всего досталось ногам. Босху давно уже не доводилось бегать вверх по склонам оврагов. Мышцы ныли после непривычной нагрузки. Включив компьютер, Гарри открыл новый документ, встал и ушел в комнату отдыха, совмещенную с кухней.

По пути он заглянул в кабинет шефа. Вальдес сидел за столом, прижав к уху телефонную трубку. По обрывку фразы можно было понять, что шеф общается с репортером и не желает раскрывать имени похищенной сотрудницы, поскольку она была изнасилована. Босх подумал, что в таком маленьком полицейском управлении вряд ли получится что-то утаить. Хорошему репортеру достаточно будет сделать несколько звонков, чтобы узнать имя жертвы. Вскоре журналисты заполонят лужайку возле дома Беллы Лурдес, если только он не записан на имя Тэрин.

В кофейнике уже был свежесваренный кофе. Босх разлил его по двум чашкам, не добавляя молока. По пути в отдел он остановился у двери шефа и показал ему чашку. Вальдес кивнул, прикрыл трубку ладонью и сказал:

— Вот спасибо, Гарри.

Босх вошел в кабинет и поставил чашку на стол.

— Вы построже с ними, шеф.

Пятью минутами позже Гарри сидел у себя за столом и просматривал протоколы инспекций. Он быстро разобрался со структурой формуляра, и на всю работу ушло не больше часа — взяв в руки документ, Босх сразу смотрел на строку с адресом. Он искал названия пяти улиц, где жили потерпевшие, включая Беатрис Саагун. Оказалось, что Доквейлер и впрямь инспектировал все эти улицы, а через несколько месяцев нападал на своих жертв. Дважды он даже бывал у них дома — оба раза за девять месяцев до нападения.

В протоколах хватало информации, чтобы хорошенько разобраться с «модус операнди» Доквейлера. Босх решил, что преступник выбирал жертву во время инспекции, после чего следил за ней и тщательно планировал нападение — несколько недель, а то и месяцев. В этом ему помогали навыки бывшего полицейского и должность инспектора городского хозяйства. Сомнений быть не могло: Доквейлер не раз проникал в эти дома. Не исключено, что в такие моменты его будущие жертвы мирно спали в своих постелях.

Протоколы инспекций помогли заполнить последние пробелы в этой головоломке, и Босх принялся составлять обвинительный документ. Текст он набирал двумя пальцами, но довольно быстро — особенно когда не сомневался, что рассказывает чистую правду.

Следующие два часа Босх, не отрываясь, просидел за компьютером. Закончив, он глотнул холодного кофе и отправил документ на печать. Общий принтер в другом конце комнаты выплюнул шесть страниц с одинарным интервалом: всю хронологию событий, начиная с первого изнасилования, совершенного Москитом четыре года назад, и заканчивая рассказом о том, как Курт Доквейлер лежал лицом вниз у себя на кухне с пулей в позвоночнике. Вооружившись красной ручкой, Босх вычитал текст, поправил файл, распечатал новую копию и отнес ее шефу. Тот говорил по телефону с очередным репортером. Снова прикрыв трубку рукой, он сказал:

— «Ю-эс-эй тудей». История разойдется по всей стране.

— Главное, чтобы ваше имя записали без ошибок, — сказал Босх. — Вот, прочтите. Если все нормально, завтра утром сдам в прокуратуру. Пять случаев принуждения к половому акту с применением физической силы, одна попытка изнасилования, одно похищение, нападение, покушение на убийство и многочисленные случаи кражи муниципального имущества.

— Короче говоря, все на свете. Что ж, мне это по душе.

— Как прочитаете, дайте знать. Осталось составить рапорт об уликах. И ордер на обыск, но это задним числом.

Босх повернулся было к выходу, но Вальдес, подняв палец, сказал в трубку:

— Донна, мне нужно отойти. Все подробности есть в пресс-релизе. Как я уже говорил, пока что не нужно указывать имена полицейских. Мы обезвредили настоящего мерзавца и гордимся этим — все без исключения. Спасибо.

Шеф повесил трубку, хотя Босх слышал, как репортерша начала задавать новый вопрос.

— И такая дребедень целый день, — вздохнул Вальдес. — Откуда только мне не звонили! Всем нужны фотографии подземелья. Все хотят поговорить с вами и Беллой.

— Слышал, вы и раньше говорили это слово, — заметил Босх. — «Подземелье». Газетчики к нему прицепятся, чтобы сгустить краски. Никакое это не подземелье. Это бункер. Убежище на случай ядерной войны.

— Что ж, когда Доквейлер наймет адвоката, пусть подаст на меня в суд. Ох уж эти репортеры... Один сказал, что содержание заключенного обходится в тридцать штук в год. А поскольку Доквейлер, скорее всего, окажется парализован, эту сумму можно смело умножать на два. Ну, я и спросил: хотите сказать, нужно было казнить его на месте, чтобы сэкономить?

— У нас, кстати, была такая возможность.

— Будем считать, что я этого не слышал, Гарри. Не хочу даже думать о том, что вы собирались сделать вчера ночью.

— Что я собирался сделать? Только то, что было необходимо. Чтобы найти Беллу.

— Мы и без того ее нашли.

— Нам повезло.

— Дело не в везении, — покачал головой Вальдес. — Дело в том, что вы хороший детектив. В любом случае не расслабляйтесь. Репортеры спрашивают, кто нажал на спусковой крючок. Как только всплывет ваше имя, вам припомнят и прошлогодний Северный Голливуд, и все остальное. Как говорится у скаутов, «будь готов».

— Возьму отпуск — и с глаз долой.

— Неплохая мысль. Говорите, документ в порядке? — Он взял распечатку в руки.

— Это уж вам решать, — сказал Босх.

— Хорошо. Пятнадцать минут, — пообещал Вальдес.

— Кстати, а где наш капитан? Весь день отсыпается?

— Нет. Он в больнице, с Беллой. Я решил, что там должен быть кто-то из наших — на тот случай, если ей что-то понадобится. Ну и чтобы отгонять репортеров.

Босх кивнул. Это было правильное решение. Он сказал Вальдесу, что будет в сыскном отделе, и попросил позвонить или прислать электронное письмо, если шеф решит изменить документ.

После этого он вернулся к компьютеру. Когда Босх вносил последние штрихи в рапорт о вещественных доказательствах по делу, затрещал сотовый. Звонил Микки Холлер.

— Эй, брательник, давно не слышались, — сказал адвокат. — Ну что, поговорил с внучкой?

За событиями последних восемнадцати часов Босх совсем забыл о деле Вэнса. Казалось, он ездил в Сан-Диего месяц назад.

— Пока нет, — ответил он.

— А с Идой Паркс Как-ее-там? — спросил Холлер.

— С Идой Таунс Форсайт. Нет, не поговорил. День выдался безумный. Ну, на второй работе.

— Проклятье! Ты что, как-то связан с этой историей про парня и его подземелье? В Санте-Клорокс?

Изначально Санта-Кларита задумывалась как район для белых жителей Большого Лос-Анджелеса. «Сантой-Клорокс» ее прозвали, ссылаясь на марку отбеливателя. Босх подумал, что в устах человека, выросшего в Беверли-Хиллз — первейшем бастионе белой расы, — такие слова звучат по меньшей мере странно.

— Да, связан, — сказал Босх.

— Скажи-ка, он уже нанял адвоката? — спросил Холлер.

— Поверь, тебе это не нужно, — помедлив, ответил Босх.

— Мне все нужно, — сказал Холлер. — Готов к любому делу. Но ты прав. Какое-то время буду возиться с завещанием.

— Что, в суде уже начались слушания?

— Не-а. Пока ждем.

— Если все будет нормально, завтра вернусь к этому вопросу. Как только найду внучку, позвоню.

— Привези ее сюда, Гарри. Хочу с ней познакомиться.

Босх не ответил. Внимание его было приковано к монитору: от Вальдеса только что пришло электронное письмо с одобрением рапорта по делу и обвинительного аффидевита. Осталось разобраться со списком улик, подготовить ордер на обыск — и все.

ГЛАВА 36

В среду утром, как только начался рабочий день, Босх вошел в окружную прокуратуру. Дело Доквейлера обещало быть громким, и Босх заранее записался на прием. Ему не хотелось сдавать бумаги дежурному прокурору: тот, приняв документы, передаст их дальше по служебной цепочке, с глаз долой — из сердца вон. Вместо этого Босх договорился о встрече с Данте Корвалисом, чтобы тот, ветеран судебных баталий, занимался Доквейлером от начала до конца. Раньше Босх не работал с Корвалисом, но был о нем наслышан. В суде его прозвали Непобежденный, ибо он не проиграл ни одного дела.

Оформление прошло гладко. Корвалис отклонил лишь обвинение в краже муниципального имущества, объяснив, что дело и без того запутанное: присяжным предстоит выслушать показания многочисленных жертв и вникнуть в суть анализа ДНК. На фоне остальных обвинений кража инструментов, бетона и крышки люка из департамента общественных работ — сущая мелочь, на которую не стоит тратить время ни судье, ни прокурору. К тому же подобные мелочи способны застопорить работу присяжных.

— Все из-за телевизора, — сказал Корвалис. — Когда по ящику показывают суд, он длится не больше часа.

Поэтому в реальной жизни присяжные быстро теряют терпение. Не стоит грузить их лишней информацией. Да нам это по большому счету и не нужно. Ваш Доквейлер и без того сядет на всю жизнь, уж поверьте. Так что забудем про крышку люка. Разве что вспомните о ней, когда будете рассказывать, как спасали Беллу, — так, в качестве штриха к показаниям.

Босх решил не препираться. Он был счастлив, что дело с самого начала попало в руки одного из лучших игроков прокуратуры. Они с Корвалисом договорились, что будут встречаться по вторникам и обсуждать подготовку к судебному процессу.

К десяти утра Босх уже вышел из Центра Клары Фольц. Вместо того чтобы направиться к машине, он прогулялся по Уэст-Темпл-стрит, перешел шоссе 101 и оказался на Мейн-стрит. Прошагал сквозь парк Пасео-де-ла-пласа, свернул на Ольвера-стрит и протолкался через мексиканский базар — все для того, чтобы исключить возможность автомобильной слежки.

В конце длинного ряда сувенирных ларьков он обернулся, чтобы проверить, нет ли позади пеших преследователей. Простояв так несколько минут и не заметив ничего подозрительного, Босх продолжил запутывать следы: перешел Аламеда-стрит и скрылся в здании вокзала Юнион-Стейшн. Потом прошагал по циклопическому фойе, окольными путями поднялся наверх и, достав из бумажника проездную карточку, перешел на Золотую линию метро.

Поезд отправился к Маленькому Токио, и Босх принялся изучать соседей по вагону. На следующей станции он вышел на перрон, но у двери задержался, чтобы рассмотреть всех, кто последовал за ним. И снова не увидел ничего подозрительного. Вернувшись в вагон, он проверил, не повторил ли кто его маневр. Дождался предупреждения «Осторожно, двери закрываются» и в последний момент снова выскочил на перрон.

Остальные пассажиры поехали дальше.

Прошагав два квартала по Аламеда-стрит, Босх свернул к реке. Студия Вибианы Веракрус была на Саут-Хьюит-стрит, неподалеку от Трэкшен-авеню, в самом сердце района Искусств. Возвращаясь к Хьюит, Босх то и дело останавливался и смотрел по сторонам. По пути он миновал несколько старых коммерческих зданий. Некоторые уже были переоборудованы под лофты, другие все еще были в процессе реставрации.

Район Искусств был больше чем просто район. Он был центром общественного движения. Лет сорок назад художники всех мастей начали занимать миллионы пустующих квадратных футов в заброшенных зданиях фабрик и фруктовых складов, что процветали здесь до Второй мировой войны. Теперь же в огромных студиях со смехотворно низкой арендной платой жили самые востребованные художники Лос-Анджелеса. Место, по сути, было самое подходящее — ведь именно здесь в начале двадцатого века художники сражались за право украсить яркими картинками ящики и коробки для фруктов, которые потом расходились по всей стране, создавая в умах народных масс узнаваемый образ Калифорнии с ее молочными реками и кисельными берегами.

Сегодня район Искусств котировался весьма высоко, но вслед за успехом здесь появились и свои проблемы — в первую очередь джентрификация[1]. В последнее десятилетие сюда, почуяв большие барыши, начали стекать-

---

[1] *Джентрификация* — реконструкция (ревитализация) пришедших в упадок городских кварталов путем благоустройства и последующего привлечения более состоятельных жителей. В результате джентрификации происходит повышение среднего уровня доходов населения района.

ся крупные игроки рынка недвижимости, и кое-где стоимость квадратного фута измерялась уже не в центах, а в долларах. Теперь в этот район переезжали высококлассные специалисты, работавшие в Даунтауне или Голливуде, а они даже не умели отличить грунтовочную кисть от трафаретной. Рестораторы, поднимая планку качества, приглашали в свои заведения «звездных» шеф-поваров, а парковка машины у ресторана теперь обходилась дороже, чем целый ужин в старехьком кафе на углу, где в прошлом собирались творческие люди. Короче говоря, район Искусств потихоньку переставал являть собою уютное пристанище для голодных художников.

В начале семидесятых Босха, тогда еще молодого патрульного, приписали к Ньютонской зоне покрытия, включавшей в себя район Искусств. В те времена он назывался «складским районом». Местечко было не из приятных: заброшенные здания, лагеря бездомных и разгул уличной преступности. Позже Босх перевелся в Голливудское отделение, так и не застав здесь эпохи Возрождения. Теперь же он с восхищением смотрел, как переменилось это место. Босх понимал разницу между фреской и уличными граффити и знал, что оба эти направления можно назвать искусством лишь с натяжкой, но фрески в районе Искусств были по-настоящему красивы, выполнены с душой и чем-то похожи на рисунки в Чикано-парке.

Босх прошел мимо «Американца». Этому зданию было больше ста лет. Изначально, еще во времена сегрегации, в нем была гостиница для чернокожих артистов эстрады. В семидесятые именно здесь зародилось движение художников и дала ростки лос-анджелесская панк-сцена.

Вибиана Веракрус жила и работала через дорогу от «Американца» — в облицованном кирпичом четырехэтажном здании со складскими окнами в металлических рамах. Когда-то в нем была картонная фабрика. Именно здесь производили вощеные ящики для фруктов, ставшие визитной карточкой Калифорнии. У входа в здание висела медная табличка с его историей и годом постройки: 1908.

На двери не было ни замков, ни запоров. Босх вошел в тесное, выложенное кафелем фойе и взглянул на стенд с именами художников и номерами студий. Веракрус жила в лофте 4-Д. Рядом был еще один стенд — с объявлениями о собраниях жильцов по поводу стабилизации арендной платы и протестов против заявлений о перепланировке, поданных в городскую ратушу. В обоих списках значилось неровно написанное имя «Виб». Еще на стенде висел флаер — в нем говорилось, что в пятницу вечером в лофте 4-Д состоится просмотр документального фильма о семидесятых годах и основании района Искусств. Фильм назывался «Молодые отщепенцы». Флаер возвещал: «Наш дом превыше жадности!» Похоже, Вибиана Веракрус в какой-то мере унаследовала от матери склонность к общественно-политической деятельности.

Ноги у Босха все еще болели после позавчерашней пробежки по склону, и у него не было никакого желания вступать в единоборство с тремя лестничными пролетами. Он нашел грузовой лифт с вертикальной ручной дверью и со скрипом отправился на четвертый этаж. Лифт был размером с гостиную, и Босху стало неловко, что он тратит такое огромное количество электроэнергии на себя одного. Очевидно, этот лифт остался еще со времен предыдущей инкарнации здания, когда здесь располагалась картонная фабрика.

Последний этаж был разделен на четыре лофта с выходами в серый промышленный коридор. Нижняя половина двери с надписью «4-Д» была обклеена мультяшными стикерами. Судя по их бессистемному расположению, над дверью потрудился ребенок — скорее всего, сын Вибианы. Чуть выше была табличка с часами приема, когда Вибиана могла встретиться с покупателями готовых работ и ценителями ее творчества. По средам она принимала с одиннадцати до двух, так что Босх явился с запасом в пятнадцать минут. Он подумал, не стоит ли просто постучать в дверь: ведь он пришел сюда не для того, чтобы смотреть скульптуры. Но еще он надеялся сперва взглянуть на эту женщину и понять, что она за человек, а потом уже говорить с ней о наследстве с невообразимым количеством нулей.

Пока он решал, как быть, на лестнице рядом с шахтой лифта послышались шаги. Вскоре Босх увидел женщину. В одной руке у нее был ключ, а в другой — стаканчик замороженного кофе. Женщина была в комбинезоне, на шее у нее висел респиратор. Увидев у своей двери незнакомого мужчину, она сделала удивленное лицо и сказала:

— Привет.

— Привет, — сказал Босх.

— Чем могу помочь?

— Э-э-э... вы Вибиана Веракрус?

Босх знал, что это она. Женщина была похожа на Габриелу с фотографий на пляже гостиницы «Дель Коронадо». Но он все равно указал на дверь с надписью «4-Д», словно обращаясь за поддержкой к табличке с часами приема.

— Да, это я, — ответила женщина.

— Я, наверное, слишком рано. Не знал, что у вас все расписано по часам. Надеялся взглянуть на ваши работы.

— Ничего страшного. Уже почти одиннадцать. Я все покажу. Как вас зовут?

— Гарри Босх.

Похоже, имя было ей знакомо, и Босх подумал: наверное, мать нашла способ связаться с Вибианой, хоть и обещала не делать этого.

— Так звали знаменитого художника, — сказала Вибиана. — Иероним Босх.

Босх понял, что ошибся.

— Знаю, — сказал он. — Пятнадцатый век. Вообще-то, мое полное имя тоже Иероним.

Отомкнув дверь, Вибиана оглянулась на него:

— Шутите?

— Нет, меня правда так назвали.

— Странные у вас родители.

Она открыла дверь:

— Входите. Сейчас здесь лишь несколько работ. В галерее на улице Фиалок есть еще парочка. И еще две штуки на станции «Бергамот». Откуда вы обо мне узнали?

Босх не удосужился подготовить легенду заранее, но ему известно было, что станция «Бергамот» — это галерейный кластер на старом железнодорожном вокзале в Санта-Монике. Гарри никогда там не был, но решил, что для легенды это название вполне подходит.

— Видел ваши скульптуры в «Бергамоте», — сказал он. — Утром у меня были дела в Даунтауне, и я решил взглянуть, что еще у вас есть.

— Отлично, — произнесла Веракрус. — Что ж, зовите меня Виб.

Она протянула ему руку, и они обменялись рукопожатием. Ладонь ее была загрубелой и шершавой.

В лофте было тихо. Босх решил, что ребенок в школе. В помещении стоял резкий химический запах, и Босху сразу вспомнилась дактилоскопическая лаборатория, где предметы перед снятием отпечатков окуривают парами цианоакрилата.

Правой рукой Вибиана указала за спину Гарри. Обернувшись, он увидел, что передняя часть лофта отведена под студию и выставочное пространство. Скульптуры были громоздкие: благодаря грузовому лифту и двадцатифутовым потолкам Вибиана имела возможность не сдерживать своих творческих порывов. Три завершенные работы стояли на поддонах с колесиками, чтобы их можно было перемещать с места на место. Наверное, в пятницу вечером их укатят в сторону, чтобы не мешали смотреть кино.

Рядом была рабочая зона с двумя верстаками и набором инструментов. На поддоне стоял огромный блок какого-то материала, похожего на губчатую резину. В нем начинали угадываться контуры человеческой фигуры.

Законченные работы были многофигурными диорамами из белой акриловой смолы, вариациями на тему нуклеарной семьи: мать, отец и дочь. На каждой диораме фигуры взаимодействовали по-разному, но дочь всегда смотрела в сторону от родителей, и черты ее лица были смазаны. Нос и надбровные дуги находились на месте, но ни глаз, ни рта не было.

На одной из диорам отец был изображен в роли военного, с разгрузкой и рюкзаком, но без оружия. Глаза его были закрыты. Этот человек был похож на Доминика Сантанелло, чье лицо Босх уже не раз видел на фотографиях.

Гарри указал на диораму с солдатом и спросил:

— О чем она?

— О чем? — переспросила Веракрус. — О войне. О том, как разрушаются семьи. Честно говоря, я думаю, что мои работы в пояснениях не нуждаются. Вы просто смотрите на них и что-то чувствуете. Или нет. Искусство не следует облекать в слова.

Босх лишь кивнул. Похоже, с первым вопросом он просчитался.

— Вы, наверное, заметили, что эта работа из той же серии, что выставлена в «Бергамоте», — сказала Веракрус.

Босх снова кивнул, на сей раз энергичнее, чтобы показать, что понимает, о чем речь. У него появилось желание зайти в «Бергамот» и взглянуть на две другие диорамы.

Не отводя глаз от скульптур, он походил по комнате, чтобы рассмотреть их под другим углом. На всех диорамах девочка была одна и та же, но разного возраста.

— Сколько лет дочери? — спросил он. — Здесь, здесь и здесь?

— Одиннадцать, тринадцать и пятнадцать, — ответила Веракрус. — Вы наблюдательны.

Он понял, что незавершенное лицо призвано передать чувства брошенного ребенка. Когда неизвестно, кто ты и откуда. Когда ты безликий и безымянный. Босх знал, каково это.

— Очень красиво, — искренне оценил он.

— Спасибо, — сказала Вибиана.

— В детстве я не знал, кто мой отец, — произнес он и даже испугался, услышав свои слова. Они не были частью его легенды. Скульптуры произвели на него такое впечатление, что он заговорил, не подумав.

— Очень жаль, — проговорила она.

— Встретился с ним лишь однажды, — продолжал Босх. — Мне был двадцать один год. Я только что вернулся из Вьетнама. — Он показал на диораму с солдатом. — Нашел его. Постучался к нему в дверь. Хорошо, что я это сделал. Вскоре после этого отец умер.

— По словам мамы, я видела отца в раннем детстве. Но я этого не помню. Вскоре после этого он тоже умер. Погиб на той же войне.

— Сочувствую.

— Не стоит. Я счастлива. У меня есть ребенок и мои скульптуры. Если получится уберечь это место от жадных лап, все будет хорошо.

— Вы имеете в виду здание? Оно продается?

— Уже продано. Новые владельцы хотят пустить его под офисы. Ждут разрешения властей. Хотят выгнать художников, разделить лофты надвое и назвать все это «бизнес-центр „Ривер-Артс“».

Прежде чем продолжить, Босх помолчал. Наконец-то ему представился удобный случай.

— А если я скажу, что у вас есть такая возможность? Сделать так, чтобы все осталось по-прежнему?

Она не ответила. Гарри обернулся и посмотрел на нее. Только тогда Вибиана заговорила.

— Кто вы? — спросила она.

ГЛАВА 37

Босх рассказал, кто он и зачем пришел. Вибиана Веракрус выслушала его в полном молчании. Похоже, от изумления она лишилась дара речи. Босх показал ей удостоверение и лицензию частного детектива. Он не упоминал имени Уитни Вэнса, но сказал, что нашел Вибиану, изучая семейное древо ее отца, и так уж вышло, что они с сыном являются единственными прямыми наследниками некоего промышленного магната, состояние которого исчисляется миллиардами долларов. Имя Вэнса назвала сама Вибиана — за последние несколько дней она не раз видела новостные сюжеты о смерти миллиардера.

— Вы про него говорите? — спросила она. — Про Уитни Вэнса?

— Прежде чем называть имена, мне необходимо подтвердить родство через генетический анализ, — ответил Босх. — Если вы не против, я возьму образец вашей ДНК — мазок из ротовой полости — и сдам его в лабораторию. Результат будет через несколько дней. Если все подтвердится, вы сможете обратиться к адвокату, ведущему это дело вместе со мной, или выбрать себе другого представителя. Решение останется за вами.

Вибиана помотала головой, словно до сих пор ничего не поняла, опустилась на табурет возле одного из верстаков и произнесла:

— В это трудно поверить.

Босх вспомнил телепередачу из детства. Ведущий путешествовал по стране и вручал чеки на миллион долларов ничего не подозревающим людям. Имя мецената не раскрывалось. Сейчас Босх чувствовал себя ведущим той передачи, вот только чек был не на миллион, а на несколько миллиардов.

— Но это Вэнс? — спросила Вибиана. — Вы не стали этого отрицать.

Какое-то время Босх смотрел на нее.

— Какая разница, как его зовут? — наконец спросил он.

Вибиана встала с табурета и подошла к нему. Указала на диораму с солдатом:

— На этой неделе я читала, что его завод производил детали для этих вертолетов. Его компания была винтиком в военной машине, перемоловшей его собственного сына. Моего отца, с которым я так и не познакомилась. Скажите, разве я могу взять эти деньги?

Босх понимающе кивнул:

— Думаю, все зависит от того, как вы ими распорядитесь. Мой адвокат сказал, если дословно: «С такими деньгами можно изменить весь мир».

Вибиана смотрела на него, но Босх понимал: сейчас взгляд ее устремлен на нечто иное. Возможно, слова Гарри навели ее на какую-то мысль.

— Хорошо, — сказала она. — Берите мазок.

— Вы, однако, должны кое-что понимать, — продолжил Босх. — Сейчас эти средства находятся в руках могущественных людей из корпорации Вэнса. Эти люди не пожелают расставаться с таким богатством и пойдут на что угодно, чтобы этого не случилось. Деньги изменят вашу жизнь, но вам и вашему сыну придется быть настороже. Защищать себя, пока в суде будут разбирать дело о наследстве. И вы не сможете никому доверять.

Услышав эти слова, она задумалась. Этого Босх и добивался.

— Хильберто... — произнесла она, размышляя вслух, и вскинула глаза на Босха. — Кто-нибудь знает, что вы здесь?

— Я принял меры предосторожности, — ответил он. — И еще у вас будет моя визитка. Если заметите что-нибудь подозрительное, почувствуете угрозу, звоните мне в любое время.

— Все это так нереально, — покачала головой Вибиана. — Сегодня я поднималась по лестнице со стаканчиком кофе в руке и думала, что у меня нет денег на акрил. Уже почти два месяца у меня ничего не покупают. Да, мне выдали грант, но его едва хватает на жизнь — мне и сыну. И вот я работаю над новой скульптурой, но у меня нет материалов, чтобы ее завершить. А вы встречаете меня у двери и рассказываете эту безумную историю о наследстве.

Босх кивнул.

— Ну что, возьмем мазок прямо сейчас? — спросил он.

— Да, — ответила Вибиана. — Что для этого нужно?

— Просто открыть рот.

— Это запросто.

Босх достал из внутреннего кармана пробирку, открутил колпачок. Двумя пальцами достал ватную палочку и шагнул к Вибиане. Провел ватой по внутренней поверхности ее щеки — вверх и вниз, поворачивая палочку, чтобы вата хорошенько пропиталась слюной, — и убрал образец назад в пробирку.

— Обычно это делают дважды, — сказал он. — На всякий случай. Вы не против?

— Давайте, — согласилась Вибиана.

Босх повторил процедуру. Пальцы его едва не коснулись губ Вибианы, и ему стало неловко. Но Вибиану это, похоже, не беспокоило. Босх убрал мазок во вторую пробирку и закрутил крышечку.

— В понедельник я взял мазок у вашей матери, — сообщил он. — Его тоже проанализируют, чтобы выявить ее хромосомы. И отделить их от хромосом вашего отца и деда.

— Вы ездили в Сан-Диего? — спросила Вибиана.

— Да. Сходил в Чикано-парк, а потом к ней домой. Вы там выросли?

— Да. Мама всю жизнь там прожила.

— Я показал ей фотографию. С вами. В тот день, когда вы виделись с отцом. Его на снимке нет. Он был по другую сторону фотоаппарата.

— Можно посмотреть?

— Я не захватил ее с собой. Как-нибудь принесу.

— Значит, ей все известно. Про наследство. И что она сказала?

— Подробностей она не знает. Но рассказала, где вас найти. И добавила, что выбор за вами.

Вибиана молчала — должно быть, задумалась о матери.

— Мне нужно идти, — сказал Босх. — Как только что-нибудь узнаю, сразу свяжусь с вами.

Протянув Вибиане простенькую визитку с именем и номером телефона, он повернулся к выходу.

Машину Босх оставил на парковке возле здания суда, еще до встречи с прокурором. На обратном пути он не переставал поглядывать по сторонам в поисках слежки, но ничего не заметил. Наконец он подошел к арендованному «чероки», открыл багажник, сдвинул коврик, поднял крышку отсека с набором инструментов и запасным колесом и достал из него пухлый конверт, что положил туда утром.

Захлопнул багажник, сел за руль и открыл конверт. В нем была пробирка с мазком Уитни Вэнса, помеченная инициалами «У. В.», и еще две пробирки с мазками Габриелы Лиды — на этих стояли надписи «Г. Л.». Маркером Босх пометил пробирки с мазками Вибианы, проставив на них буквы «В. В.».

Запасные мазки Вибианы и ее матери он спрятал во внутренний карман пиджака, а конверт запечатал. Теперь в нем было все необходимое для анализа ДНК. Босх положил конверт на пассажирское сиденье и позвонил Микки Холлеру.

— Я взял мазок у внучки, — сказал он. — Ты где?

— В машине, — ответил Холлер. — Возле «Старбакса» в Чайна-тауне, прямо под драконами.

— Буду через пять минут. Передам тебе образцы: внучки, ее матери и Вэнса. Отвезешь в лабораторию.

— Идеально. Сегодня в Пасадене начались слушания по завещанию. Пора и нам подключаться. Сделаем анализ — и вперед.

— Скоро буду.

«Старбакс» находился на углу Бродвея и улицы Сезара Чавеса. Не прошло и пяти минут, как Босх был на месте. Он сразу заметил «линкольн» у красного бордюра под двумя драконами на самом въезде в Чайна-таун. Припарковался за машиной Холлера, включил аварийку и, выйдя из «чероки», забрался в «линкольн» — на сиденье за спиной у водителя. Холлер сидел напротив. На раскладном столике перед ним стоял ноутбук. Босх понял, что Холлер ворует вайфай у «Старбакса».

— А вот и он, — сказал адвокат. — Бойд, сходи-ка принеси пару латте. Будешь что-нибудь, Гарри?

— Нет, мне и так хорошо, — ответил Босх.

Холлер протянул водителю двадцатку. Тот молча вышел из машины и закрыл дверцу. Босх с Холлером остались вдвоем. Босх протянул Холлеру конверт и предупредил:

— Головой отвечаешь.

— Еще бы, — сказал Холлер. — Прямо сейчас и отвезу. В «Селл-райт», если ты не против. Это совсем рядом. Лаборатория надежная, аккредитована по стандарту Американской ассоциации банков крови.

— Если ты не против, то и я не против. Расскажи, что будет дальше.

— Сегодня сдам образцы. К пятнице, наверное, нам скажут «да» или «нет». Это сравнение внучки с дедом, двадцать пять процентов хромосом. Дело непростое.

— А как же вещи Доминика?

— Пока не будем трогать. Посмотрим, что покажут мазки.

— Хорошо. Что с заверкой завещания?

— Пока ничего. К вечеру доберусь и до этого вопроса. Но вот что я слышал: утверждается, что у Вэнса нет прямых наследников.

— А мы что?

— А мы ждем подтверждения из «Селл-райт». Если ответ будет утвердительный, готовим документы и подаем на судебный запрет.

— То есть?

— Запрет на распределение имущества. Говорим: «Минуточку, у нас тут законный наследник, собственноручно составленное завещание и доказательства его подлинности». Собираемся с силами и переходим в атаку.

Босх кивнул.

— Но спуску нам не дадут, — предупредил Холлер. — Ни тебе, ни мне, ни наследнице, никому. Имей в виду, мы как на ладони. Нас выставят жуликами, уж поверь.

— Вибиана в курсе, — сказал Босх. — Но вряд ли она понимает, на что готовы пойти эти люди.

— Посмотрим, что покажет анализ ДНК. Если мы правы и она действительно наследница Вэнса, выставляем повозки в круг и готовимся к обороне. Не исключено, что придется увезти ее в укромное место.

— У нее пацан.

— И пацана тоже.

— Для работы ей нужно большое помещение.

— Значит, ей придется посидеть без работы.

— Ну ладно.

Босх подумал, что Вибиану это не устроит.

— Я передал ей твои слова насчет «изменить весь мир», — сказал он. — По-моему, они ее зацепили.

— Такие слова любого зацепят.

Пригнувшись, Холлер выглянул в окно, чтобы проверить, не стоит ли водитель у дверцы, дожидаясь разрешения сесть за руль. Водителя не было видно.

— В Комитете по профессиональной этике говорят, ты подал бумаги на «властелина подземелий», — сказал Холлер.

— Не называй его так, — попросил Босх. — Это не шуточки. Я лично знаком с женщиной, которую он похитил. Ей еще долго приходить в себя.

— Ну прости. Я же адвокат, и у меня черствое сердце. Кстати, он уже нанял адвоката?

— Не знаю. Но я же сказал, тебе это не нужно. Этот парень — бездушный психопат. Даже близко к нему не подходи.

— И то верно.

— По-моему, он заслуживает высшей меры. Но дело в том, что он никого не убил. Ну или мы чего-то не знаем.

Босх выглянул в окно. Водитель стоял у кофейни. В руках у него были два стаканчика кофе. Он ждал, когда его позовут назад в «линкольн». Босху показалось, что он смотрит на другую сторону улицы. И тут водитель едва заметно кивнул.

— Что это он?..

Повернувшись, Босх глянул в заднее окно «линкольна», чтобы понять, куда смотрит водитель.

— Ты чего? — спросил Холлер.

— Твой шофер, — сказал Босх. — Давно он у тебя?

— Кто, Бойд? Пару месяцев.

— Взял его на перевоспитание?

Теперь Босх подался вперед, чтобы посмотреть в противоположное окно. Холлер, бывало, предлагал своим клиентам работу шофера, чтобы те могли оплатить его адвокатские услуги.

— Пару раз вытащил его из передряги, — сказал Холлер. — В чем дело-то?

— Ты упоминал при нем название лаборатории? — ответил Босх вопросом на вопрос. — Ему известно, куда ты хочешь сдать образцы?

Он сразу понял, что к чему. Тем утром он так и не проверил дом и улицу на предмет камер, но прекрасно помнил, что во время стычки в фойе полицейского участка Крейтон упоминал имя Холлера. А раз он знал про адвоката, то мог взять его под наблюдение. Не исключено, что Крейтон планирует перехватить образцы ДНК, прежде чем они попадут в «Селл-райт», или сделает это уже в лаборатории.

— Хм... Нет, он не знает, куда мы поедем, — ответил Холлер. — В машине я об этом не говорил. А что?

— Скорее всего, за тобой следят, — объяснил Босх. — Не исключено, что твой шофер. Я только что видел, как он кому-то кивнул.

— Охренеть! Ну, в таком случае ему хана. Я...

— Погоди. Давай подумаем. Ты...

— Стоп.

Подняв руку, Холлер велел Босху умолкнуть. Переставил ноутбук, сложил столик, встал и перегнулся через водительское сиденье. Босх услышал, как с глухим хлопком открылась крышка багажника.

Холлер вылез из машины и подошел к багажнику. Вскоре Босх услышал еще один хлопок: крышка закрылась, и Холлер вернулся на прежнее место. Теперь в руках у него был портфель. Расстегнув его, он открыл потайной отсек с электронным устройством, щелкнул тумблером и поставил портфель между собой и Босхом.

— Глушилка радиосигнала, — сказал он. — Таскаю его в тюрьму, на все встречи с клиентами. Мало ли кто подслушивает. Если сейчас нас слушают, вдарим белым шумом по барабанным перепонкам.

Босх был впечатлен.

— Только что купил себе такой, — сказал он. — Правда, без стильного чемоданчика.

— Его я забрал в качестве частичной оплаты у одного клиента. Курьера картеля. Туда, куда он держал путь, с чемоданчиками не пускают. Ну, выкладывай свой план.

— Нужно отвезти мазки в другую лабораторию. Есть такая?

Холлер кивнул:

— «Калифорния-кодинг» в Бербанке. Я выбирал между ней и «Селл-райт». В «Селл-райт» сказали, что управятся побыстрее.

— Верни мне конверт, — сказал Босх. — Я отвезу его в «Селл-райт». А ты отправляйся в «Калифорния-кодинг», отдашь им фальшивки. Пусть думают, что анализом занимаешься ты.

Босх достал запасные пробирки с мазками Вибианы и Габриелы. Второго образца ДНК Уитни Вэнса у него не было. Чтобы никто ничего не подумал, если пробирки угодят в чужие руки, он изменил надписи: «У. В.» превратилась в «Х. В.», а «Г. Л.» — в навскидку выбранное «Е. Л.». После этого Босх взял пухлый конверт, достал из него пробирки с мазками Вэнса, Лиды и Веракрус и убрал их в карман пиджака. Положил в конверт запасные пробирки с новыми надписями и вернул его Холлеру.

— Отвези в «Калифорния-кодинг», закажи слепое сравнение, — сказал он. — И не показывай, что подозреваешь о слежке. Ни водителю, ни кому-то еще. Я же поеду в «Селл-райт».

— Ясно, — кивнул Холлер. — Но мне все равно не терпится выдать Бойду пинка под зад. Ты только глянь на него.

Босх снова взглянул на шофера, но тот уже не смотрел на другую сторону улицы.

— Всему свое время. Заодно и меня позовешь, я ему добавлю, — сказал Босх.

Холлер написал что-то на желтой линованной страничке блокнота. Вырвал ее и передал брату:

— Вот адрес «Селл-райт» и номер моего человека. Он уже ждет посылку.

Адрес был знакомый. «Селл-райт» находилась рядом с Университетом штата Калифорния, то есть неподалеку от лаборатории УПЛА. Ехать туда было минут десять, но с учетом возможной слежки — все полчаса.

Открыв дверцу, он оглянулся на Холлера:

— Держи под рукой свой картельный чемоданчик.

— Не волнуйся, — сказал Холлер, — он всегда со мной.

Босх кивнул:

— После лаборатории съезжу к Иде Таунс Форсайт.

— Отлично, — сказал Холлер. — Нам такой союзник не помешает.

Когда Босх вышел из машины, Бойд направлялся к водительской дверце. Босх ничего ему не сказал. Вернулся к «чероки», сел за руль и смотрел, как «линкольн» Холлера сворачивает на улицу Сезара Чавеса и уезжает на запад. Машин на перекрестке было предостаточно, но Босх не увидел ничего подозрительного. Скорее всего, за «линкольном» никто не следил.

ГЛАВА 38

Встреча в «Селл-райт» прошла как по маслу. Перед тем как отправиться в лабораторию, Босх покрутился по городу и доехал аж до стадиона «Доджер» у Чавес-Рэвин. Передав три пробирки человеку Холлера, Босх выехал на шоссе 5 и направился на север. По пути он свернул в Бербанк на съезде Магнолии, поколесил по району, заодно взял сэндвич в кафе «Джиамела» и съел его за рулем, внимательно наблюдая за перемещениями автомобилей по парковке.

Он собирался было выбросить обертку от сэндвича, но тут чирикнул телефон. Звонила Лусия Сото. В УПЛА они были напарниками.

— Как дела у Беллы Лурдес? — спросила она.

Имя Беллы не разглашалось, но слухи расползлись довольно быстро.

— Ты знакома с Беллой? — спросил Босх.

— Знаю ее по «Las Hermanas».

Босх вспомнил, что Сото была одной из «Сестер»: состояла в неформальном объединении детективов-латиноамериканок округа Лос-Анджелес. Их было немного, и между ними установилась тесная связь.

— Она ни разу не говорила, что вы знакомы, — сказал Босх.

— Не хотела, чтобы ты знал, что она мне все про тебя рассказывает, — объяснила Сото.

— Ну, ей крепко досталось. Но она сильная. Думаю, выдержит.

— Надеюсь. Просто жесть что такое.

Лусия сделала паузу в надежде, что Гарри расскажет, как все было. Но Босх промолчал, и Сото поняла, что он собирается молчать и дальше.

— Говорят, сегодня ты сдал обвинение, — сказала она. — Надеюсь, прижал его по полной.

— Полнее некуда, — ответил Босх.

— Приятно слышать. Гарри, давай пообедаем. И ты мне все расскажешь. Я соскучилась.

— Черт, я только что поел. Давай как-нибудь в другой раз, когда я буду в Даунтауне. Я тоже соскучился.

— Увидимся, Гарри.

Босх вырулил с парковки и направился на запад, к Южной Пасадене. За полчаса он четырежды проезжал мимо дома Иды Таунс Форсайт на Арройо-драйв, всякий раз высматривая припаркованные автомобили и другие признаки слежки за секретаршей и помощницей Уитни Вэнса, служившей у него чуть ли не полжизни. Дважды осмотрев переулок за домом, он решил, что пора постучать в дверь.

Оставил машину за углом, прошагал по Арройо, подошел к дому. В реальности жилище Форсайт выглядело даже милее, чем на Гугл-картах в режиме просмотра улиц. Это было выверенное до мелочей строение в классическом стиле калифорния-крафтсман. Босх поднялся на широкую веранду и постучал в деревянную дверь. Он понятия не имел, дома ли Форсайт, — возможно, у нее оставались дела в поместье Вэнса. Если так, Гарри намерен был дождаться ее возвращения.

Но второй раз стучать не пришлось. Женщина, к которой он явился, распахнула дверь и взглянула на него так, словно видела его впервые.

— Миссис Форсайт?

— Мисс.

— Простите, мисс Форсайт. Вы меня помните? Я Гарри Босх. На прошлой неделе я был у мистера Вэнса.

Теперь она его узнала:

— Да, конечно. Зачем вы здесь?

— Ну, во-первых, я хотел бы принести свои соболезнования. Мне известно, что вы давно работали у мистера Вэнса.

— Да, так и есть. Это было настоящее потрясение. Знаю, он был стар и болен, но странно было узнать, что такой могущественный человек умер в одночасье. Чем могу помочь, мистер Босх? Мистер Вэнс поручил вам какое-то расследование. Но оно, пожалуй, теперь утратило всякий смысл.

Босх решил, что сейчас не время юлить:

— Я здесь, чтобы поговорить о письме. Том, что вы отправили мне на прошлой неделе.

Прежде чем ответить, женщина в дверях застыла на добрых десять секунд. Босх видел, что ей стало страшно.

— Вы же знаете, что за мной следят? — спросила она.

— Нет, не знаю, — ответил Босх. — Прежде чем постучать, я осмотрелся, но никого не увидел. Но если за вами и правда следят, лучше пригласите меня в дом. Машину я оставил за углом. Понять, что я здесь, можно лишь по моей фигуре у вашей двери.

Форсайт нахмурилась, но отступила в сторону и раскрыла дверь пошире:

— Входите.

— Спасибо, — сказал Босх.

Прихожая была широкой и длинной. В дальнем конце была кухня, а рядом с ней — небольшая гостиная. Окна ее выходили во внутренний двор. Проводив туда Босха, Форсайт указала на кресло.

— Зачем вы пришли, мистер Босх?

Босх сел. Он надеялся, что Форсайт тоже сядет, но она осталась стоять. Босху же не хотелось, чтобы разговор проходил в напряженной обстановке.

— Для начала позвольте повторить вопрос, который я задал у двери, — сказал он. — Это ведь вы отправили мне письмо?

Теперь ее руки были сложены на груди.

— Да, я, — сказала она. — Потому что меня попросил мистер Вэнс.

— Вы знали, что в конверте? — спросил Босх.

— На тот момент — нет. Но теперь знаю.

Босх тут же встревожился. Неужели воротилы из корпорации Вэнса уже говорили с ней о письме?

— Откуда? — спросил он.

— Когда мистер Вэнс скончался и тело увезли, мне было велено прибраться у него в кабинете, — ответила она. — Я заметила, что золотой ручки нет на месте. И вспомнила, что в конверте, который я отправила вам по поручению мистера Вэнса, был тяжелый предмет.

Босх с облегчением кивнул. Форсайт знала про ручку. Но если ей не было известно о завещании, то о нем, пожалуй, никто не знает. Значит, Холлер по-прежнему остается в выигрышном положении.

— Что сказал мистер Вэнс, когда передавал вам конверт?

— Велел положить его в сумочку и забрать домой, а следующим утром, перед работой, зайти на почту и отправить вам. Так я и сделала.

— Утром он спрашивал о письме?

— Да, как только я пришла. Я сказала, что заходила на почту, и он был рад это слышать.

— Если я покажу вам конверт с моим адресом — тот, что мне отправили, — вы сможете его опознать?

— Пожалуй. На нем почерк мистера Вэнса. Его я узна́ю.

— И если я составлю документ на основании ваших слов, вы готовы будете подписать его в присутствии нотариуса?

— Зачем? Чтобы доказать, что ручка принадлежала мистеру Вэнсу? Если вы собираетесь продать эту вещицу, я готова ее выкупить. И предложу хорошую цену, выше рыночной.

— Дело не в этом. Я не собираюсь продавать ручку. В конверте был документ, и его подлинность будут оспаривать. Вероятно, я должен буду объяснить, как этот документ оказался у меня. И мне потребуются доказательства — чем больше, тем лучше. Эта ручка — фамильная ценность Вэнсов, и с ее помощью я смогу подтвердить свои слова. И ваши показания с подписью — тоже.

— Не хочу связываться с советом директоров, если вы об этом. Это не люди, а животные. За долю в наследстве готовы собственную мать продать.

— Мисс Форсайт, обещаю: я не обременю вас новыми заботами.

Она наконец села в одно из свободных кресел.

— Новыми? Что вы имеете в виду? У меня нет никаких забот.

— В конверте было завещание, написанное от руки, — сказал Босх. — И вы указаны там в качестве бенефициара.

Он внимательно изучал ее лицо. Казалось, Форсайт была озадачена.

— Хотите сказать, мне полагаются какие-то деньги? — спросила она.

— Десять миллионов долларов, — ответил Босх.

Он заметил, как глаза ее на мгновение вспыхнули, когда она поняла, что скоро разбогатеет. Стиснув правую ладонь в кулак, Форсайт прижала ее к груди. Она опустила голову, но Босх все равно видел, что губы ее задрожали, а на глаза навернулись слезы. Он не понимал, как расценивать эту реакцию.

Тянулись секунды. Наконец Форсайт посмотрела на Босха и сказала:

— Это неожиданно. Я не являюсь членом семьи. Я работала по найму.

— На этой неделе вы тоже выходили на работу? — спросил Босх.

— Нет. В последний раз была в поместье в понедельник. На следующий день после смерти мистера Вэнса. Мне сказали, что отныне в моих услугах не нуждаются.

— А в воскресенье, когда умер мистер Вэнс, вы там были?

— Он позвонил мне. Велел прийти после обеда. Сказал, что ему нужно написать несколько писем. Я сделала, как было велено, и обнаружила в кабинете его тело.

— Вам позволили пройти туда без сопровождения?

— Да, у меня всегда была такая привилегия.

— «Скорую» вызвали?

— Нет. Очевидно было, что он мертв.

— Он был за столом?

— Да, он умер за столом. Подался вперед и немного вбок. Похоже, смерть наступила быстро.

— И вы позвали охрану?

— Я позвонила мистеру Слоуну, он пришел и вызвал одного из своих людей — тот имеет медицинскую подготовку. Мистеру Вэнсу пробовали сделать сердечно-легочную реанимацию, но безуспешно. Он был мертв. Мистер Слоун вызвал полицию.

— Вы не знаете, как долго мистер Слоун работал на Вэнса?

— Очень долго. По меньшей мере двадцать пять лет. Мы с ним старожилы.

Она коснулась глаз носовым платком. Босху показалось, что тот материализовался из воздуха.

— Во время нашей с мистером Вэнсом встречи он дал мне телефонный номер. Сказал, что это его сотовый, и велел звонить, если я продвинусь с расследованием. Вам известно, что стало с этим телефоном? — спросил Босх.

Форсайт тут же помотала головой:

— Ничего о нем не знаю.

— Я несколько раз звонил, оставлял сообщения. А потом на звонок ответил мистер Слоун, — сказал Босх. — Вы не видели, как после смерти мистера Вэнса он брал что-то со стола? Или выносил из кабинета?

— Нет. Когда унесли тело, он велел мне прибраться в кабинете и закрыть его. И телефона я не видела.

Босх кивнул.

— Вам известно, зачем меня нанял мистер Вэнс? — спросил он. — Он рассказывал вам что-нибудь о нашем деле?

— Нет, не рассказывал, — ответила Форсайт. — Никто ничего не знал. Разумеется, всем было любопытно, но мистер Вэнс никому не говорил, чем вы занимаетесь.

— Он нанял меня, чтобы выяснить, есть ли у него наследник. Не знаете, он не поручал кому-нибудь следить за мной?

— Следить за вами? Зачем?

— Сам не понимаю. Но завещание, что он написал и велел отправить на мой адрес, составлено так, словно я уже нашел живого наследника. Однако после встречи в поместье мы с ним не разговаривали.

Форсайт прищурилась, она как-будто теряла нить разговора.

— Ну, не знаю... — проговорила она. — По вашим словам, вы звонили на его номер и оставляли сообщения. Что вы ему говорили?

Босх не ответил. Теперь он вспомнил, что сказал в том сообщении. Он тщательно выбирал слова — так, чтобы они не шли вразрез с легендой о поисках Джеймса Олдриджа и вместе с тем давали понять, что Босх нашел наследника.

Он решил, что разговор с Форсайт пора заканчивать:

— Мисс Форсайт, вам следует нанять адвоката, чтобы тот представлял ваши интересы в вопросах о наследстве. Допускаю, что, когда завещание попадет в суд, дело может принять нехороший оборот. Вам нужна защита. Я работаю с адвокатом по имени Микки Холлер. Кого бы вы ни наняли, пусть этот человек позвонит Холлеру.

— Даже не знаю, к кому обратиться, — сказала она.

— Спросите совета у друзей. Или в вашем банке. Думаю, банкиры часто общаются с адвокатами, ведущими дела о наследстве.

— Хорошо, так и сделаю.

— Вы так и не ответили насчет письменного заявления. Сегодня я все запишу, а завтра привезу документ вам на подпись. Это вас устроит?

— Да, конечно.

Босх встал.

— Скажите, вы действительно видели, как кто-то следит за вашим домом?

— Я видела автомобили, которых раньше здесь не было. Но полной уверенности у меня нет.

— Хотите, чтобы я вышел через задний двор?

— Да, так будет лучше всего, — кивнула она.

— Не вопрос. Вот вам мой номер. Звоните, если возникнут какие-то трудности или кто-то начнет приставать к вам с вопросами.

— Хорошо.

Взяв у Босха визитку, Форсайт проводила его к выходу.

ГЛАВА 39

Из Южной Пасадены Босх без труда добрался до Предгорного шоссе и направился на запад, в сторону Сан-Фернандо. По пути он позвонил Холлеру и рассказал, что завез образцы в «Селл-райт» и побеседовал с Идой Таунс Форсайт.

— Я только что уехал из «Калифорния-кодинг», — сказал Холлер. — Результаты будут на следующей неделе.

Босх понял, что Холлер по-прежнему в машине, рядом с шофером, и сказал эту фразу лишь для того, чтобы ввести Бойда в заблуждение.

— Слежки не заметил? — спросил Босх.

— Пока нет, — ответил Холлер. — Как прошла встреча?

Босх пересказал ему разговор с Форсайт и добавил, что составит протокол разговора и завтра завезет документ ей на подпись.

— Есть у тебя знакомый нотариус? — спросил он.

— Есть. Могу вас свести, — ответил Холлер. — Или могу засвидетельствовать сам.

Босх сказал, что будет на связи, и завершил разговор. В участок УПСФ он приехал чуть раньше четырех. Гарри ожидал, что в сыскном отделе никого не будет, но увидел, что дверь кабинета Тревино закрыта, а внутри горит свет. Босх замер и прислушался, не говорит ли Тревино по телефону, но ничего не услышал. Постучал, подождал. Капитан распахнул дверь:

— Гарри? Что такое?

— Хочу отчитаться. Сегодня сдал документы по Доквейлеру. По всем обвинениям выходит от ста двадцати до ста шестидесяти лет.

— Прекрасная новость. Что сказали насчет доказательств?

— Говорят, все в порядке, — ответил Босх. — Прокурор дал список всего, что нужно сделать до начала предварительных слушаний. Собираюсь его проработать.

— Ладно, хорошо. Так прокурора уже назначили?

— Да. Будем работать с Данте Корвалисом, от начала до конца. Это, пожалуй, лучший вариант. Корвалис не проиграл ни одного суда.

— Чудесно, — одобрил Тревино. — Что ж, так держать. А я собираюсь домой.

— Как Белла? Были сегодня в больнице?

— Сегодня нет, но слышал, что она идет на поправку. Завтра ее обещают выписать, и она очень этому рада.

— Да, ей будет полезно вернуться к Тэрин и ребенку.

— Угу.

Оба по-прежнему стояли у двери кабинета. Молчание стало неловким. Босх чувствовал, что капитан что-то недоговаривает.

— Что ж, пора за писанину, — сказал Босх и повернулся к своему столу.

— Гарри? — окликнул его Тревино. — Не зайдешь на минутку?

— Конечно, — сказал Босх.

Вернувшись в кабинет, капитан сел за стол. Босху тоже велел сесть, и тот занял единственный свободный стул.

— Это насчет того случая, когда я пользовался базой транспортных средств в личных целях? — спросил Босх.

— О нет, — покачал головой Тревино. — Вовсе нет. Дело прошлое, незачем его вспоминать. — Он обвел рукой бумаги на столе. — Видишь, сижу над табелем. Для всего управления. С патрульными у нас порядок, но детективов не хватает. Белла, очевидно, вышла из игры. И никто не знает, когда она вернется. Если вообще вернется.

Босх кивнул.

— Пока это неизвестно, мы не можем взять человека на ее место, — продолжил Тревино. — В общем, сегодня я говорил с шефом. Он подаст в муниципалитет просьбу о временном увеличении финансирования. Хотим пригласить тебя на полную ставку. Что скажешь?

Прежде чем ответить, Босх на секунду задумался. Он не ожидал услышать таких слов — в особенности от Тревино, ведь капитан всегда его недолюбливал.

— То есть я перестану числиться в резерве? И мне начнут платить?

— Так точно, сэр. Жалованье стандартное, по третьему разряду. Знаю, в Лос-Анджелесе ты получал больше. Но у нас здесь другая картина.

— И я буду заниматься всеми преступлениями против личности?

— Ну по большей части ты будешь заниматься Доквейлером. И нельзя забывать о нераскрытых делах. Но если что случится — да, ты будешь заниматься ППЛ. На выезды будешь брать с собой Систо.

Босх кивнул. Приятно знать, что ты кому-то нужен. Но Гарри не был уверен, что готов посвятить себя службе в полиции Сан-Фернандо. Дело Вэнса и роль его душеприказчика, скорее всего, займут немало времени. Особенно если принять во внимание неизбежные баталии в суде.

Тревино понял его молчание по-своему.

— Послушай, — начал он. — Знаю, тем вечером вы с Систо поцапались. Но поверь, так вышло под влиянием момента. Потом вы нашли и спасли Беллу. По-моему, неплохо сработались. Или я не прав?

— Систо нормальный парень, — сказал Босх. — Хочет стать хорошим детективом, а это уже полдела. Ну а как же вы? В тот вечер вы грозились меня уволить. Тоже под влиянием момента?

Тревино поднял руку, предлагая пойти на мировую:

— Гарри, сам знаешь, мне с самого начала все это не нравилось. Но вот что я скажу: я был не прав. Например, Москит: мы взяли его только благодаря тебе, и я это ценю. По-моему, у нас с тобой нет никаких разногласий. И чтоб ты знал, это предложение исходит не от шефа. Я сам пришел к нему и сказал, что хочу взять тебя на полную ставку.

— Приятно слышать. Но тогда я должен буду отказаться от частных дел?

— Если хочешь и дальше ими заниматься, поговорим с шефом. Ну, что скажешь?

— А шерифское расследование? Разве не нужно дожидаться официального решения прокуратуры?

— Да брось! — махнул рукой Тревино. — Все понимают, что ты имел полное право открыть огонь. Могут придраться к тактике, но что касается вопроса «стрелять или нет» — и думать забудь, тут комар носа не подточит. Более того, всем ясно, что без Беллы мы зашиваемся, и тут уж последнее слово за шефом.

Босх кивнул. Ему показалось, что на любые его вопросы Тревино намерен отвечать утвердительно.

— Кэп, утро вечера мудренее. Дам ответ завтра, хорошо?

— Конечно, Гарри, как скажешь. Просто поставь меня в известность.

— Вас понял.

Босх вышел из кабинета Тревино, прикрыл за собой дверь и направился к своей секции. На самом деле он приехал в участок, чтобы набрать и распечатать заявление Форсайт, но садиться за работу ему пока не хотелось: в любой момент капитан мог выйти из кабинета и увидеть, что Гарри занимается чем-то не тем. Поэтому он решил убить время, просматривая записи, сделанные во время утренней встречи с Данте Корвалисом.

Помимо прочего, прокурору нужны были обновленные и подписанные показания всех известных жертв Доквейлера. Корвалис дал Босху список дополнительных вопросов, которые нужно было задать во время беседы. Ответы внесут в протокол предварительных слушаний, чтобы потерпевшим не пришлось выходить на свидетельскую трибуну, а в распоряжении прокурора окажутся убедительные улики. Бесспорные доказательства вины решено было оставить до суда. На предварительных слушаниях выступать будет по большей части сам Босх: он расскажет о расследовании и о том, как полиция вышла на Доквейлера. Корвалис сказал, что не хочет вызывать на предварительные слушания жертв Доквейлера, чтобы тем не пришлось прилюдно говорить о пережитом кошмаре, и сделает это лишь в случае крайней необходимости. Пусть потерпевшие пройдут через это испытание лишь однажды: на суде.

Босх принялся составлять опросник и дошел уже до середины, когда капитан вышел из кабинета, выключил свет и закрыл дверь на ключ.

— Ладно, Гарри, пойду.

— Доброй ночи. Желаю хорошенько выспаться.

— Завтра тебя ждать?

— Пока не знаю. Или приеду, или позвоню и дам ответ по телефону.

— Вот и славно.

Высунувшись из-за перегородки, Босх смотрел, как Тревино подходит к доске и записывает время ухода. Сам Гарри снова не отметился, когда пришел, но сегодня капитан не сказал об этом ни слова.

Тревино вышел из отдела, и Босх остался один. Сохранив шаблон опросника, он открыл новый документ и начал набирать заявление: «Я, Ида Таунс Форсайт...»

Меньше чем за час он набросал двухстраничный список основных фактов. По опыту общения со свидетелями и адвокатами он знал: чем меньше в документе информации, тем труднее ее оспорить юристам противной стороны.

Босх распечатал два экземпляра: один для суда, второй для себя. Когда Форсайт подпишет документы, Босх уберет свою копию в папку с остальными бумагами по делу.

На доске объявлений возле общего принтера он увидел листовку с объявлением о благотворительном мероприятии в боулинг-клубе. В нем мог принять участие любой, кто пожелает сдать деньги для помощи пострадавшему сотруднику полиции. Вместо имени сотрудника был указан позывной Беллы: «11-Дэвид». В листовке говорилось, что больничный полностью оплачивается, но некоторые медицинские процедуры не покрываются страховкой управления: с годами та становилась все скромнее. Должно быть, речь шла о сеансах психотерапии. Мероприятие начиналось в пятницу вечером. Планировалось, что оно будет продолжаться, пока останутся желающие платить по доллару за игру — то есть примерно четыре доллара в час.

Ниже значились списки команд. В одном из них Босх увидел имя Систо. Вынув из кармана ручку, Гарри записал свое имя под именем Тревино. Капитан пометил, что готов платить пятерку за игру. Босх указал такую же цифру.

Вернувшись к столу, он позвонил Холлеру. Тот, как обычно, колесил по городу на заднем сиденье «линкольна».

— Заявление готово. Сведи меня с нотариусом, и я готов ехать за подписью.

— Отлично, — сказал Холлер. — Мне бы хотелось познакомиться с Идой. Может, съездим все вместе? Например, завтра, в десять утра?

Босх понял, что так и не узнал номер телефона Форсайт и не мог связаться с ней, чтобы назначить встречу. Вряд ли ее номер будет в справочнике — она, как-никак, служила секретаршей у одного из величайших затворников планеты.

— Годится, — согласился он. — Встретимся возле ее дома. Приеду пораньше, чтобы она никуда не ушла. А ты привези нотариуса.

— Договорились, — ответил Холлер. — Сбрось мне адрес.

— Будет сделано. Еще один момент: когда понадобятся оригиналы документов из конверта? Завтра или когда пойдем в суд?

— Пусть пока лежат там, где лежат, если место надежное.

— Надежное, — заверил Босх.

— Отлично. Предъявим оригиналы только по требованию суда.

— Понял.

Они разъединились. Закончив дела, Босх забрал копии заявления Форсайт из лотка принтера и вышел из участка. Дело Вэнса близилось к концу. Осталось сделать лишь несколько шагов, но все они были очень важны, и Гарри решил, что не помешает еще раз сменить автомобиль. Поэтому он направился прямиком в Бербанк, в аэропорт.

Остановился на парковке «Херц», забрал из салона свои вещи, включая глушилку джи-пи-эс, и попрощался с «чероки». Чтобы еще сильнее запутать следы, следующую машину он решил взять в фирме «Авис». Ее офис находился в терминале аэропорта. Стоя в очереди, Гарри думал о Форсайт и ее рассказе о событиях, происшедших после встречи Босха с Вэнсом. Эта женщина знала о жизни в особняке на Сан-Рафаэль больше, чем кто-либо другой. Гарри решил, что завтра задаст ей еще несколько вопросов.

Когда он добрался до Вудро-Вильсон-драйв, уже стемнело. Свернув к дому, Босх увидел, что возле него стоит незнакомая машина. В свете фар он разглядел в салоне две человеческие фигуры. Его ждали. Босх проехал мимо, силясь понять, что это за люди и почему они остановились на самом видном месте. Ответ был очевиден.

— Копы, — произнес Гарри вслух.

Должно быть, у детективов шерифа появились новые вопросы насчет стрельбы в доме Доквейлера. На перекрестке с Малхолланд-драйв Босх развернулся, подъехал к дому и без колебаний поставил арендованный «форд-таурус» на парковочную площадку. Закрыв машину, он вернулся на улицу, чтобы проверить почтовый ящик и заодно взглянуть на номерной знак седана. Из него уже выходили двое мужчин.

Почтовый ящик оказался пуст.

— Гарри Босх?

Босх обернулся. Этих людей он видел впервые: в ту ночь с ним работали другие следователи ОВР.

— Да, это я. Что стряслось, парни?

Они одновременно достали золотистые жетоны, и те сверкнули в свете уличного фонаря. Оба были белые, сорокалетние, в самых что ни на есть полицейских костюмах — прямиком с вешалки из магазина «два по цене одного».

Под мышкой у одного из копов Босх заметил черный скоросшиватель. Мелочь, конечно, но Гарри знал, что в управлении шерифа скоросшиватели зеленые. В УПЛА — синие.

— Управление полиции Пасадены, — сказал второй коп. — Я детектив Пойдрас, а это детектив Фрэнкс.

— Пасадены? — переспросил Босх.

— Да, сэр, — подтвердил Пойдрас. — Мы расследуем убийство и хотели бы задать вам несколько вопросов.

— В доме, если вы не против, — добавил Фрэнкс.

Убийство? Сюрприз за сюрпризом. Босх вспомнил, с каким испуганным видом Форсайт говорила, что за ней следят. Застыв на месте, он взглянул на вечерних гостей и спросил:

— Кого убили?

— Уитни Вэнса, — ответил Пойдрас.

ГЛАВА 40

Босх усадил детективов из Пасадены за обеденный стол, а сам сел напротив. Он не стал предлагать гостям воды, кофе или чего-то еще. Фрэнкс положил черный скоросшиватель на стол.

Детективы казались примерно одного возраста, и неясно было, кто из них главный. Кто командует парадом. Кто тут альфа-самец.

Босх решил, что это Пойдрас. Он был за рулем и заговорил первым. Фрэнкс, может, и таскал с собой скоросшиватель, но по первым двум признакам можно было сделать вывод, что он актер второго плана. И еще у него было двуцветное лицо: лоб бледный, как у вампира, а ниже — четкая демаркационная линия и красноватый загар. Значит, Фрэнкс часто играет в софтбол или гольф. Если судить по возрасту, скорее второе, подумал Босх. Детективы из убойного отдела охотно играли в гольф. Это хобби для одержимых, а копы из убойного, как правило, одержимы своей работой. Босх знал, что иногда увлечение гольфом перерастает в нечто большее, и работа отходит на второй план. В итоге парни с двуцветными лицами играют вторую скрипку в компании альфа-самцов: думают лишь о следующей партии и о том, с кем бы подружиться, чтобы попасть на новое поле.

Много лет назад у Босха был напарник по имени Джерри Эдгар, настолько помешанный на гольфе, что Босх чувствовал себя соломенным вдовцом. Однажды им с Эдгаром нужно было отправиться в Чикаго, чтобы найти и арестовать подозреваемого в убийстве. Приехав в аэропорт, Босх обнаружил, что Эдгар сдает в багаж клюшки для гольфа. Тот сказал, что планирует задержаться в Чикаго на лишний денек — мол, один парень обещал провести его на Медину. Босх предположил, что речь идет о поле для гольфа. Следующие два дня они искали подозреваемого, разъезжая по городу с клюшками в багажнике арендованной машины.

Сидя напротив двоих копов из Пасадены, Босх пришел к выводу, что альфа-самцом здесь является Пойдрас. Взглянул на него и, прежде чем детективы заговорили, задал вопрос первым:

— Вэнса убили? Как именно?

— Так дело не пойдет, — неловко улыбнулся Пойдрас. — Вопросы здесь будем задавать мы, а не наоборот.

Фрэнкс достал из кармана блокнот и раскрыл его, словно собирался что-то записать.

— Ну, так уж все устроено, — заметил Босх. — Вам нужны ответы? Мне тоже. Предлагаю обменяться информацией.

И он взмахнул рукой, показывая, что в этой комнате все равны, и приглашая к заключению сделки.

— Э нет, — сказал Фрэнкс. — Меняться мы не будем. Лучше позвоним в Сакраменто и отзовем вашу лицензию за непрофессиональное поведение. Это вас устроит?

Босх снял с ремня жетон Управления полиции Сан-Фернандо и выложил его на стол перед Фрэнксом:

— Устроит. У меня есть еще одна работа.

Подавшись вперед, Фрэнкс взглянул на жетон и усмехнулся.

— Вы резервист, — сказал он. — Показывайте его в «Старбаксе». Добавите доллар, и вам, быть может, нальют чашку кофе.

— Сегодня мне предложили место в штате, — сообщил Босх. — Завтра получу новый жетон. Хотя мне, на самом деле, без разницы, что на нем написано.

— Очень рад за вас, — кивнул Фрэнкс.

— Ну давайте звоните в свое Сакраменто, — продолжил Босх. — Посмотрим, что у вас получится.

— Так, закругляйтесь. Хватит выяснять, кто дальше плюнет, — скомандовал Пойдрас. — Босх, мы все про вас знаем. И про службу в УПЛА, и про недавнюю стрельбу в Санта-Кларите. И про то, как на прошлой неделе вы провели целый час в гостях у Вэнса. Мы приехали, чтобы узнать, зачем вы с ним встречались. Да, старик был при смерти, но кто-то отправил его в Валгаллу раньше времени. Мы хотим понять, кто это сделал. И зачем.

Босх молча уставился на Пойдраса. Да, тот действительно был заправилой в этой паре. Именно Пойдрас решал, как что будет.

— Я что, подозреваемый? — спросил Босх.

Откинувшись на спинку стула, Фрэнкс сокрушенно покачал головой:

— Ну вот, опять вы со своими вопросами.

— Вы же знаете правила, — сказал Пойдрас. — Мы подозреваем всех, пока не будет доказано обратное.

— Я могу позвонить адвокату, и на этом все закончится, — сказал Босх.

— Да, можете, — кивнул Пойдрас. — Если захотите. Если вам есть что скрывать. — И выжидающе уставился на Босха.

Тот знал: Пойдрас рассчитывает на его верность делу полиции. Гарри много лет занимался тем же самым, что и эти двое. Он прекрасно понимал, каково им сейчас.

— Я подписал документ о неразглашении, — сказал он.

— Вэнс умер, — заметил Фрэнкс. — Ему уже все равно.

— Он меня нанял, — продолжал Босх, глядя только на Пойдраса, словно Фрэнкса не было в комнате. — Заплатил мне десять штук, чтобы я кое-кого нашел.

— Кого? — спросил Фрэнкс.

— Сами знаете, я могу не отвечать на этот вопрос, — сказал Босх. — Хоть Вэнс и умер.

— А мы можем бросить вас за решетку. За то, что вы мешаете расследовать убийство, — припугнул его Фрэнкс. — Да, ненадолго, но пару дней посидеть придется. Вы этого хотите?

Взглянув на Фрэнкса, Босх снова уставился на Пойдраса.

— В общем, слушайте, Пойдрас. Говорить я буду только с вами. Скажите напарнику, чтобы подождал в машине, и я отвечу на все ваши вопросы. Мне скрывать нечего.

— Никуда я не пойду, — заявил Фрэнкс.

— В таком случае не получите то, за чем явились, — сказал Босх.

— Дэнни. — Пойдрас кивнул на дверь.

— Ты серьезно? — спросил Фрэнкс.

— Сходи покури, — сказал Пойдрас. — Остынь.

Раздраженно фыркнув, Фрэнкс вскочил со стула. Демонстративно захлопнул блокнот и схватил скоросшиватель.

— Лучше оставьте, — сказал Босх. — Чтобы я мог взглянуть на место преступления.

Фрэнкс взглянул на Пойдраса. Тот едва заметно кивнул. Фрэнкс бросил скоросшиватель на стол — так, словно тот был радиоактивным, — после чего вышел на улицу и, конечно же, хлопнул дверью.

Проводив его взглядом, Босх повернулся к Пойдрасу:

— Это была лучшая сценка на тему «два копа, злой и добрый». Из всех, что я видел.

— Охотно верю, — кивнул Пойдрас. — Но это была не сценка. Просто он горячий парень.

— Какой у него показатель гандикапа? Наверное, шесть?

— Вообще-то, восемнадцать. И он вечно на взводе — в том числе и по этой причине. Но раз уж мы остались вдвоем, давайте вернемся к делу. Итак, Вэнс нанял вас, чтобы кого-то найти. Кого?

Босх помолчал. Он понимал, что вот-вот ступит на пресловутый тонкий лед. Все, что он расскажет полиции, может преждевременно дойти до чужих ушей. Но раз уж Вэнс был убит, правила игры изменились. Босх понял, что сейчас ему придется сделать первый шаг и рассказать все без утайки, а взамен выяснить, как все было.

— Вэнс хотел узнать, есть ли у него наследник, — наконец произнес он. — Сказал, что в тысяча девятьсот пятидесятом году, когда он учился в Университете Южной Калифорнии, от него забеременела одна девушка. Отец давил на него, и Вэнс был вынужден ее бросить. Всю свою жизнь он изводился от чувства вины. Теперь же решил узнать, родила ли та девушка и есть ли у него наследник. Сказал, что пора подводить итоги. Узнать, есть ли у него ребенок, чтобы все исправить — хотя бы перед смертью.

— И вы нашли наследника?

— Погодите. У нас равноценный обмен. Ваш вопрос — мой вопрос.

Он подождал, и Пойдрас принял верное решение:

— Спрашивайте.

— Какова причина смерти?

— Все, что я скажу, не должно выйти за пределы этой комнаты.

— Меня это устраивает.

— Мы считаем, что его задушили подушкой, взятой с дивана в кабинете. Когда его нашли, он сидел, завалившись на столешницу. Выглядело все вполне естественно: старик умер у себя за столом. Такое бывает сплошь и рядом. Вот только наш коронер Капур цепляется за возможность пустить пыль в глаза СМИ. И говорит, что будет вскрытие. Собственноручно берется за дело и видит петехиальное кровоизлияние[1]. Совсем незначительное, на лице старика ничего не заметно. Только на конъюнктиве.

Пойдрас показал на уголок левого глаза. Босх видел такое не раз: когда человек не может дышать, лопаются капилляры. Кровоизлияние бывает разной интенсивности, в зависимости от сил и здоровья жертвы.

— Как вы сумели отговорить Капура от пресс-конференции? — спросил Босх. — Ему сейчас нужна любая позитивная шумиха. Обнаружить, что старик не скончался от естественных причин, а был убит... Для коронера это настоящий козырь. Будет выглядеть молодцом.

— Мы заключили сделку, — ответил Пойдрас. — Он помалкивает, а мы раскрываем дело, зовем его на пресс-конференцию и делаем из него героя.

Босх с одобрением кивнул. Сам он поступил бы так же.

— В общем, дело поручили нам с Фрэнксом, ибо мы — хотите верьте, хотите нет — самые крутые детективы в Пасадене. Мы возвращаемся в поместье Вэнса. Насчет убийства ни слова: мол, контроль качества, дополнительное расследование, точка над «и» и все такое прочее. Делаем несколько фотографий и замеров, чтобы не вызвать подозрений. Попутно проверяем диванные подушки и находим на одной пятнышко засохшей слюны. Берем образец, проводим анализ ДНК, и она совпадает с ДНК

---

[1] *Петехиальные кровоизлияния* — это круглые пятна небольшого размера, которые образовываются на кожном покрове, серозной мембране или слизистой оболочке.

Вэнса, так что теперь у нас есть орудие убийства. Кто-то взял подушку, обошел старика со спины, когда тот сидел за столом, и придушил его.

— Причем без труда. Вэнс был совсем дряхлый, — добавил Босх.

— Потому-то на лице и не было кровоизлияний. Бедный старик отошел как котенок.

Услышав слово «бедный», Босх едва сумел сдержать улыбку.

— Однако, — сказал он, — непохоже, чтобы убийство планировали заранее. Верно?

Отвечать Пойдрас не стал.

— Теперь моя очередь, — произнес он. — Вы нашли наследника?

— Нашел, — сказал Босх. — Та девушка родила ребенка. Мальчика. И отдала его на усыновление. Я выследил приемных родителей и нашел парня. Вот только дело в том, что он погиб при крушении вертолета во Вьетнаме, не дожив до двадцати лет.

— Черт! Вы говорили об этом Вэнсу?

— Не успел. Возможности так и не представилось. Итак, насчет воскресенья. У кого был доступ к кабинету?

— В основном у охранников. Один играл роль шеф-повара, а другой — дворецкого. Еще приходила медсестра, ставила ему капельницу. Мы всех проверяем. Он также вызвал секретаршу, чтобы та записала какие-то письма. Она и нашла тело. Кому еще было известно, для какой цели вас нанял Вэнс?

Босх понял, что́ у Пойдраса на уме. Вэнс искал наследника. Тот, кому была выгодна его смерть — при условии, что у Вэнса не найдется прямых потомков, — мог ускорить события. С другой стороны, наследник тоже мог решить, что старик засиделся на этом свете. К счастью для Вибианы Веракрус, Босх узнал о ее родстве с Вэнсом, когда старик был уже мёртв. Это весьма убедительное алиби.

— Если верить словам старика, никому, — ответил Босх. — Мы встречались один на один, и он сказал, что никто не должен знать, в чём дело. На следующий день ко мне заявился его охранник. Хотел выведать, чем я занимаюсь. Вёл себя так, словно пришёл по поручению Вэнса. Я его отшил.

— Вы про Дэвида Слоуна? — спросил Пойдрас.

— Имя его мне неизвестно, но фамилия — да, Слоун. Он из фирмы «Трезубец».

— Ничего подобного. Он давно уже работал в поместье. Когда к делу подключился «Трезубец», Слоун возглавил персональную охрану Вэнса. И поддерживал связь с фирмой. Он лично приходил к вам домой?

— Да. Постучал в дверь и сказал, что его прислал Вэнс — узнать, как продвигается дело. Но старик велел мне отчитываться только перед ним. Потому-то я и отшил Слоуна.

После этого Босх показал Пойдрасу карточку Вэнса с телефонным номером. Рассказал детективу, как несколько раз звонил и оставлял сообщения и как на последний звонок ответил Слоун. Выслушав его, Пойдрас лишь кивнул — должно быть, мысленно подшил эту информацию к остальным фактам дела. Он не сказал, нашла ли полиция секретный телефон со списком звонков. Не спросив разрешения, Пойдрас сунул карточку в карман рубашки.

Босх тоже сопоставлял новую информацию с тем, что уже было ему известно. Пока что у него складывалось впечатление, что узнаёт он больше, чем рассказывает. Он фильтровал слова Пойдраса сквозь решето собственных знаний, но что-то не стыковывалось. Была в этом деле какая-то загвоздка, но Босх никак не мог понять, что именно ему не нравится.

— Считаете, за убийством стоит кто-то из корпорации? — спросил он, чтобы поддержать разговор.

— Я уже сказал: мы считаем, что за убийством может стоять кто угодно, — ответил Пойдрас. — Некоторые люди в совете директоров давно уже ставили под вопрос компетенцию Вэнса и старались от него избавиться. Но он всегда получал нужное количество голосов. Ясно, что некоторым он поперек горла стоял. Оппозицию возглавлял человек по имени Джошуа Батлер. Сейчас он, скорее всего, станет председателем совета директоров. Вопрос всегда в том, кому выгодно убийство. Кто сорвет самый большой куш. Так что его мы тоже прорабатываем.

То есть Батлер был подозреваемым. Понятно, что сам он никого не убивал. Полиция разбиралась, мог ли он быть организатором этого преступления.

— Убийство, спланированное в совете директоров? Что ж, такое бывало и раньше, — заметил Босх.

— Бывало, — согласился Пойдрас.

— Что насчет завещания? Слышал, сегодня начали процедуру утверждения. — Босх надеялся, что вопрос прозвучал непринужденно — как естественное продолжение разговора о руководстве корпорации.

— Сейчас рассматривают завещание, которое Вэнс оформил у корпоративного юриста в девяносто втором году, — ответил Пойдрас. — После него завещаний составлено не было. Тогда Вэнс, по всей видимости, заболел раком и хотел, чтобы переход власти был максимально прозрачным. Все его имущество отходит корпорации. Есть там пункт насчет наследника — по-моему, он называется кодицилл[1], — добавленный годом позже. Но

---

[1] *Кодицилл* — в римском праве на первых порах письменная заметка или письмо наследнику, которым завещатель делал видоизменения своей воли в составленном по определенной форме завещании, возлагая на добрую совесть наследника исполнение новых своих распоряжений.

если наследник не объявится, все будет передано корпорации, под контроль совета директоров. Все, включая материальные компенсации и выплаты премий. В совете сейчас восемнадцать человек, ожидающих, что в их распоряжении окажется шесть миллиардов баксов. Понимаете, о чем речь, Босх?

— Восемнадцать подозреваемых, — кивнул Босх.

— Верно. И все восемнадцать — затворники. Люди весьма небедные. Могут спрятаться за спинами адвокатов, за каменными стенами, да где угодно.

Босху нужно было знать, что говорится в кодицилле. Но если задавать слишком много вопросов, Пойдрас может заподозрить, что на Вьетнаме поиски наследника не закончились. Лучше подождать, пока Холлер не раздобудет копию завещания девяносто второго года.

— Когда вы приходили к Вэнсу, Ида Форсайт была в особняке? — спросил Пойдрас.

Это был неожиданный поворот — в сторону от версии о корпоративном убийстве. Босх знал, что хороший следователь никогда не станет вести прямолинейный разговор.

— Да, — ответил он. — На встрече она не присутствовала, но проводила меня в кабинет.

— Интересная женщина, — сказал Пойдрас. — Служила у Вэнса даже дольше, чем Слоун.

Босх молча кивнул.

— Скажите, вы виделись с ней после встречи с Вэнсом?

Босх помолчал, обдумывая вопрос. Во время беседы любой толковый детектив рано или поздно задает вопрос-ловушку. Гарри вспомнил, как Ида Форсайт говорила, что за ней следят. Пойдрас и Фрэнкс явились к нему домой в тот же день, когда он ездил в Южную Пасадену. Совпадение?

— Вы и так знаете ответ на этот вопрос, — сказал он. — Вы или ваши люди сегодня видели меня возле ее дома.

Едва заметно улыбнувшись, Пойдрас кивнул. Босх прошел проверку.

— Угу, мы вас видели. И все думали, зачем вы туда явились.

Чтобы выиграть время, Босх пожал плечами. Он знал: весьма вероятно, что полицейские постучали в дверь Форсайт через десять минут после его ухода. И уже знают все, что он рассказал Иде насчет завещания. Но в таком случае Пойдрас выстроил бы разговор иначе.

— Просто подумал, что она славная старушка, — улыбнулся Босх. — Решил принести ей соболезнования: как-никак, она столько лет работала на Вэнса. И еще хотел выяснить, что ей известно о его смерти.

Пойдрас помолчал. Очевидно, он пытался понять, не лжет ли Босх.

— Точно? И больше ничего? — настойчиво спросил он. — Когда вы стояли у двери, не похоже было, что старушка рада вас видеть.

— Она думала, что за ней следят, — пояснил Босх. — И была права.

— Как я уже говорил, мы подозреваем всех, пока не будет доказано обратное. Она нашла тело. Следовательно, она в списке подозреваемых. Даже если единственная ее выгода в том, что она потеряла работу.

Босх кивнул. Сейчас он скрывал от Пойдраса ключевую информацию: молчал о завещании, которое оказалось у него в почтовом ящике. Но головоломка постепенно складывалась, и Босху нужно было подумать, прежде чем раскрывать свой главный козырь. Он сменил тему:

— Вы прочли письма?

— Какие письма? — спросил Пойдрас.

— Вы говорили, что в воскресенье Вэнс вызвал Иду Форсайт, чтобы написать какие-то письма.

— Их так и не написали. Она вошла в кабинет и обнаружила за столом тело. Похоже, Вэнс не впервые вызывал ее в воскресенье, чтобы продиктовать письма.

— Что за письма? Деловые? Личные?

— Я так понял, что личные. Вэнс был человек старомодный, электронную почту недолюбливал. По-моему, это даже мило. Он заранее выложил на стол писчую бумагу.

— То есть она приходила записывать письма от руки?

— Я об этом не расспрашивал. Но бумага лежала на столе, рядом с его пафосной ручкой. Думаю, для писем. А почему вы спрашиваете, Босх?

— Как вы сказали? Рядом с пафосной ручкой?

Какое-то время Пойдрас смотрел на него:

— Да. Вы что, ее не заметили? Солидная золотая ручка на подставке. На столе.

Босх постучал пальцем по черному скоросшивателю:

— Фотография есть?

— Может, и есть, — сказал Пойдрас. — А что такого интересного в этой ручке?

— Хочу взглянуть, ее ли он мне показывал. Старик сказал, что ручка сделана из золота, добытого его прадедом.

Открыв скоросшиватель, Пойдрас принялся листать прозрачные пластиковые файлы с цветными фотографиями формата A4. Наконец нашел нужный снимок и положил скоросшиватель перед Босхом. Тело Уитни Вэнса лежало на полу, рядом со столом и креслом-каталкой. Рубашка его была расстегнута, бледная грудь обнажена. Очевидно, фото сделали после безуспешных попыток вернуть его к жизни.

— Вот, смотрите. — Пойдрас постучал пальцем по верхнему левому углу снимка. Там был стол, а на столе —

светло-желтый листок. Такой же листок был в письме, адресованном Босху. И еще на столе была подставка с золотой ручкой. Такую же ручку Босх достал из конверта с письмом.

Отодвинув скоросшиватель, Босх откинулся на спинку стула. Он ничего не понимал. Ручку, что стояла на столе, отправили ему еще до смерти Вэнса.

— Что такое, Босх? — спросил Пойдрас.

— Ничего, — попытался скрыть замешательство Босх. — Просто я совсем недавно был там... Говорил с ним. Еще и это пустое кресло...

Развернув скоросшиватель, Пойдрас тоже взглянул на фото.

— В доме был свой врач, — сказал он. — Ну как, врач... с натяжкой. По воскресеньям дежурил охранник, прошедший курс первой помощи. Он сделал сердечно-легочную реанимацию, но без толку.

Кивнув, Босх постарался напустить на себя невозмутимый вид.

— Вы сказали, что вернулись в кабинет после вскрытия. Чтобы подкрепить легенду, сделали новые фотографии и взяли замеры, — сказал он. — Где эти снимки? Здесь же?

Босх потянулся к скоросшивателю, но Пойдрас накрыл его ладонью:

— Придержите коней. Они в самом конце. Все отсортировано по хронологии.

Пролистав еще несколько файлов, он добрался до второго комплекта снимков. Фотографии были сделаны под таким же углом, но на полу уже не было тела Уитни Вэнса. Босх попросил Пойдраса задержаться на втором фото. На нем была крышка стола. Подставка стояла на месте, но ручки не было.

Босх показал на подставку:

— Ручка пропала.

Развернув скоросшиватель, Пойдрас уставился на фотографию, после чего вернулся к первому комплекту снимков, чтобы во всем убедиться.

— Вы правы... — проговорил он.

— Куда она делась? — спросил Босх.

— Откуда мне знать? Мы ее не брали. И не опечатывали кабинет после того, как из него вынесли тело. Может, ваша подружка Ида знает, куда делась ручка.

Босх не стал говорить, насколько верной была его версия. Вместо этого он придвинул к себе скоросшиватель, чтобы снова рассмотреть снимок с места преступления.

На первом фото была ручка, на втором — лишь пустая подставка. Странное дело. Но, только рассмотрев пустое кресло, Босх понял то, чего не мог понять все это время.

ГЛАВА 41

Следующим утром в половине десятого Босх сидел в машине на Арройо-драйв. Он уже созвонился с Микки Холлером и провел с ним обстоятельную беседу. Уже съездил в Управление полиции Сан-Фернандо и побывал на складе вещдоков. И еще он заглянул в «Старбакс» и заметил, что Беатрис Саагун вернулась на рабочее место и стоит за кофемашиной.

Теперь же он ждал, не отводя глаз от дома Иды Форсайт. Вокруг никого не было, гараж был закрыт, и Босх не знал, дома ли Ида и откроет ли дверь, когда в нее постучат. Кроме того, поглядывая в зеркала, Босх не замечал никаких признаков полицейской слежки.

Без пятнадцати десять в зеркале заднего вида появился «линкольн» Микки Холлера. За рулем был сам Холлер. Он уже сказал Босху, что их с Бойдом дорожки разошлись, так что шофера у него пока не было.

На сей раз Холлер вышел из машины и сел рядом с Босхом. В руке у него был собственный стаканчик кофе.

— Быстро ты, — сказал Босх. — Что, вот так просто влетел в суд и тебе показали документы по завещанию?

— Вообще-то, я влетел в Интернет, — ответил Холлер. — Все документы выкладывают в Сеть с интервалом в двадцать четыре часа. Эти новые технологии просто чудо. Даже не знаю, нужен ли мне офис в машине. Половину окружных судов позакрывали из-за бюджета, а в Интернете я почти всегда нахожу все, что нужно.

— Тогда рассказывай про кодицилл.

— Твои дружки из полиции Пасадены не соврали. Вэнс составил завещание в девяносто втором году, но изменил его годом позже. Поправка вступает в силу, если после смерти Вэнса на сцену выйдет прямой наследник.

— И других завещаний не появилось?

— Нет.

— Значит, Вибиана прикрыта.

— Да, прикрыта, но с оговоркой.

— То есть?

— В кодицилле говорится, что прямой потомок имеет право на часть состояния, но не указано, на какую именно. Наверное, Вэнс с адвокатом внесли эту поправку для галочки, не особенно рассчитывая найти наследника.

— Иной раз галочку проставляют именно там, где нужно.

— Если суд примет это завещание, мы предъявим Вибиану. Тут-то и начнется заваруха — настоящее побоище, поскольку никто не знает, сколько денег ей положено. Мы, конечно, с козырей зайдем — потребуем все без остатка. А там будет видно.

— Угу. Я сегодня звонил Вибиане. Рассказал что и как. Она говорит, что до сих пор не знает, надо ли ей все это.

— Ничего, передумает. Чувак, это же как в лотерею выиграть. Деньги свалились с неба, причем даже больше, чем нужно до гробовой доски.

— В том-то и дело. Больше, чем нужно. Читал, как люди выигрывают в лотерею и вся их жизнь идет под откос? Они не могут перестроиться. И что бы они ни делали, повсюду их окружают побирушки. Вибиана — человек искусства. Не зря же говорят, что художник должен быть голодным.

— Чушь! Этот миф придумали, чтобы держать художников в узде. Искусство и без того мощная штука. Добавь к нему деньги, и художник станет опасен. В любом случае это неуместный разговор. Вибиана — наш клиент, и ей решать, что будет дальше. Наша задача — обеспечить ей наиболее выгодное положение.

— И то верно, — кивнул Босх. — Ну что, действуем по плану?

— Я готов, — заявил Холлер. — Погнали.

Босх достал телефон, позвонил в полицию Пасадены и спросил детектива Пойдраса. Прежде чем их соединили, прошла целая минута.

— Это Босх.

— Только что про вас вспоминал.

— Да ну? С чего бы?

— С того, что я знаю: вы что-то недоговариваете. Вчера у нас был неравноценный обмен. Вы взяли больше, чем отдали. Впредь такого не повторится.

— Я и не собираюсь такое повторять. Как у вас утро, напряженное?

— Для вас всегда минутка найдется. А что?

— Через полчаса встречаемся дома у Иды Форсайт. Будет вам компенсация за вчерашнее.

С этими словами Босх взглянул на Холлера. Тот крутил пальцем по часовой стрелке, показывая, что ему нужно больше времени.

— Давайте лучше через час, — сказал в телефон Босх.

— Через час, — подтвердил Пойдрас. — Вы, случаем, не надумали надо мной подшутить?

— Нет, не надумал. Просто приезжайте. И захватите с собой напарника.

Босх завершил звонок, снова посмотрел на Холлера и кивнул: Пойдрас будет через час.

— Ненавижу помогать копам, — поморщился Холлер. — Религия не позволяет. — Поймав на себе удивленный взгляд Босха, он добавил: — За исключением здесь присутствующих.

— Хватит балагурить. Если все пройдет нормально, получишь нового клиента и громкое дело, — сказал Босх. — Так что вперед.

Они одновременно вышли из «форда» — у Босха в руке была папка с напечатанным вчера заявлением, — перешли дорогу и направились к дому Форсайт. На подходе Босх заметил, как в одном из окон колыхнулась занавеска.

Ида Форсайт открыла дверь, прежде чем в нее постучали.

— Вы так рано, джентльмены, — сказала она. — Не ожидала.

— Мы не вовремя, мисс Форсайт? — спросил Босх.

— Нет-нет, ничего подобного, — ответила она. — Прошу, входите.

На этот раз Форсайт проводила их в главную гостиную. Босх познакомил Иду с Холлером и сказал, что он представляет прямого наследника Уитни Вэнса.

— Вы принесли заявление? — спросила Форсайт.

Босх предъявил ей папку.

— Да, мэм, — сказал Холлер. — Присядьте, ознакомьтесь. Прежде чем подписывать, убедитесь, что все верно. Это минутное дело.

Форсайт отнесла папку к дивану, села и погрузилась в чтение. Не сводя с нее глаз, Босх с Холлером расположились напротив, у журнального столика. Босх услышал какой-то дребезжащий звук. Холлер полез в карман за телефоном. Прочел эсэмэску и передал телефон Босху. Сообщение пришло от некой Лорны.

Звонили из «Калифорния-кодинг». Нужны новые образцы. Вчера ночью в лаборатории был пожар.

Босх оторопел. Он не сомневался, что за Холлером следили. Значит, лабораторию подожгли, чтобы помешать анализу ДНК предполагаемого наследника. Он вернул телефон Холлеру. Тот хищно улыбнулся — наверное, был того же мнения, что и Босх.

— По-моему, все правильно, — произнесла наконец Форсайт, и оба вновь посмотрели на нее. — Но вчера вы говорили, что приедете с нотариусом. Вообще-то, я сама нотариус, но я не могу заверять собственную подпись.

— Ничего страшного, — сообщил Холлер. — Я судебный исполнитель, а вторым свидетелем будет детектив Босх.

— И у меня есть ручка, — сказал Босх.

Из внутреннего кармана пиджака он достал золотую ручку, когда-то принадлежавшую Уитни Вэнсу. Протянул ее Форсайт, взглянул на ее лицо и понял, что она узнала эту вещицу.

Оба молча смотрели, как она ставит витиеватый росчерк, тем самым показывая, что умеет управляться со старомодной перьевой ручкой. Надев на нее колпачок, Форсайт убрала документ в папку и протянула ее Босху — вместе с ручкой.

— Странно было держать ее в руках, — проговорила она.

— Неужели? — спросил Босх. — Я думал, вы к ней привыкли.

— Нет, вовсе нет. — Она покачала головой. — Этой ручкой пользовался только мистер Вэнс.

Открыв папку, Босх проверил документ и подпись. Холлер уставился на Форсайт. Повисла неловкая пауза. Наконец Форсайт преодолела звуковой барьер.

— Как скоро вы сдадите новое завещание в суд? — спросила она.

— То есть как скоро вы получите свои десять миллионов? — спросил в ответ Холлер.

— Я не об этом, — притворно оскорбилась она. — Просто любопытствую, когда начнется процесс. Когда нанимать адвоката, чтобы тот представлял мои интересы.

Не спеша с ответом, Холлер взглянул на Босха.

— Мы не будем сдавать завещание, — сказал Босх. — Что касается адвоката, он понадобится вам прямо сейчас. Но не для того, о чем вы думаете.

На мгновение Форсайт оцепенела.

— Что вы хотите сказать? — спросила она. — Вы же нашли наследника?

В голосе ее бушевали эмоции. Босх же, наоборот, был совершенно спокоен.

— Дело не в наследнике, — ответил он. — У наследника все будет хорошо. Мы не будем сдавать завещание, потому что Уитни Вэнс его не писал. Его написали вы.

— Это какой-то абсурд! — выдохнула Форсайт.

— Позвольте разложить все по полочкам, — продолжил Босх. — Вэнс уже много лет ничего не писал. Он был правша — я видел фото, где он подписывает книгу для Ларри Кинга, — но правая рука у него отнялась. Больше он не обменивался ни с кем рукопожатием. И пульт управления креслом был на левом подлокотнике.

Он помолчал, чтобы Форсайт могла возразить, но она не произнесла ни слова.

— Ему важно было сохранить это в секрете. Его немощь могла вызвать переполох в совете директоров. Небольшая группа управленцев беспрестанно искала повод отстранить его от руководства корпорацией. Поэтому вместо него писали вы. Научились подделывать его почерк и приходили по воскресеньям — когда в поместье не так много народу, — чтобы записывать под диктовку письма и ставить росчерки на документах. Вот почему вы с легкой душой написали завещание. Да, его могли бы сравнить с другими документами, написанными от руки. Но их тоже писали вы.

— Славная выдумка... — пробормотала Форсайт. — Но вы не сумеете ничего доказать.

— Может быть. Но вся проблема в золотой ручке, Ида. Именно из-за ручки вы сядете в тюрьму на много-много лет.

— Вы сами не соображаете, что несете! По-моему, вам обоим пора уходить.

— Я знаю, что настоящая ручка — та, которой вы только что поставили свою подпись, — была у меня в почтовом ящике, когда вы предположительно обнаружили тело Вэнса. Но на посмертных фотографиях кабинета видно, что на столе стоит другая ручка. Думаю, вы поняли, что из-за нее могут возникнуть проблемы. И решили от нее избавиться. Когда полицейские вернулись в кабинет для повторного осмотра, ручки там уже не было.

Как и планировалось, в этот момент Холлер начал исполнять серого волка.

— Речь идет о предварительном умысле, — сказал он. — Нужно было изготовить дубликат ручки, а это дело небыстрое. Его нужно спланировать. Предварительный умысел налицо. А это пожизненное без права на досрочное освобождение. Вы умрете в тюремной камере.

— Это неправда! — крикнула Форсайт. — Это все неправда, и я хочу, чтобы вы ушли. Сейчас же!

Вскочив, она указала на коридор, ведущий к выходу. Ни Босх, ни Холлер не двинулись с места.

— Расскажите, как все было, Ида, — сказал Босх. — Возможно, мы сумеем вам помочь.

— Поймите одно, — добавил Холлер, — вы не увидите ни цента из этих десяти миллионов. Таков закон. Убийца не имеет права наследовать имущество жертвы.

— Я не убийца! — заявила Форсайт. — И если вы не собираетесь уходить, то я уйду сама.

Обогнув журнальный столик, она прошла мимо кресел и направилась к коридору — видимо, и впрямь собралась уйти.

— Вы задушили его диванной подушкой, — сказал Босх.

Форсайт встала как вкопанная, но не обернулась. Она ждала, что будет дальше, и Босх не стал ее разочаровывать.

— Полицейским все известно, — продолжил он. — Они поджидают вас у порога.

Форсайт по-прежнему не двигалась. К разговору подключился Холлер.

— Если откроете дверь, мы не сможем вам помочь, — сказал он. — Но выход все же есть. Детектив Босх присутствует здесь как частный сыщик, и мы с ним работаем в паре. Если вы нанимаете меня в качестве адвоката, все сказанное в этой комнате останется тайной. Мы разработаем план взаимодействия с полицией и окружной прокуратурой. И найдем наилучшее решение.

— Решение?! — воскликнула Форсайт. — Так вы называете сделку? Предлагаете мне заключить сделку с прокурором и сесть в тюрьму? Это какое-то безумие!

Развернувшись, она бросилась к окну, отдернула занавеску и выглянула на улицу. Часа еще не прошло, но Босх знал: Пойдрас и Фрэнкс могли приехать заранее, чтобы понять, что здесь происходит.

Форсайт охнула. Значит, детективы уже сидят в машине возле дома. Ждут назначенного времени, чтобы подойти и постучать в дверь.

— Ида, вернитесь пожалуйста, — сказал Босх. — Поговорите с нами.

Он ждал. Он не видел Форсайт — та стояла у окна у него за спиной, и поэтому смотрел на Холлера, а тот в свою очередь наблюдал за Идой. Взгляд Холлера скользнул вправо. Стало быть, стратегия выбрана верно. Форсайт возвращается.

Появившись в поле зрения, она медленно подошла к дивану и села. На лице ее читалось смятение.

— Вы все не так поняли, — проговорила она. — Не было никакого плана, никакого предварительного умысла. Все это страшная, ужасная ошибка.

ГЛАВА 42

— Представляете, один из самых богатых и влиятельных людей планеты оказался мелким скупцом и последней сволочью. — Произнося эти слова, Ида Форсайт смотрела в пустоту — то ли в прошлое, то ли в безрадостное будущее.

Так она начала свою историю. Сказала, что вскоре после встречи с Босхом престарелый миллиардер сообщил ей, что умирает.

— Заболел он в одночасье. Жутко выглядел и даже не стал одеваться. Явился в кабинет около полудня, все еще в халате, и сказал, что хочет кое-что надиктовать. Голос у него был чуть громче шепота. Он сказал, что чувствует, как все внутренние органы начинают отказывать. Что умирает и хочет написать новое завещание.

— Ида, я же говорил: я ваш адвокат, — напомнил Холлер. — Незачем мне лгать. Иначе я откажусь вести ваше дело.

— Я не лгу, — сказала она. — Это правда.

Холлер, похоже, ей не поверил. Хотел добавить что-то еще, но Босх предупреждающе поднял руку. Он чувствовал, что Форсайт говорит правду — по крайней мере, с ее точки зрения, — и хотел выслушать ее до конца.

— Рассказывайте, — кивнул он.

— В кабинете мы были одни, — продолжила Ида. — Он продиктовал завещание, и я записала все от его имени. Потом он отдал мне ручку и велел отправить все это вам. Вот только... он кое-что забыл.

— Он забыл про вас, — сказал Холлер.

— После стольких лет безупречной службы... Я же была у него на побегушках. Благодаря мне все думали, что он здоров. Столько лет... И он не оставил мне ни гроша.

— Поэтому вы переписали завещание, — сказал Холлер.

— У меня была ручка. Я унесла домой несколько листков бумаги и поступила так, как сочла нужным. Переписала завещание так, чтобы все было по-честному. Поймите, я это заслужила. Это же мелочь, капля в море. Я думала...

Голос ее дрогнул, и она не договорила. Босх внимательно смотрел на нее. Он знал, что жадность — понятие относительное. Прослужить тридцать пять лет, а потом выкроить себе десять миллионов из шести миллиардов наследства... Можно ли назвать это жадностью? Кто-то и впрямь скажет — «капля в море», но эта капля стоила старику последних месяцев жизни. Босху вспомнился флаер в фойе Вибианы Веракрус с приглашением на просмотр документального фильма. «Наш дом превыше жадности!» Он задумался, каким человеком была Ида, прежде чем решила, что десять миллионов долларов станут ей справедливой наградой.

— Он сказал, что получил от вас сообщение, — продолжила она, отклонившись от темы своего рассказа. — Что вы нашли информацию, которую он искал. И это значит, что у него действительно был ребенок и теперь есть кому оставить все его состояние. Он сказал, что умрет с улыбкой. После этого ушел к себе в комнату, и я ему поверила. Не думала, что снова его увижу.

Форсайт переписала завещание, не забыв про себя, и отнесла конверт на почту, как было велено. Следующие два дня она приходила на работу в поместье, но Вэнса не видела — тот уединился у себя в комнате, и пускали к нему только врача и медсестру. Дела в особняке на Сан-Рафаэль приняли мрачный оборот.

— Все грустили, — продолжала Форсайт. — Ясно было, что всему конец. Мистер Вэнс умирал. Должен был умереть.

Босх украдкой взглянул на часы. Через десять минут детективы выйдут из машины и постучат в дверь. Оставалось надеяться, что они досидят до положенного времени и не помешают признанию Форсайт.

— А потом, в воскресенье, он позвонил вам, — подсказал Холлер, чтобы поторопить события.

— Мне позвонил Слоун, — сказала Форсайт. — По приказу мистера Вэнса. Я пришла, а он сидел за столом — так, словно и не болел. Голос к нему вернулся, и мистер Вэнс, как всегда, говорил деловым тоном. А потом я увидела ручку. Она была на столе, чтобы мне было чем писать.

— Откуда она взялась? — перебил ее Босх.

— Я задала ему этот вопрос. Он ответил, что это ручка его прадеда. Я спросила: как же так? Ведь я отправила ее детективу Босху. Он же сказал, я отправила вам копию, а оригинал стоит на столе. По его словам, подлинность ручки была не важна. Значение имели лишь чернила — те, которыми было написано завещание. Он сказал, что с их помощью вы докажете подлинность завещания.

Форсайт отвела взгляд от блестящей крышки журнального столика и посмотрела Босху в глаза:

— Тогда он велел мне связаться с вами и отозвать завещание. Теперь ему было лучше, и он хотел оформить его как положено, через юриста. Я знала, что, если сделаю это, мой поступок вскроется. И все, мне конец. Нельзя было... Я не знаю, как это случилось. В душе у меня что-то перегорело. Я взяла подушку, подошла к нему со спины...

И она закончила свой рассказ, не желая вдаваться в подробности убийства. Наверное, то была разновидность отрицания: так убийца накрывает лицо своей жертвы. Босх не знал, как расценивать это признание — поверить или отнестись к нему скептически. Возможно, Форсайт будет настаивать, что действовала в состоянии аффекта. Не исключено также, что она пытается скрыть истинный мотив убийства: ведь если бы Вэнс поручил юристу составить новое завещание, Форсайт не увидела бы своих десяти миллионов.

Но стоило Вэнсу умереть за рабочим столом, и у нее оставался шанс получить эти деньги.

— После смерти вы убрали ручку со стола. Зачем? — спросил Босх.

Эта мелочь никак не давала ему покоя.

— Мне хотелось, чтобы была только одна ручка, — ответила Форсайт. — Я подумала, что, если ручек будет две, к завещанию возникнет масса вопросов. Поэтому, когда все ушли, я вернулась в кабинет и забрала ручку.

— Где она? — спросил Босх.

— В депозитной ячейке.

Наступила долгая пауза. Босх ожидал, что тишину вот-вот нарушит стук в дверь. Пасаденским детективам пора уже было появиться на сцене. Но вдруг Форсайт заговорила — отстраненно, так, словно говорила сама с собой, а не с Босхом или Холлером.

— Я не хотела его убивать. Я заботилась о нем тридцать пять лет, а он заботился обо мне. Я пришла туда не для того, чтобы его убить...

Холлер взглянул на Босха и кивнул, подав знак, что берет разговор на себя.

— Ида, — сказал он, — мой профиль — сделки с прокурором. Того, что вы рассказали, достаточно для сделки. Мы сдаемся, оформляем чистосердечное и находим судью, который проявит сочувствие к вашему рассказу и примет во внимание ваш возраст.

— Но я не могу сказать, что убила его, — возразила Форсайт.

— Вы только что это сказали, — заметил Холлер. — Строго говоря, вам не придется делать признание. В суде достаточно будет выслушать обвинение и сказать: «Не возражаю». Любой другой вариант обречен на провал.

— Но как же насчет временного помешательства? — спросила Форсайт. — Когда я поняла, что мистер Вэнс узнает о моем поступке, у меня помутился рассудок. Я была не в себе.

В голосе ее звучал холодный расчет. Холлер помотал головой.

— Не годится! — отрезал он. — Вы переписали завещание и забрали ручку. Это не похоже на временное помешательство. Значит, испугались, что Вэнс узнает о вашем поступке? И поэтому перестали понимать, что такое хорошо, а что такое плохо? В зале суда я способен впарить даже лед эскимосу, но никакие присяжные на свете не поведутся на такое объяснение. — На мгновение он умолк, чтобы убедиться, что Форсайт его понимает, а потом продолжил: — Давайте будем реалистами. С учетом вашего возраста нам нужно свести срок вашего заключения к минимуму. И я только что рассказал, как это сделать. Выбор, однако, за вами. Захотите сослаться на временное помешательство — пожалуйста. Но это неверный ход.

Словно в подтверждение его слов, за окном дважды хлопнули автомобильные дверцы. Из машины вышли Фрэнкс и Пойдрас.

— Это полицейские, — сказал Босх. — Они уже идут к двери.

— В общем, Ида, слово за вами, — добавил Холлер.

Форсайт медленно поднялась на ноги. Холлер сделал то же самое.

— Прошу, пригласите их в дом, — сказала она.

Через двадцать минут Босх с Холлером стояли на тротуаре Арройо и провожали взглядом автомобиль Пойдраса и Фрэнкса. На заднем его сиденье была Форсайт.

— А ты говоришь, дареному коню в зубы не смотрят, — сказал Холлер. — По-моему, эти черти даже рассердились, когда узнали, что мы сделали за них всю работу. Сволочи неблагодарные!

— Они с самого начала не догоняли, что к чему, — заметил Босх. — Прикинь, каково им придется на пресс-конференции. Как они будут рассказывать, что подозреваемая сдалась сама, а они даже не знали, что она подозреваемая.

— Ну, эти как-нибудь выкрутятся, — сказал Холлер. — Не сомневаюсь.

Босх согласно покивал.

— Кстати, отгадай загадку, — продолжил Холлер.

— Какую? — спросил Босх.

— Пока мы там торчали, Лорна прислала еще одну эсэмэску. Говори какую.

Лорна была у Холлера кем-то вроде делопроизводителя.

— Какие-то новости про «Калифорния-кодинг»?

— Не угадал. Пришли результаты из «Селл-райт». Анализ подтвердил родство Уитни Вэнса и Вибианы Веракрус. Так что она его наследница. И ей положен приличный ломоть его богатства. Если, конечно, не откажется.

— Отлично! — кивнул Босх. — Поговорю с ней, сообщу новости. Посмотрим, что она надумает.

— Уж я-то знаю, что надумал бы, — сказал Холлер.

Босх улыбнулся:

— И я знаю, что ты надумал бы.

— Скажи, что поначалу мы можем сохранить ее имя в тайне, — напомнил Холлер. — В конце концов придется сообщить его судье и противным сторонам. Но начать можем втихую.

— Так и скажу, — пообещал Босх.

— Есть еще вариант — прийти в юридический отдел корпорации, показать результаты анализа ДНК и твое расследование по отцовству. Объяснить, что, если дело дойдет до суда, мы заберем все до цента. Договориться о кругленькой сумме и уйти, а дальше пусть сами разбираются.

— Тоже мысль. Кстати, неплохая. Говоришь, ты способен впарить лед эскимосу? Вот и займись.

— Займусь. Совет директоров такое предложение с руками оторвет. В общем, поговори с Вибианой, а я пока все обмозгую.

Посмотрев по сторонам, они перешли дорогу и направились к своим автомобилям.

— Ну, хочешь поработать со мной? Выстроить защиту Иды? — спросил Холлер.

— Спасибо, что сказал «со мной», а не «вместо меня», — усмехнулся Босх. — Но нет, благодарю. Похоже, моя карьера частного сыщика только что закончилась. Меня позвали в Управление полиции Сан-Фернандо. На полную ставку.

— Уверен?

— Более чем.

— Ну как скажешь, братец по батюшке. Как будет информация по Вибиане, дай знать.

— Договорились.

Посреди улицы они разошлись, и каждый отправился своей дорогой.

ГЛАВА 43

«Форд» оказался не машиной, а сущим наказанием. Босх решил, что пора заканчивать с транспортной чехардой: пришло время забрать с парковки старый добрый «чероки». Из Южной Пасадены он свернул на шоссе 110, проехал через центр города, мимо башен Даунтауна, мимо Университета Южной Калифорнии и района, где Вибиана Дуарте прожила бо́льшую часть своей недолгой жизни. Наконец он оказался на шоссе 105 и направился на запад, в сторону аэропорта. Когда он протягивал парковщику кредитную карточку, чтобы оплатить чудовищных размеров счет, зазвонил телефон. Номер начинался с цифр 213, и Босх его не знал. Он ответил на звонок:

— Босх.

— Это Вибиана.

Она говорила тихо, почти что шепотом. Слышно было, что Вибиана на грани истерики.

— Что случилось?

— Здесь какой-то человек с самого утра.

— В вашем лофте?

— Нет, на улице. Я вижу его из окна. Он следит за входной дверью.

— Почему вы шепчете?

— Чтобы Хильберто не слышал. Не хочу его пугать.

— Так, Вибиана, возьмите себя в руки. Если этот человек до сих пор не пришел к вам домой, он не собирается этого делать. Пока вы у себя, вам ничего не грозит.

— Понятно. Можете приехать?

Босх забрал у парковщика свою карточку и квитанцию.

— Да, уже еду. Но я сейчас в аэропорту, так что придется подождать. Оставайтесь дома и не открывайте никому, кроме меня.

Шлагбаум на парковке все еще был опущен. Прикрыв телефон ладонью, Босх крикнул парковщику через окошко:

— Ну давайте же, открывайте! Я спешу!

Шлагбаум наконец начал подниматься. Нажав на педаль газа, Босх снова прижал телефон к уху:

— Этот парень — где он стоит?

— Он перемещается. Каждый раз, когда я выглядываю в окно, вижу его на новом месте. Сначала он был возле «Американца», а потом перешел дальше по улице.

— Хорошо, поглядывайте на него. Как только приеду, позвоню, и вы меня сориентируете. Как он выглядит? Во что одет?

— Хм... Джинсы, серая толстовка с капюшоном, темные очки. Белый. Я бы сказала, одет не по возрасту. Староват для толстовки.

— Отлично. Как думаете, он один? Видите кого-нибудь еще?

— Нет, только его. Может, с другой стороны здания тоже кто-то есть.

— Ладно, я приеду и посмотрю. Сидите тихо, Вибиана, все будет в порядке. Но если что-то случится, пока меня не будет, звоните в службу спасения.

— Хорошо.

— Кстати, анализ ДНК уже готов. Результат положительный. Вы внучка Уитни Вэнса.

Ответом ему была тишина.

— Обсудим все при личной встрече, — сказал Босх и нажал кнопку отбоя. Разговор можно было продолжить, но рулить удобнее обеими руками.

Обратно Босх поехал прежним путем — сперва по шоссе 105, потом по 110. В середине дня дорога была свободной, и Гарри довольно скоро увидел очертания башен Даунтауна. Выше всех вздымалась башня Банка США, и Босх подумал: скорее всего, слежку за Вибианой Веракрус организовали на пятьдесят девятом этаже этого небоскреба.

Свернув на Шестую улицу, он поехал к району Искусств. Позвонил Вибиане и сказал, что уже рядом. Она сообщила, что смотрит в окно и наблюдатель сейчас стоит под строительными лесами на здании напротив, которое было закрыто на реставрацию. Там имелось множество укромных уголков, и человек мог то и дело менять позицию.

— Ничего страшного, — сказал Босх. — Ему это на руку, но и мне тоже. — И добавил, что перезвонит, как только ситуация прояснится.

Он нашел свободное место на парковке у реки и направился к зданию Вибианы пешком. Увидел здание, окруженное лесами, и вошел в боковую дверь. Возле нее на упаковках гипсокартона сидели несколько строителей. Один сказал Босху, что без каски сюда нельзя.

— Знаю, — ответил Босх.

Он прошагал по коридору к передней части здания. Первый этаж готовили под коммерческие помещения, и в каждой секции был выход на улицу размером с гаражные ворота. Ни окон, ни дверей пока что не было. У третьей секции Босх заметил мужчину в джинсах и серой толстовке с капюшоном. Тот стоял справа от выхода, прислонившись к стене, прямо под строительными лесами. Снаружи к нему было не подобраться, но изнутри — дело другое. Мужчина стоял спиной к Босху, а значит, был уязвим. Босх тихонько достал пистолет из кобуры и начал подкрадываться к человеку в толстовке.

Наверху шумела электропила, полностью перекрывая звук шагов. Босх подошел к мужчине вплотную, схватил его за плечо, развернул лицом к себе. Прижал его спиной к стене, ткнул дулом пистолета ему в шею.

Это был Слоун. Босх не успел сказать ни слова. Слоун извернулся, швырнул Гарри в стену, выхватил свой пистолет и приставил его к шее Босха, одновременно придавив локтями его руки:

— Босх, какого хрена?!

Гарри изумленно смотрел на него. Наконец он разжал правый кулак, показывая, что сдается. Пистолет выскользнул из руки. Гарри поймал его за ствол и сказал:

— Хотел задать вам в точности такой же вопрос.

— Я за ней присматриваю, — сообщил Слоун. — Так же, как и вы.

Сделав шаг назад, он убрал пистолет от горла Гарри, сунул за спину и заткнул за ремень. Постояв с поднятыми руками, Босх понял, что можно их опускать. Он спрятал оружие в кобуру.

— Объяснитесь, Слоун. Вы же работаете на «Трезубец»?

— Я работаю на старика. Да, в платежках указано название другой компании, но я всегда работал только на мистера Вэнса. И продолжаю на него работать.

— В тот день, когда вы приходили ко мне... Он действительно вас прислал?

— Действительно. Он не мог говорить, даже позвонить вам не мог — так ему было худо. Решил, что умирает, и захотел узнать, что вам удалось найти.

— Выходит, вы знали, чем я занимаюсь.

— Верно. И когда вы ее нашли, мне тут же стало об этом известно. — Он кивнул на здание, в котором жила Вибиана.

— Известно? Как? — изумился Гарри.

— Вас прослушивают, Босх. Вас и вашего адвоката. Отслеживают телефонные звонки, наблюдают за машинами. Вы человек старомодный. Смотрите лишь по сторонам, а про небо забыли.

Выходит, Холлер был прав насчет беспилотников.

— И вы во всем этом участвовали? — спросил Босх.

— Делал вид, — ответил Слоун. — После смерти мистера Вэнса меня оставили на должности. Но прошлой ночью сожгли лабораторию ДНК, и я уволился. Отныне буду присматривать за внучкой. Старик хотел бы этого, и я перед ним в долгу.

Босх внимательно смотрел на Слоуна. Возможно, этот человек был троянским конем на службе «Трезубца» и корпорации. Возможно, он говорил правду. Босх прокрутил в голове все, что узнал про него за последние дни. Слоун работал на Вэнса двадцать пять лет. Он пытался реанимировать старика, когда тот умер, и позвонил в полицию, чтобы сообщить о смерти, хотя у него была возможность избежать расследования. Все взвесив, Босх решил, что Слоун не лжет.

— Ну ладно, — сказал он. — Если собираетесь за ней присматривать, сделаем все как полагается. Пойдемте.

Они вышли из здания, пробрались под строительными лесами и оказались на улице. Босх поднял глаза на окна четвертого этажа. Он знал, что Вибиана наблюдает за ним. Направляясь к входу, Гарри достал телефон и позвонил ей.

— Кто он? — без лишних слов спросила Вибиана.

— Свой, — ответил Босх. — Служил у вашего деда. Сейчас мы поднимемся.

ГЛАВА 44

Оставив Вибиану на попечении Слоуна, Босх направился на север, в долину Санта-Кларита. Вчера он обещал капитану Тревино, что до вечера даст ответ по поводу предложения о работе. Холлеру Босх сказал чистую правду: он намерен был согласиться. Мысль о том, что он снова станет полноценным копом, приводила его в восторг. И не важно, какого размера территория — всего лишь две квадратные мили или целых две сотни. Главное, делать правое дело, раскрывать преступления. Работа в Сан-Фернандо давала такую возможность, и Босх решил, что останется в управлении, пока ему не укажут на дверь.

Однако, прежде чем принять предложение, нужно было утрясти все с Беллой Лурдес. Заверить ее, что Гарри не собирается отнимать у нее работу: просто прикроет сыскной отдел, пока Лурдес не будет на месте. В больницу Святого Креста он приехал к четырем дня, рассчитывая, что Белла еще не успела уйти домой. Босх знал, что процесс выписки может растянуться на целый день, и уверен был, что не опоздал.

Оставив машину на больничной парковке, он поднялся в травматологическое отделение — тем же путем, что и раньше. Нашел палату Беллы, но увидел, что постель ее пуста и не заправлена. На тумбочке по-прежнему стояла ваза с цветами. Заглянув во встроенный шкаф, Гарри увидел на полу светло-зеленый больничный халат. На перекладине висели две металлические вешалки, — должно быть, раньше на них была повседневная одежда, которую привезла Тэрин.

Босх решил, что Белла ушла сдавать анализы или же отправилась на последний сеанс психотерапии. Он вышел в коридор и направился к сестринскому посту, чтобы навести справки.

— Она еще здесь, — ответила медсестра. — Ждем врача, чтобы тот подписал бумаги, и тогда она сможет уехать.

— Здесь? Где именно? — спросил Босх.

— У себя в палате. Дожидается выписки.

— Нет ее в палате. У вас тут есть кафетерий?

— Только на первом этаже.

Босх вызвал лифт, спустился на первый этаж и заглянул в небольшой кафетерий. Тот был почти пуст, и Лурдес в нем не оказалось.

Босх понял, что мог с ней разминуться. Спустился на одном лифте, а она тем временем поднялась на другом.

В груди его, однако, закопошился червячок тревоги. Босх вспомнил, с каким гневом Тэрин говорила, что лежать в одной больнице с человеком, который похитил тебя и изнасиловал, попросту унизительно. Вспомнил, как заверял ее, что, как только врачи дадут добро, Доквейлера перевезут в тюремную палату окружной больницы. Но он знал, что Доквейлеру до сих пор не предъявили обвинения. Раз состояние его не позволяло провести эту формальную процедуру, не исключено, что перевод из больницы Святого Креста в окружную больницу пришлось отложить.

Одно из двух: или Тэрин сказала Лурдес, что Доквейлер лежит в этой же больнице, или Белла додумалась до этого самостоятельно.

Босх вышел в главное фойе. Направился к столу справок — тот был рядом с кафетерием — и спросил, есть ли здесь отделение для пациентов с травмой позвоночника. Ему сказали, что оно находится на третьем этаже. Босх заскочил в лифт и отправился наверх.

Двери открылись. Напротив лифта был сестринский пост — в самом центре этажа, напоминавшего букву «Н». Босх увидел человека в форме помощника шерифа. Тот, облокотившись на стол, болтал с дежурной медсестрой, и Гарри почувствовал, как тревога в груди нарастает.

— Отделение травмы позвоночника? — спросил он.

— Да, — ответила медсестра. — Чем могу...

— Курт Доквейлер все еще здесь?

Медсестра бросила косой взгляд на помощника шерифа. Тот выпрямился. Босх снял с ремня жетон и поднял руку:

— Босх, УПСФ. Веду дело Доквейлера. Где его палата? Показывайте.

— Сюда, — сказал помощник шерифа и направился в коридор.

Босх пошел за ним. У одной из палат стоял пустой стул.

— И давно вы строите глазки медсестре? — спросил Босх.

— Недавно, — ответил помощник шерифа. — Этот парень никуда не убежит.

— Меня не это волнует. Скажите, из лифта не выходила женщина?

— Не знаю. Люди то приходят, то уходят. Когда?

— Сами как думаете? Сейчас.

Не успел помощник шерифа ответить, как они подошли к палате. Чтобы остановить спутника, Босх поднял левую руку. У изножья койки Доквейлера стояла Белла.

— Побудьте здесь, — сказал Босх помощнику шерифа и, осторожно ступая, вошел в палату.

Лурдес не показала виду, что заметила его. Не оборачиваясь, она смотрела на Доквейлера. Тот лежал на приподнятой койке в окружении всевозможной медицинской техники, включая дыхательный аппарат, который накачивал воздухом его легкие. Глаза Доквейлера были открыты, и он смотрел на Лурдес. Заглянув в эти глаза, Босх увидел в них страх.

— Белла?

Услышав его голос, Белла обернулась, увидела Босха и сумела улыбнуться:

— Гарри...

Он взглянул ей на руки — нет ли в них оружия. Оружия не было.

— Белла, зачем ты сюда пришла?

Она перевела взгляд на Доквейлера:

— Хотела увидеть его. Лицом к лицу.

— Тебе не следует здесь находиться.

— Знаю. Но я должна была прийти. Сегодня я уезжаю домой. Хотела сперва увидеть его. Он грозился сломить меня. Пусть видит, что у него ничего не вышло.

Босх кивнул.

— Ты что, думал, я пришла сюда, чтобы его убить? — спросила она.

— Сам не знаю, о чем я думал, — ответил Босх.

— Мне не нужно его убивать. Он уже мертв. Ирония судьбы?

— В смысле?

— Твоя пуля перебила ему позвоночник. Он насильник, но больше не сможет никого изнасиловать.

Босх снова кивнул:

— Пойдем к тебе в палату. Медсестра сказала, перед выпиской тебя должен осмотреть врач.

В коридоре он повернулся к помощнику шерифа, прежде чем тот заговорил.

— Ничего не было, — сказал Босх. — Если напишете рапорт, я пожалуюсь, что вы оставили свой пост.

— Не вопрос, ничего не было, — согласился помощник шерифа.

Он остался возле своего стула, а Босх и Лурдес направились к лифту.

По пути Гарри рассказал о предложении Тревино. Решил, что согласится, только если Белла не против. И снова перейдет в резерв, как только она будет готова вернуться на службу.

Лурдес без колебаний одобрила его решение.

— Ты прекрасно подходишь для этой работы, — кивнула она. — Не исключено, что это надолго. Я пока не знаю, что будет дальше. Может, вообще уволюсь из полиции.

Босх понимал, о чем она думает: о том, что имеет полное право уйти в отставку на основании пережитого стресса, сохранив при этом полное жалованье. Сможет заняться чем-то еще — чем-нибудь менее рискованным, не связанным с неприятными особенностями полицейской работы. Так будет лучше для семьи. Что сказать, выбор непростой. Сейчас над ней нависла тень Доквейлера. Если Белла не вернется на службу, будет ли эта тень являться к ней по ночам? Одержит ли Доквейлер окончательную победу над Лурдес?

— Думаю, ты вернешься, Белла, — проговорил Босх. — Ты хороший детектив. Будешь скучать по работе. Посмотри, как я из кожи вон лезу, лишь бы на ремне был жетон. В моем-то возрасте. Поверь, это у тебя в крови. У тебя ДНК копа.

— Знаешь... надеюсь, ты прав, — с улыбкой кивнула она.

У сестринского поста они обнялись и пообещали друг другу быть на связи. После этого Босх ушел.

Выехав на шоссе 5, он направился в Сан-Фернандо. Пора было сказать капитану, что он принимает предложение. По крайней мере, до тех пор, пока не вернется Белла.

По пути Босх обдумывал свои слова насчет ДНК копа. Он действительно верил в то, что сказал. Он знал, что где-то в глубине его внутренней вселенной высится скала и на ней высечено зашифрованное послание — раз и навсегда, словно рисунок на стене древней пещеры. В этом послании говорится, куда ему идти и что делать. Как выбрать верный путь, чтобы жизнь была прожита не зря.

*Была весна, и был воскресный вечер. На треугольной пло-
щадке между Трэкшен-авеню, Роуз-авеню и Третьей ули-
цей собралась толпа. Многие годы тут была парковка.
Теперь же здесь собирались разбить первый общественный парк района Искусств. Перед рядами раскладных кресел стояла двадцатифутовая скульптура. Очертания ее
едва угадывались под складками белой драпировки. От
нее к стоявшему рядом подъемному крану тянулся стальной трос. В нужный момент драпировка эффектно взмо-
ет в небо, и взорам публики явится центральная скульптура будущего парка.*

*Почти все кресла были заняты. Операторы двух мест-
ных новостных каналов готовы были запечатлеть волну-
ющий момент. Многие из присутствующих были лично
знакомы с автором скульптуры — Вибианой Веракрус.
Некоторые видели ее впервые, хотя были связаны с ней
семейными узами, пусть даже и не кровными.*

*В последнем ряду расположились Босх с дочерью. Гарри
видел, что через три ряда от них сидят Габриела Лида
и Оливия Макдоналд, а между ними — юный Хильберто
Веракрус. В руках у него была портативная консоль, и он
был увлечен какой-то игрой. Взрослые дети Оливии сидели справа от нее.*

В назначенное время на подиум перед скульптурой поднялся мужчина в костюме. Он поправил микрофон:

— Здравствуйте, и спасибо всем, что пришли сюда в столь прекрасный весенний день. Меня зовут Майкл Холлер. Я юрисконсульт фонда под названием «Фруктовая корзинка». Уверен, за последние несколько месяцев все вы не раз читали о нем в газетах. Благодаря чрезвычайно щедрому вкладу со стороны душеприказчиков Уитни П. Вэнса сегодня фонд «Фруктовая корзинка» открывает этот парк в честь мистера Вэнса. Кроме того, мы сообщаем о намерении выкупить и реставрировать четыре исторических здания в районе Искусств. Теперь там будут специально оборудованные пространства для жизни и творчества — недорогое жилье и студии для художников нашего города. У фонда «Фруктовая корзинка»...

В переднем ряду начали аплодировать, и Холлер вынужден был сделать паузу. Наконец он улыбнулся, кивнул и продолжил:

— У фонда «Фруктовая корзинка» есть и другие планы на этот район: новые здания с доступным жильем и студиями, новые парки, новые галереи, где можно будет приобрести работы художников. Это место называется районом Искусств, и фонд «Фруктовая корзинка», самим названием отдающий дань здешней истории, ставит своей целью поддерживать яркое сообщество художников и развивать публичное искусство.

Вновь раздались аплодисменты, и Холлер сделал очередную паузу.

— И раз уж речь зашла о публичном искусстве, мы с гордостью открываем этот парк, снимая драпировку со скульптуры за авторством Вибианы Веракрус, арт-директора «Фруктовой корзинки». Пусть искусство говорит само за себя. Итак, представляю вашему вниманию скульптуру «Другая сторона прощания».

Кран эффектно сдернул покрывало с белоснежной акриловой скульптуры. Подобные диорамы из нескольких фигур и предметов Босх уже видел в прошлом году, когда заходил в лофт Вибианы. В основании скульптуры был искореженный фюзеляж вертолета. Он лежал на боку, а сломанная лопасть винта возвышалась над ним, словно надгробный камень. Из открытой боковой двери поднимались лица, тянулись руки солдат, жаждущих спасения. Фигура одного солдата возвышалась над остальными во весь рост. Казалось, невидимая длань Господня поднимает его над обломками вертолета. Воздев руку, разжав кулак, солдат тянулся к небесам. Со своего места Босх не видел его лица, но знал, кто этот солдат.

Рядом с корпусом вертолета была фигура женщины. На руках у нее была девочка. Черты лица ее были смазаны, но в женщине Босх узнал Габриелу Лиду — в той же позе, что и на фото с пляжа «Дель Коронадо».

Открытие скульптуры встретили бурными аплодисментами, но автора поначалу не было видно. Затем Босх почувствовал на плече чье-то легкое касание. Обернулся и увидел, как Вибиана проходит у него за спиной, направляясь к подиуму.

Свернув в проход между креслами, она с улыбкой оглянулась. Босх понял, что впервые видит, как она улыбается — одним уголком рта. Он хорошо помнил эту улыбку.

Благодарности

Любой роман появляется на свет благодаря исследовательской работе и опыту писателя. Иногда можно ограничиться поверхностными исследованиями, в другой раз не обойтись без глубокого погружения в тему. Работая над этой книгой, автор во многом полагался на помощь своих друзей и спешит выразить благодарность за их вклад в создание романа, а также за то, что эти люди поделились с автором своими воспоминаниями.

Большое спасибо Джону Хоутону, бывшему санитару ВМС, служившему во Вьетнаме. Его рассказы о пребывании на «Убежище» и воспоминания о том, как много лет спустя он встретился с Конни Стивенс, стали частью образа Гарри Босха и эмоциональным ядром романа. Большое спасибо ветерану Вьетнама Деннису Войцеховски за все исследования, что он провел по просьбе автора.

Помощь «синей» команды, как всегда, была неоценима. Огромное спасибо Рику Джексону за то, что он был с автором с самого начала: помогал открывать нужные двери и давал советы, которые способен дать лишь детектив с двадцатипятилетним стажем работы в убойном отделе. Мици Робертс, Тим Марсия и Дэвид Ламбкин — бывшие и нынешние детективы убойного отдела УПЛА — также внесли неоценимый вклад в эту историю.

Управление полиции Сан-Фернандо распахнуло двери перед автором и приняло его в свои объятия. Большое-пребольшое спасибо шефу Энтони Вейро и сержанту Ирвину Розенбергу. Автор выражает надежду, что УПСФ гордится этим романом (потому что Гарри Босх не прочь вернуться в Сан-Фернандо).

Спасибо Терриллу Ли Ланкфорду, Хенрику Бастину, Джейн Дейвис и Хезер Риццо за вычитку набросков текста и ценнейшие советы.

Огромную помощь автору также оказали адвокат Дэниел Ф. Дейли, фотограф Гай Клоди и следователь Службы криминальных расследований ВМС Гари Макинтайр. Автор также выражает глубокую благодарность Шеннон Берн, Памеле Уилсон и художнику Стивену Симейеру, авторам документальных фильмов о районе Искусств «Молодые отщепенцы» и «Американские истории».

В последнюю очередь — по счету, но не по значению — автор благодарит редакторов, которые помогли создать скульптуру из глыбы набросков. Ася Мучник и Билл Мэсси — пожалуй, эти имена должны быть в записной книжке каждого писателя. Литературный редактор Памела Маршалл знакома с Гарри Босхом даже лучше, чем сам автор, и всегда готова прийти на помощь.

Автор сердечно благодарит всех, кто помог создать эту книгу.

Коннелли М.

К 64   Другая сторона прощания : роман / Майкл Коннелли ; пер. с англ. А. Полошака. — СПб. : Азбука, Азбука-Аттикус, 2021. — 416 с. — (Звезды мирового детектива).

ISBN 978-5-389-17317-0

Одинокий старик-миллиардер понимает, что дни его сочтены. Он многого добился в этой жизни и мог бы умереть спокойно, но одно воспоминание, смешанное с чувством сожаления, преследует его. Когда-то он, калифорнийский богатый юнец, встретил мексиканскую девушку. Она забеременела, но вскоре исчезла. Родился ли у нее ребенок? И если да, то что с ним случилось? Отчаявшись узнать, есть ли у него наследник, умирающий магнат нанимает детектива Гарри Босха — единственного человека, которому он может доверять. На карту поставлено огромное состояние, и Босху ясно, какой опасности подвергается и он сам, и тот, кого он ищет. И вот детективу удается нащупать след... Эта история мистическим образом перекликается с его собственным прошлым. Теперь Босх не успокоится, пока не узнает всю правду...

Впервые на русском!

УДК 821.111(73)
ББК 84(7Сое)-44

Литературно-художественное издание

МАЙКЛ КОННЕЛЛИ

ДРУГАЯ СТОРОНА ПРОЩАНИЯ

Ответственный редактор Янина Жухлина
Редактор Алла Косакова
Художественный редактор Илья Кучма
Технический редактор Татьяна Раткевич
Корректор Ирина Киселева

Главный редактор Александр Жикаренцев

Подписано в печать 25.06.2021. Формат издания 60 × 90 $^1/_{16}$.
Печать офсетная. Тираж 3000 экз. Усл. печ. л. 26. Заказ № 10892.

Знак информационной продукции
(Федеральный закон № 436-ФЗ от 29.12.2010 г.): 16+

ООО «Издательская Группа „Азбука-Аттикус“» —
обладатель товарного знака АЗБУКА®
115093, г. Москва, ул. Павловская, д. 7, эт. 2, пом. III, ком. № 1

Филиал ООО «Издательская Группа „Азбука-Аттикус“»
в Санкт-Петербурге
191123, г. Санкт-Петербург, Воскресенская наб., д. 12, лит. А

ЧП «Издательство „Махаон-Украина“»
Тел./факс: (044) 490-99-01. E-mail: sale@machaon.kiev.ua

Отпечатано в филиале «Тульская типография» ООО «УК» «ИРМА».
300026, г. Тула, пр. Ленина, 109

H-RBD-25835-01-R